2001

POÉTIQUE BAROQUE DE LA CARAÏBE

D1282082

KARTHALA sur internet : http://www.karthala.com

Paiement sécurisé

<u>Couverture</u> : « Explosion dans une église », tableau de Monsu Desiderio. The Fitzwilliam Museum, University of Cambridge.

© Éditions KARTHALA, 2001

ISBN : 2-84586-176-1

Dominique Chancé

Poétique baroque de la Caraïbe

Éditions KARTHALA
22-24, boulevard Arago
75013 PARIS

Introduction

Alejo Carpentier disparaît en 1980, Édouard Glissant et Daniel
Maximin, ses cadets, publient, en 1981, chacun un roman. Mais
cette proximité de dates n'est pas suffisamment significative pour
justifier le rapprochement, en un même essai, d'études portant sur
ces auteurs. Et cependant, les hasards de la lecture ne peuvent à
eux seuls rendre compte d'une telle conjonction. L'un est hispano-
phone, les deux autres francophones, voilà qui eût dû suffire à les
distinguer. Ces trois auteurs contemporains sont toutefois trois
auteurs de la Caraïbe. Ils appartiennent au même univers géographique, ont pratiqué ou font toujours d'incessants allers-retours
entre le vieux monde et le nouveau, revendiquent certaines idées
communes sur l'Histoire et l'identité des Antilles, ont une
prédilection pour des images, celle de la spirale en particulier, qui
les rapprochent.

Alejo Carpentier, le Cubain, est un auteur créole. Fils d'un
émigré français, il a constamment franchi l'Atlantique dans les
deux sens, échappant à la dictature grâce à Robert Desnos qui le fit
passer en France, retournant en Amérique latine pour s'installer au
Venezuela avant de rentrer dans le Cuba de Fidel Castro où il
dirigea les éditions d'État. Il reviendra en France comme ambas-
sadeur de Cuba. Il se revendique lui-même comme un auteur du
« barroquismo », le définissant dans ses conférences et essais
comme le style qui non seulement s'accorde au monde qu'il décrit
mais émane de ce monde : « [que] nuestro mundo es barroco, lo
hemos entendido ya, y, por lo mismo, observamos que lo barroco
sigue siendo la característica constante del mundo en expansión

que nos ha tocado expresar[1]. » « Notre monde est baroque », « le baroque continue à être la caractéristique la plus constante de ce monde en évolution que nous avons eu à cœur d'exprimer », en d'autres termes, tout se transforme très vite en Amérique latine, seul le baroque demeure, marque essentielle de cet univers en perpétuel mouvement.

Défenseur du baroque, Alejo Carpentier l'illustre naturellement dans ses romans, le portant comme une enseigne dans son *Concierto barroco*, véritable manifeste autant que poème extravagant et musical, où se fondent les baroques du XVIIe siècle et celui du XXe siècle, n'en déplaise à ces critiques qui souhaitent cantonner le concept de « baroque » à une seule période historique. Vivaldi, Haendel et Scarlatti s'acoquinent avec le nègre Filomeno et son maître l'Indien du Nouveau Monde, pour entonner un hymne endiablé à l'art le plus métissé. Les héritages aztèques, indiens, noirs, européens se mêlent dans ce concert magistralement orchestré qui entraîne Stravinski et les percussions africaines, le latin et le jazz d'Armstrong dans sa farandole.

Que Carpentier soit un auteur baroque ne fait aucun doute. L'associer à Daniel Maximin et à Édouard Glissant peut davantage surprendre. Cependant, les auteurs des Antilles françaises ne cessent, du fait même de la situation politique, administrative et culturelle de leurs îles, de faire la navette entre l'Europe et l'Amérique. Auteurs des tropiques foisonnants et de la France policée, départementale et proprette à la fois, ils partagent avec Alejo Carpentier la tension d'être entre deux mondes, même s'ils le vivent parfois davantage comme une déchirure que comme une richesse. Créoles, ils sont attirés par la nature sud-américaine, son désordre baroque, Français, ils ne peuvent guère que s'inscrire dans l'héritage historique du colonialisme et le legs culturel de la langue française. Ils sont peut-être baroques avec plus de velléité et d'angoisse. Il leur est sans doute plus essentiel et plus douloureux encore que pour Alejo Carpentier d'interroger le désordre du monde.

---

1.   Alejo Carpentier. *La novela latinoamericana en vísperas de un nuevo siglo*. Siglo veintiuno editores, S.A., 1981, p. 18.

Édouard Glissant a souvent évoqué Alejo Carpentier dans ses œuvres, en particulier dans *L'Intention poétique* où il lui consacre un chapitre dans la partie qui s'intitule *Du divers au commun*, où il analyse plusieurs romans d'Alejo Carpentier, entre une lecture de Michel Leiris et un hommage à Aimé Césaire. Il voit en Alejo Carpentier une « vocation de synthèse » et s'exclame :

> « Ne reculons pas, Antillais, à connaître et à revendiquer les vertus et les traditions tant nègres qu'indiennes qu'européennes venues jusqu'à nous ; mais n'hésitons pas à les rajuster. (...) [Le] choc des cultures est une passion dynamique des cultures. »

Et à propos de l'écriture d'Alejo Carpentier qui allie « le rythme nègre » et « l'ampleur de la prose espagnole », il déclare : « [n]ous voici au carrefour des Cultures, à un autre partage des eaux, face à une nouvelle mesure de la connaissance et de la vie[2]. » Selon Édouard Glissant, Alejo Carpentier est américain et antillais, tout comme lui-même ou Aimé Césaire et Daniel Maximin. Le nouveau monde auquel appartiennent les Caraïbes est donc synonyme de « nouvelle mesure de la connaissance et de la vie », il exige une vision et un rythme différents et non seulement un style distinct.

Parler d'une « poétique baroque du Nouveau Monde ou de la Caraïbe », c'est donc s'interroger sur ce qui rapproche, dans l'écriture et la vision, des auteurs de langues et de nationalités différentes, réunis par une même situation historique et géographique. On aurait pu sans doute y adjoindre des auteurs de langue anglaise comme Derek Walcott ou V. S. Naipaul qui partagent cette situation. Pourtant si les questions qui animent les auteurs antillais présentent des traits communs, tous ne sont pas « baroques », à la manière des auteurs que nous avons rassemblés ici. Qu'il s'agisse d'Alejo Carpentier, d'Édouard Glissant ou de Daniel Maximin, on verra que le fait d'appartenir à un monde qui se sent « nouveau » et prend certaines distances par rapport aux

---

2. Édouard Glissant, *L'Intention poétique*, Éditions du Seuil, 1969, pp. 136-142. Édouard Glissant reprend en partie un article, « Alejo Carpentier et l'autre Amérique », qu'il avait publié dans *Critique*, n° 104-109, en 1956.

valeurs ou à l'Histoire européennes entraîne une poétique spécifique. L'écart est fondateur, il rappelle constamment que ce monde « nouveau », s'il diffère de l'ancien, s'est érigé en contradiction avec l'Europe dont il conserve intensément la référence et le modèle. C'est par opposition aux cathédrales culturelles de l'Europe que les auteurs baroques réunis ici s'adonnent avec prédilection aux explosions, implosions, fragmentations et autres déchiquetages narratifs.

On pourrait poser à titre d'hypothèse que le baroque est la poétique d'auteurs qui s'interrogent profondément sur l'ordre du monde, sur la loi, sur le chaos et qui préfèrent aux classifications et aux catégories dont ils ont pour une part hérité, une mouvance, une prolifération, un entrelacs, des figures hybrides, contradictoires, inachevées et éphémères que l'on a pu à juste titre appeler baroques. Alejo Carpentier évoque ainsi le baroque inhérent au monde qu'il dépeint :

> « Si la Caracas que conocí en 1945 era ya una ciudad barroca por el color de sus casas (...) el tropical desorden de su Mercado Central (...) sigue siendo una ciudad barroca- más barroca que antes, acaso- por la total anarquía de su arquitectura demencial[3]. »

Le baroque est associé par conséquent au désordre, à l'anarchie, à quelque chose de démentiel. C'est pourquoi nous postulons qu'il surgit dans le contexte plus ou moins conscient d'une interrogation profonde sur l'ordre du monde, sa folie, sa démesure qui nécessite une « nouvelle mesure ».

D'Alejo Carpentier à Daniel Maximin ou Édouard Glissant, un regard se pose sur l'Histoire et en réévalue le legs. Édouard Glissant écrivait dans *L'Intention poétique* :

> « Antilles, Amérique du Sud : c'est même recours au passé (que l'on apprend à connaître enfin), même tension vers un avenir,

---

3. Alejo Carpentier, *La novela latinoamericana, op. cit.,* pp. 18-19. « Si la Caracas que j'ai connue en 1945 était déjà une ville baroque par la couleur de ses maisons (...) le désordre tropical de son Marché Central (...) elle est toujours une ville baroque – plus baroque qu'autrefois, peut-être – par la totale anarchie de son architecture démentielle. »

même recherche d'une unité (...) ; c'est l'attache à la terre, le caractère non protestant de l'existence, l'immédiat des natures, la nécessité de marier des éléments culturels africains, européens, indiens[4] »...

Le Siècle des Lumières, *L'Isolé soleil*, *La Case du commandeur* n'ont de cesse d'explorer le passé, d'affirmer ces tensions, de s'interroger sur les « débris d'une synthèse », selon une expression d'Aimé Césaire citée par Daniel Maximin et les fragments morcelés que sont les Antillais dans leur Histoire défaite et leurs histoires multiples et métissées.

Si la Révolution française, racontée par Alejo Carpentier dans *Le Siècle des Lumières* est à l'origine de notre réflexion, c'est peut-être qu'en elle déjà se défaisait un ordre. L'ordre des trois « ordres », scellés par l'hérédité, le droit divin, symbolisé et figé dans la monarchie absolue et le classicisme à la française, s'écroule. L'homme du Nouveau Monde qu'est Esteban, le héros du *Siècle des Lumières*, et son auteur, Carpentier, sont très intéressés par cet effondrement. Parce qu'ils sont hommes du Nouveau Monde, ils espèrent dans les nouvelles valeurs[5]. Un nouvel ordre du monde sortira-t-il de cette farandole révolution-naire, avec ses contretemps et ses régressions ? Ou bien l'ordre est-il à jamais perdu, remplacé par l'usurpation, la légalité manipulable à défaut de légitimité, les distributions de rôles à défaut des rangs et des positions ? Le nouvel ordre sera-t-il celui de la Raison, des « Lumières », qu'annonçaient les philosophes, après les siècles de l'obscurantisme religieux et du caprice royal[6] ?

---

4. Édouard Glissant, *op. cit.*, p. 139.
5. C'est peut-être leur relation privilégiée à la France qui fait la particularité des auteurs que nous avons choisis. N'est-ce pas par opposition au classicisme français, dans un système de références à la culture française que se définissent tant Alejo Carpentier que Daniel Maximin et Édouard Glissant ? Alejo Carpentier, s'il écrit en espagnol, est certainement moins concerné par la culture hispanique que française du fait de ses séjours prolongés en France et de son implication dans les mouvements littéraires français des années d'après-guerre. Le « réalisme merveilleux » naîtra ainsi directement du surréalisme qu'il extrapole. Les écrivains anglophones tels V.S. Naipaul et Derek Walcott ont d'autres modèles.
6. C'était déjà l'interrogation du drame romantique, de Pouchkine à Musset, en passant par Hugo : n'y aurait-il plus, en ce monde, qu'usurpation et

En fait, le roman de Carpentier dépeint un assez joli chaos. Les lumières de la raison laissent rapidement la place à de nouveaux obscurantismes ; la nuit et la violence envahissent la scène historique. Il s'agit désormais de reconnaître « la part maudite » qu'avaient oubliée les idéalistes, la part d'ombre que projette toute lumière, l'obscur du désir, de l'inconscient, des passions. Alejo Carpentier et son héros laissent l'ancien monde à ses interrogations et ses hérésies pour l'Amérique.

Mais le Nouveau Monde n'est pas imperméable aux idées révolutionnaires et aux débats de l'Ancien Monde. Tout au contraire, ces histoires sont inextricablement liées. La nouvelle société et les nouvelles idées qui triomphent en France se répandent en Amérique. Même déstabilisation, même perte de repères. Là meurt un roi, ici meurt le père. Quel ordre est désormais possible ? Le « nouveau monde » aurait-il intérêt à faire son histoire propre, à couper radicalement le cordon qui le lie à l'ancien *logos* ? Est-ce d'ailleurs possible ? Et serait-il alors protégé du désordre introduit par ce siècle de lumières et de folie ? Dans ces questions se joue, aux Antilles, une identité, se cherche un nouveau « discours ». S'interrogeant sur ce qui pourrait faire référence pour elles, ce qui pourrait donner repère et valeur, dans leur contexte singulier, les Caraïbes ne cessent de remettre en perspective, et de retourner dans tous les sens, l'héritage de l'ancien monde. On peut, ainsi, se demander si le Nouveau Monde est le creuset d'une loi nouvelle ou s'il est condamné à n'être que le lieu où la loi de l'ancien monde dérive, se pervertit. Elle échoue, comme un bois flotté, sur les rivages du Nouveau Monde où un Victor Hugues remonte un drame qui, on le sait, tourne toujours en farce plus ou moins tragique, quand il se répète.

Les héros de Daniel Maximin s'interrogent sur leurs pères, les héros d'une Histoire à se « réapproprier », les symboles capables de les éclairer. De même, Édouard Glissant fouille le passé pour y déceler des figures significatives. Le monde des Antilles, ce monde « nouveau » a bien du mal à s'ordonner. Il apparaît comme un chaos, un monde en deuil de père et de repères. Est-ce parce qu'il

---

bâtardise ? Après la mort des rois de « droit divin », quelle légitimité peut se reconstruire ?

les cherche ailleurs qu'en sa propre terre ? Est-ce parce que la loi qui vaut dans l'ancien monde se pervertit en Amérique, s'ensauvage dans la colonisation et le Code Noir ? Chaque auteur se démène avec cette interrogation sur une loi capable d'organiser le monde humain, une loi symbolique et un héritage significatif. Et c'est cette question qui nous a obsédée véritablement d'un texte à l'autre. Nous-mêmes, après tout, dans ce vieux monde qui apparaît si sûr de lui vu d'outre-Atlantique, si « atavique » selon Édouard Glissant, sommes traversés par ces interrogations, tout aussi hésitants sur notre héritage et endeuillés par la mort du roi, de Dieu, et du paterfamilias. N'y aurait-il que chaos, inextricable emmêlement d'idées et de postures qui toutes se valent ?

Cependant, plutôt que de juxtaposer trois auteurs, comme autant de facettes d'une même question, nous avons suivi une progression, d'un étage à l'autre de la spirale. Si Alejo Carpentier fait l'inventaire d'une Apocalypse, ouvrant la question de l'héritage et de la loi, chaque auteur, à son tour, tente de dépasser cette *explosion fixe*, ce non-sens qu'est devenue l'histoire. Daniel Maximin tente de sortir du labyrinthe, s'engageant dans les spirales de la poésie et du mythe, Édouard Glissant, esquisse une symbolisation qui toujours se dessine et se brouille.

Sans doute ces questions ont-elles hanté bien des écrivains et des artistes. C'est dans le chaos qu'il pressent que l'auteur a voulu reconstruire un monde, c'est contre la bâtardise crainte ou avérée qu'un Balzac ou un Hugo se sont donné un nom, ont enfanté des pères, contre le marais des choses indifférenciées qu'un Zola ou un Maupassant, voire un Beethoven ont dressé leur « création ». Certains n'ont pas même esquivé la folie qui guettait leur angoisse. Les auteurs antillais partagent donc des interrogations que connaissent bien les artistes, de Van Gogh à l'auteur du *Horla* ou au compositeur de la *Grande Fugue*. Il nous faut reconnaître pourtant la manière spécifique dont les auteurs antillais inscrivent ces questions dans leur propre quête, d'abord comme une interrogation sur l'Histoire et la recherche d'un sens dans le temps et dans le politique, puis comme interrogation sur la loi, sur l'autorité et ses garants paternels et sociaux.

Mais quel lien ces questions universelles ont-elles avec le baroque ? Il se pourrait que la poétique baroque soit une réponse à ce deuil de l'ordre, à moins qu'elle n'en soit la plus immédiate expression. *Le Siècle des Lumières* commence par un joyeux deuil. La mort du père n'y est nullement sentie comme une catastrophe. Le monde à l'envers est extrêmement ludique et créatif. On danse ailleurs la Carmagnole. Entre l'angoisse et la fête, faut-il se réjouir ou se lamenter de la mort de Dieu, de la perte de la loi ancienne ? On se souvient du texte de Nietszche : « Dieu est mort, répète inlassablement Zarathoustra. » Mais, après la mort de Dieu, l'homme est désemparé, mélancolique, certains clament que tout se vaut. Lacan paraphrase en disant : la mort de Dieu ne signifie pas que tout est permis mais que tout est interdit. Lorsque la loi symbolique vacille, règnent la déréliction, la mélancolie, le désarroi, le délire obsessionnel. La poétique baroque serait le moment, l'écriture d'une telle tension entre le désordre effrayant d'un monde sans loi et le chaos merveilleusement fécond des forêts tropicales. Rien ne se conclut, tout est en mouvement. Si la nuit et l'ombre s'abattent sur ce monde, la fantaisie et le mystère s'y pressentent mieux qu'aux lueurs de la raison classique.

Alejo Carpentier
Le Siècle des Lumières, 1958[1]

Les « lumières » à la lumière d'un « grand lustre baroque »

Comment le roman d'Alejo Carpentier, *Le Siècle des Lumières*, interroge-t-il les lumières, aujourd'hui ? Sans doute pouvons-nous apercevoir les enjeux de ce roman publié en 1958, parce que nous avons renoncé à un certain nombre de croyances sur la Révolution et l'Histoire et sommes à même de rencontrer une écriture dense, qu'il ne faut pas trop vite ranger du côté de la littérature baroque sud-américaine, exotique, chaleureuse, fascinante, une littérature qui saurait encore nous enchanter par ses contes, mais dont nous ne percevrions pas l'actualité, l'acuité, la complexité, pour employer un terme qui selon nous lui convient mieux, et lui redonne son sens.

Carpentier, comme beaucoup d'écrivains de la zone sud-américaine, comme Lezama Lima, Borges, Marquez, est baroque, certes, mais qu'entendons-nous par là ? N'est-ce pas une manière de les reléguer dans un exotisme, une beauté étrangère, un autre monde, plus vivant, sensuel et tourbillonnant, qui nous réchaufferait, comme les plages du Nouveau Monde ? Ne serait-ce pas dire notre nostalgie d'une littérature romanesque à l'ampleur mythique, d'un style dont nous n'avons pas encore repéré le sens ?

---

1. Alejo Carpentier, *Le Siècle des Lumières*, traduit par René L. F. Durand, Gallimard, 1962, collection Folio.

N'est-ce pas pour cette raison que si peu d'études françaises existent, tant sur *Le Siècle des Lumières*, que sur Carpentier ? On lit Carpentier, on le savoure, mais on ne l'étudie pas[2].

Pourtant, *Le Siècle des Lumières* nous parle de nous, de notre histoire, certes dans un reflet de miroir un peu cruel, dans un tableau qui tient plus des *Caprices* de Goya que de David, mais c'est très lucidement qu'il évoque notre siècle des lumières, notre Révolution, à la fois sur son théâtre parisien et aux Antilles, nous amenant pour une fois à réfléchir sur notre histoire à travers le regard de l'autre et non sur l'histoire des autres à travers notre propre anthropologie. Il faudra bien que le Vieux Monde apprenne du Nouveau, en reçoive un éclat de vérité.

Le Siècle des Lumières pourrait être un excellent roman du XIXe siècle sur la révolution aux Antilles (ou vue par des Antillais) mêlant une superbe fresque historique à une histoire d'amour, dans un cadre exotique. Le roman de Carpentier continuerait *L'Éducation sentimentale*, s'inscrivant dans « le romantisme de la désillusion », dans la veine du roman de l'échec et de l'amertume. Mais il ne s'en tient pas là, car cette œuvre est pleinement un roman du XXe siècle, à plusieurs titres.

D'une part, c'est un roman où les plans, loin de se hiérarchiser selon une belle perspective, se mêlent, s'entrelacent. Le plan historique et le plan de l'histoire individuelle, l'action et l'émotion interfèrent sans cesse, les échelles de temps se rejoignent, ce qui fait de ce roman, non une fresque historique mais une vaste réflexion sur l'histoire et sur le temps, humain et cosmique ; il transforme de fond en comble le tissu romanesque et les lois de la narration ; anti-classique, il orchestre une composition savante et mouvante, éclatée, baroque certainement.

D'autre part, si *Le Siècle des Lumières* remonte le temps, de Flaubert à Voltaire, il n'en reste nullement à la vision décourageante de celui-là, ni à la philosophie de celui-ci. Certes, le personnage d'Esteban ressemble à Candide par bien des aspects, mais s'il entreprend un grand voyage, c'est dans le sens inverse, et

---

2.   Il faut cependant signaler les excellentes études publiées par J. Baldran *et al.*, sous le titre *Quinze études autour de El Siglo de las luces de Alejo Carpentier*, L'Harmattan, 1983.

s'il rentre à la maison, ce n'est pas pour y cultiver son jardin, c'est pour entendre à nouveau l'irrésistible appel de l'Histoire. La leçon du XXᵉ siècle, sur les lumières, n'est certainement pas celle de Voltaire, et si son scepticisme tente Carpentier, sa poétique, encore classique, n'est plus ce qui éclaire l'homme d'aujourd'hui, obligé de continuer malgré ce qu'il sait du non-sens, trouvant dans l'ombre projetée par un « lustre baroque » ou même au plus profond de la nuit, un désir de mouvement.

Bien sûr, le héros et le lecteur apprendront l'inutilité d'une quête qui demeure sans réponse : ni l'Histoire, ni la science, ni l'amour, la jouissance, ou l'extase d'un moment poétique où il se fond avec le monde, ne sont des réponses. Mais il se jettera pourtant une dernière fois dans la rue, dans le flux historique, comme Carpentier qui, écrivant un roman incroyablement sceptique sur la Révolution et l'Histoire, en 1958, se jettera dans la révolution cubaine. C'est une sorte de Flaubert qui se serait engagé, malgré toute son amertume, dans la révolution de 1848.

C'est sur ce seuil que la question est reprise, et Carpentier nous interroge ainsi aujourd'hui : comment et pourquoi se laisser prendre quand on a compris ? Comment, derrière le masque, au-delà de la « scène de l'histoire », où règne l'absurde, découvrir un lieu et un sujet, qui permettraient de jouer autre chose qu'une farce tragique ?

Carpentier donne une image très originale du mouvement historique, à la fois proche d'une idée qui serait encore marxiste de « processus sans sujet ni fin », selon la définition de Louis Althusser, et comme pulsion irrésistible, très comparable à la pulsion du désir, qu'elle englobe ou interprète bien souvent, de manière inextricable : une pulsion élémentaire qui ressemblerait à un désir d'Histoire, et qui ferait les révolutions.

En cette pulsion, l'homme rejoindrait les rythmes et les flux cosmiques, en deçà et au-delà de l'histoire individuelle et collective. C'est là une poétique du mouvement, de la complexité, une vision qui tient en « symbiose » le désir individuel et le désir d'histoire, le temps des éléments et le temps historique, dans une écriture qui fait tout communiquer, dans la diversité, sans figer le sens, sans simplifier, ouverte à toutes les spirales du temps. Telle serait la signification de ce baroque singulier.

Des lumières à la nuit

Des lumières, il en est certes question, dans le roman d'Alejo Carpentier, mais qu'elles soient raison des philosophes ou illuminisme des francs-maçons, elles se renversent en nuit.

Une raison pour refonder la loi

Le roman commence par l'enterrement d'un père qui symbolise sans doute l'ancienne loi ; après quoi, tout est possible, on revient un peu au chaos, c'est le monde à l'envers, les enfants ferment tout, et dans leur monde clos, petite fratrie incestueuse et sans père, on s'amuse, on mange la nuit, on dort le jour. Grande contestation, sorte d'arche de Noé, qui va permettre de tout réinventer.

Pendant cette année de deuil, on s'enferme pour faire des expériences, l'on se passionne pour les « livres destinés à constituer une bibliothèque d'idées et de poésie nouvelles »,

> « [et le] désordre [est] à son comble quand arriv[ent] les engins d'un cabinet de physique qu'Esteban [a] commandé pour remplacer ses automates et ses boîtes à musique par des distractions susceptibles d'instruire tout en amusant. C[e sont] des télescopes, des balances hydrostatiques, des morceaux d'ambre, des modèles de treuils, des tubes communicants, des bouteilles de Leyde, des pendules et des balanciers, des machines en miniature, auxquels le fabricant avait ajouté, pour suppléer au manque de certains objets, une trousse avec les dernières inventions en fait de mathématiques[3]. »

Les lumières, ce sont d'abord celles de la raison scientifique, telle qu'elle a fasciné tout ce XVIIIe siècle où l'on s'amusait, dans les salons, à faire passer du courant électrostatique, et à hérisser les cheveux des belles dames.

---

3. *Le Siècle des Lumières*, p. 39.

Quand Victor Hugues arrivera dans cette maison, il fera tourner la vis d'Archimède, « marmonnant quelques mots à propos des leviers qui soulèvent le monde[4] ».

Les mathématiques offrent un modèle au politique, et si Hugues incarne bien l'homme de la révolution et des lumières, c'est d'abord parce qu'il est boulanger, commerçant tenant scrupuleusement et intelligemment ses livres de comptes : la *ratio*, c'est le calcul mental, tout bête, qu'on enseigne aux enfants sur une ardoise, et qui rendrait le monde plus clair.

La guillotine symbolise cette logique. Elle se dresse au commencement du roman, et de cette révolution, comme un signe magistral. Carpentier n'en fait pas une erreur, ou limite aberrante de la révolution. Au contraire, elle est le symbole de la révolution et des lumières, elle est la « Machine » exacte, parfaite, qui incarne l'esprit des lumières, « semblable par la nécessaire exactitude de ses parallèles, son implacable géométrie, à un gigantesque instrument de navigation », c'est une « porte-sans-battant (...) » réduite au linteau et aux jambages, avec son équerre, son demi-fronton inversé, son noir triangle au biseau acéré et froid, suspendu aux montants[5] ». Cette porte qui n'ouvre sur rien ou sur la nuit, ou peut-être sur la route de Saint-Jacques, en un pèlerinage immémorial et sacré, est à la fois majestueuse et inhumaine, elle est la dimension sacrée de la révolution, à la fois terrible, et mystique. Victor Hugues en est le servant, il est « l'Investi de Pouvoirs » qui la dénude, l'exhibe ou la « ferme », en la recouvrant d'une housse[6].

Le plus inquiétant n'est peut-être pas le moment où la machine fonctionne, dans la terreur ou dans la fête, mais le moment où

« elle retour[ne] dans sa caisse. On emport[e] la porte étroite par laquelle tant d'hommes [sont] passés de la lumière à la nuit sans retour. L'instrument, le seul à être arrivé en Amérique comme le bras séculier de la liberté, se rouillerait à présent parmi la ferraille

---

4. *Le Siècle des Lumières*, p. 49.
5. *Ibid.*, p. 18.
6. Car c'est bien le mot qu'emploie Carpentier, « cerrar », que le traducteur traduit par « coiffer », manquant là une métaphore filée qui révèle que la guillotine est une porte, dont on ne sait sur quel abîme elle s'ouvre et se ferme.

inutilisable de quelque magasin. À la veille de jouer le tout pour le tout, Victor Hugues escamotait l'engin qu'il avait lui-même érigé en nécessité primordiale, avec l'imprimerie et les armes... »

Le symbole est ambigu, tantôt sacré, tantôt « séculier », ouvrant sur la « nuit », et illuminant en même temps par son « équerre luisante », machine trop parfaite sans doute, pour que l'homme s'en serve sans s'y abîmer lui-même, parce qu'il ne sait pas ce qu'il y a de l'autre côté. C'est pourtant en l'abandonnant, en l'« escamotant », que Victor Hugues deviendra vraiment ignoble, se servant de la révolution à des fins personnelles d'enrichissement, et pour donner un sens à sa vie, plutôt que de chercher le sens obscur et plus vaste de l'Histoire qu'il accomplit comme « Investi de Pouvoirs ».

Pour comble, par une dernière bouffonnerie, la guillotine va servir de planches pour « tenir lieu de scène excellente » :

> « la machine fut reléguée à une arrière-cour voisine, et resta au pouvoir des poules qui dormirent au haut de ses montants. Les planches furent lavées et brossées pour qu'il n'y restât pas trace de sang, on tendit une bâche entre les arbres et on commença les répétitions d'une œuvre préférée à toutes celles que l'on avait au répertoire, tant en raison de sa célébrité universelle que du contenu de certains couplets qui avaient annoncé l'esprit révolutionnaire : *Le Devin du village*, de Jean-Jacques[7]. »

L'Histoire se transforme en farce, évidée de son sens, elle se mue en théâtre, et les hommes qui prétendaient être les « Investis de Pouvoirs » ne sont que des costumes vides, comme il adviendra de Victor Hugues.

> « Au-delà des satins et des dentelles il y avait le costume de commissaire de la Convention que Victor lui avait montré à l'époque de sa cécité. Placé comme il l'était, sur un fauteuil à la tapisserie déchirée, avec les culottes en bonne place, la casaque barrée d'une écharpe tricolore, le chapeau posé sur des cuisses

---

7.   *Le Siècle des Lumières*, p. 272.

absentes, il ressemblait à une relique de famille, de celles dont les formes vides de chair et d'os évoquaient un homme disparu qui avait joué pendant un certain temps un grand rôle[8]. »

L'expression « étoffe des héros » prend à certains moments un sens littéral : ils ne sont que le costume qu'ils endossent et déposent, comme les jeux de rôles l'indiquaient dès le début du roman où les jeunes gens se déguisaient pour jouer tribuns et évêques.

L'échec de la raison et des maçons

Si les lumières de la raison échouent à éclairer l'homme politique, si la géométrie s'avère à la fois trop parfaite pour l'homme et inhumaine dans ses applications pratiques, la philosophie illuministe qui, dans le roman, donne son sens à l'action, projette bientôt des ombres profondes. Les francs-maçons, en effet initieront Esteban, à Paris, à la Loge des Étrangers Réunis, il y sera « éclairé, illuminé, devant l'arche qu'il devrait à présent édifier dans son propre être, à la ressemblance du temple construit par le maître Hiram-Abi ».

Dans les premiers moments de la Révolution, à Paris, coïncident les idées des philosophes et celles des maçons, chantant « les hautes lumières d'un siècle vers le prodigieux avènement duquel [Esteban] était allé aveuglément, les yeux bandés, comme entraîné par une volonté supérieure, depuis le jour des grands incendies de Port-au-Prince[9] ». Lumière mystique et lumière de la raison qui édifie le monde s'harmonisent, jusqu'au moment où la révolution se débarrassera des francs-maçons. Victor Hugues, renonçant à son ancienne foi, pour épouser la nouvelle loi, celle de Maximilien Robespierre, déclare alors : « Tous ces magiciens et inspirés ne sont qu'une bande d'*emmerdeurs*[10] ». Il croit sans doute se débarrasser de la foi, mais il ne fait qu'épouser les croyance

8.   *Le Siècle des Lumières*. p. 447.
9.   *Ibid.*, p. 137.
10. Page 145, le mot « emmerdeurs » est en français dans le texte, d'après la note du traducteur.

dont Robespierre est le grand prêtre. Les révolutions se font au nom de la lucidité, contre les hérésies, les fausses croyances, les illusions, mais on s'aperçoit un peu plus tard qu'elles ne font qu'instituer de nouveaux dieux, ordonner des prêtres d'un style nouveau.

En fait, toute la machine révolutionnaire se déglinguera, d'ordres en contre-ordres, de culte de la lumière en culte de la Raison, de guillotine sacrificielle en perchoir à poules et de héros en costumes vides, et chairs enflées. On rase les églises la veille du concordat. Il ne reste plus qu'à les reconstruire. On se heurte ici aux « gens », à l'instar d'Esteban tentant de convertir le pays basque aux nouveaux dogmes. C'est-à-dire que les idées et les discours révolutionnaires se fracassent contre une matière concrète, humaine et vague, une culture qui est aussi de l'Histoire, mais comme permanence des traditions :

> « Ces Basques aux gestes lents, à cou de taureau et profil chevalin, extrêmement habiles à soulever des pierres et jeter bas les arbres, navigateurs dignes d'être comparés à ceux qui, cherchant la route d'Islande, avaient été les premiers à voir la mer de glace, étaient tenaces à conserver leurs traditions. »

Que peuvent les idéaux et l'exactitude de la raison révolution-naire en face d'un peuple qui porte sa part d'animalité, et s'enracine dans des temporalités autrement plus vastes qu'un « siècle » ? Les révolutionnaires oublient que les peuples ne sont pas nés hier, qu'ils résultent de mouvements migratoires, d'échanges et d'expéditions très anciennes, se comptant en millénaires. Leur savoir, leur force et leur « ténacité » y trouvent leur origine, c'est de là qu'ils défient les hommes politiques et leurs idées. Les peuples ne sont pas justes, vrais ou exacts, on ne mesure leur existence ni avec un calendrier révolutionnaire, ni avec une guillotine. Ils se contentent d'être et de « conserver ». Ces Basques un peu titanesques sont d'un autre temps, ils s'inscrivent dans une durée qui défie les changements d'époque et d'idéo-logies, celle des civilisations.

De même, Victor Hugues échouera à rétablir l'esclavage, face à la « grande marronnade »

« [de ces] hommes qui remontaient le cours de l'histoire, pour atteindre les temps où la création était régie par la Vénus féconde, aux grandes mamelles et au ventre large adorée dans des cavernes profondes où la main avait balbutié en traits grossiers sa première figuration des besognes domestiques et des fêtes données en l'honneur des astres[11]... »

L'histoire des révolutions rencontre l'histoire des peuples, une autre durée qui peut englober la mémoire intemporelle des mythes. Les idées, la raison et les architectes sont inefficaces quand il s'agit de rencontrer des existences.

Qui a raison ?

Si la raison n'éclaire pas sur le sens de l'histoire, c'est que celui qui vit l'histoire est toujours à la mauvaise place : il n'a pas le point de vue qui lui révèlerait la signification. Les philosophes ont cru pouvoir remplacer le point de vue omniscient de Dieu par le regard tout aussi omniscient de l'homme éclairé qui surplombe, grâce aux lumières des sciences, l'expérience humaine. Le roman, à l'inverse, démontre que l'homme dans l'histoire ne peut atteindre cette vue panoramique, ce regard de Dieu. Pris dans l'expérience, décentré, ballotté, il lui faut renoncer à comprendre. C'est ce dont témoigne le personnage principal. Personnage qui porte en effet le point de vue du narrateur, il souffre de n'être jamais à la bonne place, de ne pas découvrir « le théâtre des opérations », la scène historique. Il se déplace sans cesse et toujours se plaint de ne pas bien voir. Il ne sait où se fait l'histoire, ayant toujours l'impression que cela se passe à côté :

« Il ne valait pas la peine d'être venu de si loin voir une révolution, pour ne pas voir cette révolution ; pour se contenter d'être l'auditeur qui écoute, d'un parc voisin, les fortissimi qui

---

11. *Le Siècle des Lumières.* p. 427.

parviennent d'un théâtre d'opéra dans lequel on n'a pas pu entrer[12]. »   /

Il se trouve mêlé à des mouvements désordonnés, à une révolution erratique dont le sens fait cruellement défaut. Pire encore, il s'aperçoit que son point de vue n'est pas communicable, que celui-ci ne peut nullement prétendre être reconnu comme vérité.

En effet, Esteban achève son périple en revenant à Cuba, où il commence son récit par ces mots : « Je viens de vivre parmi les barbares ». Il évoque alors la longue suite de folies auxquelles il vient d'assister, dans une tirade désenchantée que le narrateur commente en ces termes :

> « C'est vers un monde meilleur qu'était parti Esteban, il n'y avait pas si longtemps, ébloui par la grande colonne de feu qui semblait s'élever à l'Orient. Il revenait à présent de son voyage, frustré, ployant sous une énorme fatigue qui cherchait en vain un soulagement dans le souvenir de quelque aimable péripétie. (...) Ce qui restait en arrière, évoqué dans des abîmes de ténèbres et de tumulte, au milieu des roulements de tambours et des râles d'agonie, des cris et des supplices, s'associait dans son esprit à l'idée de tremblements de terre, de convulsion collective, de fureur rituelle[13]... »

Or, Sofia lui objectera qu'il n'a pu « avoir qu'une vue partielle et limitée des faits, vue troublée parfois par la proximité de petits ridicules, d'inévitables naïvetés, qui n'amoindrissaient en rien la grandeur d'une tentative surhumaine ». Esteban, révolté d'entendre son point de vue remis en question s'écrie : « Ainsi donc, être descendu en enfer ne m'a servi de rien[14] ? »

Tout est affaire de point de vue, en effet. Mais, dans un monde où l'on a renoncé au point de vue omniscient de Dieu ou du narrateur, il n'y a plus que des points de vue partiels, d'où le

---

12. *Le Siècle des Lumières*, p. 149.
13. *Ibid.*, p. 332.
14. *Ibid.*, p. 351.

spectacle ne s'ordonne jamais, et d'où l'on ne peut plus donner de sens à l'histoire.

C'est pourquoi, d'une certaine façon, chacun doit à son tour en faire l'épreuve : l'expérience d'Esteban ne vaut que pour lui-même, Sofia devra à son tour partir pour sa révolution, comme Carlos à la fin du roman, comme Carpentier lui-même qui ne peut tirer de cette histoire-là une leçon qui vaille pour aujourd'hui et qui devra, malgré tout son scepticisme, entrer dans son Histoire, celle de la révolution à Cuba. On ne peut pas y voir clair, où que l'on soit, de près ou de loin, même ceux qui croient faire l'histoire ignorent ce qu'ils font. Qui plus est, la lumière elle-même projette des ombres, ou éblouit. Elle éclaire ici, laisse dans l'ombre un pan de l'Histoire, s'atténue, laisse place à la nuit.

« Et la nuit s'installa dans la demeure »

À lire ce roman, on en vient à penser, en effet, que les philosophes avaient oublié que toute lumière projette une ombre, et Alejo Carpentier redonne à celle-ci sa part[15]. Le roman commence par une nuit qu'éclaire une « lune pâlie », et des constellations dont on ne sait pas trop si elles peuvent guider l'homme, tant « leurs feux de position sidérale, se confond[ent], s'invers[ent], mêlant leurs allégories ». Trop de lumière aveugle également. Ainsi, la lumière est si intense, à La Havane, dans la maison du défunt père, qu'elle se transforme en « grumeaux de chaleur[16] ». Ailleurs, l'éclat de la lumière « éblouit », c'est-à-dire empêche de voir.

Dès lors, il n'est pas surprenant que le roman s'achève dans la nuit. Les personnages sont à Madrid. Ayant accompli son destin tragique, Esteban s'est sacrifié pour sauver Sofia, allant au bagne de Ceuta pour elle. Elle est venue l'en délivrer, et ils demeurent désormais à Madrid, on est en 1808, le 3 mai exactement.

La révolution française achève son parcours, se continuant dans les guerres révolutionnaires et les conquêtes napoléoniennes, et ces

---

15. On pourrait évoquer la « part maudite » à laquelle Bataille a redonné sa juste place dans le monde animal, naturel et humain.

16. *Le Siècle des Lumières*, p. 22.

jeunes gens qui en ont suivi les circonvolutions à Paris, en Guadeloupe et à Cayenne, vont voir s'achever le siècle des lumières à Madrid où les Français entrent, commandés par Napoléon qui donnera la couronne d'Espagne à son frère. Dans un ultime retournement de point de vue, cette Révolution qu'on suivait se dresse contre un peuple, et le roman s'achève sur une nuit de mai qu'Alejo Carpentier décrit en des termes qui font écho au tableau de Goya[17] :

> « Cette nuit du début du mois de mai se prolongeait sous l'empire de la terreur sanglante. Les rues étaient remplies de cadavres et de blessés gémissants, trop grièvement atteints pour se lever, qui étaient achevés par des patrouilles de sinistres myrmidons, dont les dolmans troués, les galons lacérés, les shakos déchirés contaient les désastres de la guerre à la lueur de quelque timide lanterne portée isolément à travers toute la ville dans le but impossible d'éclairer le visage d'un mort[18]. »

Que montre le tableau de Goya, *El tres de mayo*, quant à lui ? On y voit un Espagnol bras en croix, mourir fièrement, fusillé par les Français de Napoléon, qui pointent vers lui des armes tout aussi impeccables et « exactes » que la guillotine de l'incipit.

Beaucoup de nuit, une scène dramatique. L'homme se dresse en face d'un peloton sans visage, seule face humaine contre des bottes, des dos et des fusils inhumains. Le sang a déjà coulé et macule le sol. Une lumière chaude éclaire par contraste cet homme. La lumière ne rayonne pas d'en haut, comme chez un Tintoret. Ni lumière divine, ni lumière spectaculaire, elle émane d'une simple lanterne, posée par terre. Plus symboliquement encore, la lanterne jaune et blanche fait face à l'homme en chemise. Symétriquement se répondent les couleurs de la lanterne et le blanc de la chemise, le jaune du pantalon. L'homme est manifestement lumineux par lui-même et ne doit rien aux éclats de

---

17. On peut se reporter à l'article de Duarte Momiso-Ruiz, « Du référent iconique à la symbolique des personnages », in *Quinze études autour de El siglo de la luces, op. cit.,* pp. 165-187. L'auteur analyse les relations entre les *Caprices* ou les *Désastres de la guerre* de Goya et le texte de Carpentier.

18. *Le Siècle des Lumières,* p. 461.

la lanterne. Ce sont deux lumières qui se répondent. La lumière n'est plus celle de la raison, mais celle de la résistance et du sacrifice. Elle est devenue modeste, petite lueur qui éclaire l'horreur, elle émane en même temps de l'homme debout, digne dans sa révolte et dans sa mort. Elle vient peut-être du peuple et non plus des savants et des « despotes éclairés ». Les lumières viennent de la terre, de l'individu et/ou du peuple, dans l'expérience d'une souffrance et d'une revendication de justice.

On comprend dès lors, l'omniprésence de Goya, qu'une épigraphe rappelle au début de nombreux chapitres, le Goya plus sombre des *Caprices* et des *Désastres de la guerre*, que celui des portraits de la famille royale ou des tapisseries. Un Goya qui nous dit que si le « sommeil de la raison fait naître des monstres », le triomphe d'une raison caricaturale, terroriste, et inhumaine n'en engendre pas moins.

Bilan amer qui est peut-être également celui de révolutions plus récentes. On pourrait être tenté de lire en effet, dans le roman d'Alejo Carpentier, un portrait d'autres révolutions, celle de 1917, par exemple. Peut-être est-ce extrapoler ; quoi qu'il en soit, on peut se demander comment un auteur aussi lucide ne s'est pas fait l'ermite de quelque Croisset d'Amérique, et a pu se laisser prendre par la révolution cubaine.

Or, Carpentier montre pourtant que l'on ne peut pas échapper à la révolution, comme on ne peut pas être hors du temps.

Une réflexion sur le temps

Tours et retours

Le roman de Carpentier est, à bien des égards, une lecture de Voltaire. Esteban, le héros, chassé du meilleur des mondes possibles, le giron de Sofia, sa cousine, va découvrir le monde, avec la naïveté du Huron. C'est, en effet, le surnom qu'ont donné à cet Américain les libraires du quartier où il vit à Paris, et l'on peut y voir un hommage ironique de Carpentier à Voltaire[19]. Mais Esteban fait le parcours en sens inverse : Candide et le Huron vont de l'ancien monde au nouveau, alors qu'Esteban va de Cuba à Paris. On peut imaginer que les regards se sont croisés entre les philosophes cherchant leur utopie au Paraguay et les intellectuels sud-américains cherchant leur modèle politique en Europe. Les expériences de Candide et d'Esteban se ressemblent, ils seront initiés par les maîtres du discours, Pangloss ici, Hugues là, et si Esteban n'est pas fessé, il désertera plus ou moins comme Candide, pour aller philosopher ailleurs des effets et des causes.

Leurs expériences se croisent de façon significative, dans la même région du monde, le Surinam pour l'un et la Guyane pour l'autre. Ils semblent y apercevoir tous les deux le comble de la cruauté et du non-sens. On se souvient que le nègre mutilé de Surinam arrachait à Candide des pleurs ; de même Esteban découvre comment on mutile les esclaves marrons. Le narrateur rapporte ainsi :

> « Comme l'arrêt devait être exécuté proprement, d'une façon scientifique, sans employer des procédés archaïques propres à des époques barbares, qui provoquaient des souffrances excessives ou mettaient en danger la vie du coupable, les neuf esclaves avaient été amenés au meilleur chirurgien de Paramaribo, pour qu'il procédât, scie en main à ce qui avait été décrété par le tribunal. »

Esteban, témoin de ces horreurs s'écrie : « Nous sommes les bêtes les plus infectes de la création[20]. » C'est dire que le projet des lumières achoppe sur la question des Noirs, dont un philosophe des lumières avait pourtant, l'un des premiers, fait voir l'inhumaine condition. Mais la révolution n'a pas su donner un contenu au mot liberté, de sorte que l'abolition, donnée puis reprise, n'a été qu'un outil dans une stratégie de conquête. Carpentier montre que la révolution n'a rien su dire de la révolte des esclaves, n'a pas su reconnaître leur souffrance et leur revendication.

---

19.   *Le Siècle des Lumières*. p. 134.
20.   *Ibid.*. p. 323.

Cependant, à la différence de Voltaire, Carpentier ne conclut pas qu'il faut cultiver son jardin, bien qu'Esteban ait une formule toute proche : « Prenons garde aux trop belles paroles ; aux mondes meilleurs créés par les mots. Notre époque succombe sous un excès de mots. Il n'y a pas d'autre terre promise que celle que l'homme peut trouver en lui-même[21]. » Mais Sofia ne le croira pas, et s'embarquera à son tour pour rencontrer l'homme qui fait l'histoire, et le seconder. Elle croit que des guillotines sont nécessaires à Cuba, et l'on entend peut-être dans son discours l'écho de plus d'un révolutionnaire des temps modernes :

> « Plût au Ciel que nous puissions en élever une, bien vite, sur la place d'Armes de cette ville imbécile et pourrie. (...) Elle verrait tomber avec plaisir les têtes de la foule de fonctionnaires ineptes, d'exploiteurs d'esclaves, de gros riches vaniteux, de porteurs de galons qui peuplaient cette île, tenue en marge de toute connaissance, reléguée à la fin du monde, réduite à une allégorie pour boîte à cigares, par le gouvernement le plus lamentable et immoral de l'histoire contemporaine[22]. »

Les discours révolutionnaires semblent toujours arguer de bonnes raisons morales. Les pires horreurs sont toujours accomplies au nom du bien, et Sofia s'érige très naturellement en redresseur de torts, défenseur des esclaves et des exploités dans un monde où tout est « pourri ». Ainsi le roman revient à son point de départ, pour entamer une nouvelle boucle, sans qu'on ait l'impression que la vérité ait avancé d'un seul pas. On tourne en rond.

Esteban sera stupéfait de retrouver ses propres textes, sa prose révolutionnaire, dans les mains de Sofia, Carlos et Jorge, devenus Jacobins, et Maçons, se répétant « les catéchismes civiques » qu'il a lui-même traduits, et qui le poursuivent désormais, de façon absurde, alors qu'il n'y croit plus, créant malgré lui de nouveaux adeptes, comme si l'homme était victime de ses propres discours en ce qu'ils le dépassent et le prennent au piège[23]. La circulation

---

21. *Le Siècle des Lumières*, p. 349.
22. *Ibid.*, p. 351.
23. *Ibid.*, p. 349.

des personnages, des textes, des esclaves, des bateaux, des objets est intense, mais désordonnée. Parfois pris dans un véritable tourbillon, parfois décrivant d'incongrus chassés-croisés, les personnages et les idées échouent comme des bois flottés, de grève en grève, sans être ni abandonnés ni ajustés. Simplement, les idées et les esclaves, les femmes et les marchandises changent de mains. Arrivant à destination avec un temps de retard, une nouvelle comme celle du Concordat devient absurde – on vient juste de raser l'église – mais continue pourtant sa course une fois qu'elle est mise sur orbite, en quelque sorte. Le pire est qu'une idée arrive à destination car le monde ayant changé entre-temps, comme par une naturelle révolution terrestre, l'idée n'a plus aucune pertinence, elle ne peut qu'ajouter à l'absurde et à l'horreur. C'est le sens de la tragique anecdote des Noirs marrons recueillis par le capitaine Barthélémy pour être bientôt revendus après le viol des femmes. Le décret d'Abolition occasionne un sinistre jeu de passe-passe et de nouvelles atrocités[24]. Autre témoignage de l'absurde, Brigitte, la mulâtresse, amante de Billaud-Varenne à Cayenne, couchée sur un grabat, (...) nue, évent[e] ses seins et ses cuisses avec un vieux numéro de *La Décade philosophique*[25]. Enfin, par une tragique ironie, « Le contrat social » est aussi le nom d'un vaisseau négrier[26].

On ne s'étonne donc pas que le narrateur déplore avec Esteban le nouvel « état d'esprit » des aristocrates du Nouveau Monde qui imitent ceux d'Europe : « On lisait avec quarante ans de retard des livres prônant une révolution que cette même révolution, lancée sur des voies imprévues avait rendue inactuelle[27]... » On comprend mieux alors le sens des pages liminaires dans lesquelles le narrateur évoque un « hier et un demain qui se (...) déplac[eraient] avec nous ». L'intention ou le texte qui circulent ou atteignent une cible arrivent au moment où le temps a lui-même avancé, rendant incongrue l'action entreprise.

Pourtant, rien ne peut arrêter Sofia dans son élan vers Victor Hugues, l'homme qui lui a révélé sa féminité, un homme qui agit

---

24. *Le Siècle des Lumières*. pp. 249-255.
25. *Ibid.*, p. 315.
26. *Ibid.*, p. 255.
27. *Ibid.*, p. 367.

dans l'histoire et la fascine. Elle a conservé une intention et un désir, un idéal qu'elle croit pouvoir retrouver à une certaine place, incarnés par Victor Hugues et la révolution. Il suffit de se rendre en ce lieu, en suivant la bonne direction, en s'embarquant par conséquent sur la flèche symbolique, le vaisseau « Arrow[28] ». Elle entraîne Esteban dans son aventure, car celui-ci protège sa cousine au péril de sa vie.

Toute une nuit, il débite des « catéchismes » révolutionnaires auxquels il ne croit plus, pour sauver sa cousine poursuivie par la police. Il est significatif qu'il aille au bagne, pour un crime qu'il n'a pas commis, une révolution qui n'est plus la sienne. L'individu se sert de l'événement historique comme prétexte, il ne le rencontre plus que pour y inscrire un sens très personnel et un sacrifice. Esteban incarne alors une révolte plus primitive, contre l'ordre. Il sauve sa cousine contre une police qui veut se mettre en travers d'un désir. Tous les discours sont dès lors équivalents, seul compte l'acte de résistance et de désespoir qui donne au héros sa dignité, dans une scène préfigurant la fin du roman. Là encore les temps sont décalés. Le héros qui était prêt à mourir pour la révolution se sacrifie en fait par amour en feignant tout au plus de croire à ses anciens idéaux. Le décalage et l'aberration n'empêchent nullement la machine de fonctionner. L'Histoire se nourrit au contraire de cette absurdité, consommant une matière première qui ne lui était pas destinée, elle arrive cependant à ses fins. Ainsi la « ruse de la raison » s'est transformée en ruse de l'absurde.

Sofia arrive en Guyane avec une décennie de retard. Le héros révolutionnaire, au nom des mêmes idéaux et dans les mêmes costumes ne libère plus les esclaves mais les traque dans la forêt. Un troupeau de cochons noirs entre dans la maison et abîme la robe de Sofia qui voit, après une attente trop longue, « la grande rencontre rêvée pendant la traversée » se solder par des « grognements goulus », et des « corps boueux », préfigurations de ses désillusions. Le baptême de l'Histoire prend la forme d'une « toilette grotesque » dans un baquet après que l'« acteur (...) a manqué une bonne entrée[29] ».

---

28. Faut-il préciser qu'en anglais, *arrow* signifie « flèche » ?
29. *Le Siècle des Lumières*, pp. 412-413.

Pourtant malgré la désillusion et l'absurde, les personnages suivent leur impulsion ou acceptent d'être projetés dans de nouveaux labyrinthes. Ainsi, Esteban rentré au bercail, pour s'y reposer de l'Histoire, est à nouveau expulsé du meilleur des mondes, et propulsé dans le champ de l'expérimentation historique, de même que Sofia, au bout de tous les désenchantements, se jettera à corps perdu dans une révolte populaire.

Un temps en spirale

Grande différence avec Candide, en effet, Esteban ne rentre pas cultiver son jardin. La tentation était pourtant grande. Il a retrouvé Cunégonde, il a compris soudain que seul l'amour pour elle, ou plutôt pour Sofia, donne sens à sa vie, il veut se réunir à elle, dans un roman tenté par un épilogue utopique et sentimental, qui se refermerait sur une belle fin, en boucle.

En effet, le mari de Sofia meurt, et Carpentier reprend les mêmes mots qu'à l'*incipit*, comme si l'on effaçait tout : « Après l'enterrement, avec ses répons, son porte-croix, ses offrandes, (...) ses bayettes, ses fleurs, son obituaire et son requiem », Esteban espère que l'on reviendra au point de départ[30].

> « En fermant la maison, en réduisant de nouveau le cercle de famille à ses proportions exactes, le deuil recréerait l'atmosphère d'autrefois. On reviendrait peut-être au désordre passé, comme si la marche du temps se fût inversée[31]. »

Nouveau deuil, nouveau point de départ, on retrouve la famille incestueuse du début, bien close sur sa perfection originelle, fraternelle et paradisiaque. Esteban en face de sa cousine a soudain un « éblouissement. Il se sentit comme racheté, poursuit le narrateur, restitué à lui-même, par une enivrante révélation.(...) C'était elle, la première femme connue, mère serrée dans [s]es bras

---

30.   *Le Siècle des Lumières*, pp. 375 et 21.
31.   *Ibid.*, p. 375.

(...). Esteban appuya sa tête sur une épaule qui était comme faite de sa chair même[32]. »

Plusieurs fois le roman passe par cette tentation des utopies, des fusions : c'est Esteban voulant s'unir à Sofia, ou Sofia croyant trouver dans la sensualité un matin du monde ; c'est encore Esteban communiant avec la nature, nu sur une plage, dans la lumière des Caraïbes. Mais il faut y renoncer à chaque fois. Ces temps existent, ces lumières existent aussi, mais il faut cependant être rejeté dans le temps historique, dans le flux des événements.

Ainsi, Esteban ne pourra séduire sa cousine, il devra renoncer à la famille endogamique ; Sofia s'enfuit, avec ses dessous de dentelle rose vers Hugues et les accomplissements de l'histoire, pendant qu'il ira au bagne.

Le roman, au lieu de s'achever, entre dans une nouvelle spirale. C'est une spirale et non un cycle, car s'il y a des retours dans le roman, ils mènent toujours le héros au point de départ, certes, mais vers un nouvel étage. Entre-temps, tout a changé, les lieux, les situations, les personnages. Le héros fait une révolution qui le ramène à son origine mais le temps et le mouvement, qui ont déplacé toute chose, l'obligent à effectuer une nouvelle révolution, au sens astronomique. Ainsi, lorsque Esteban revient à La Havane et croit être revenu au point de départ, à l'enfance et à sa complicité tendre avec Sofia, il s'aperçoit qu'elle n'est plus la même. Lui-même a changé, et les baisers maternels de Sofia ne l'apaisent plus, « c'était une bouche anxieuse, assoiffée, trop avide, qui à présent cherchait » celle de la jeune femme qui crie, « le visage empourpré de colère[33] » et ne peut plus qu'opposer à ses déclarations amoureuses un « ça suffit ! » indigné.

Carpentier n'est pas Voltaire, et ce qui pouvait apparaître comme clos pour l'un, ne peut être refermé pour l'écrivain du XXe siècle. Voltaire concluait que le voyage nous enseigne qu'il vaut mieux rester chez soi à cultiver son jardin. Paradoxalement, il n'était pas exclu qu'un voyage aussi long et pénible fût-il, valait bien d'être entrepris pour découvrir une si précieuse vérité. Pour Carpentier, la vérité n'est pas au bout du voyage. Nulle conclusion,

---

32. *Le Siècle des Lumières*, pp. 360-61.
33. *Ibid.*

nul point d'orgue ne viennent éclairer le lecteur sur les leçons à tirer d'une telle errance. Nous continuons jusqu'au bout d'être joués et d'être jetés dans le monde aveuglément. Mais si nous ignorons le sens de l'Histoire, nous ne pouvons cependant nous abstenir d'y participer, nous sommes prisonniers dans la cale de l'Histoire, à notre corps défendant. Nous ne pouvons nous en échapper davantage que les rats dans la cale du bateau, selon Voltaire. Esteban ne choisit pas d'aller au bagne, mais en choisissant sa dignité, il rentre dans l'histoire, et en mourra.

Ainsi, les deux héros, ayant achevé leur voyage initiatique en Espagne, où ils vivent reclus, en marge de l'Histoire, seront rejoints par elle. Quand les Français envahissent Madrid, Sofia se jette dans la rue :

> « Esteban essaya de l'arrêter : "Ne sois pas idiote : on est en train de mitrailler. Tu ne feras rien avec cette ferraille. – Reste si tu veux ! Moi j'y vais ! – Et pour qui vas-tu te battre ? – Pour ceux qui se sont jetés dans la rue", cria Sofia ; "il faut faire quelque chose ! – Quoi ? – Quelque chose[34] !" »

Dans cet épisode final, l'acte ne reçoit pas de justification. « Il faut faire quelque chose », dit Sofia, ou encore : « j'y vais ». Les discours, les idées, les arguments ou l'éloquence n'ont plus cours. C'est pourquoi on peut être tenté de parler de « pulsion ». Une nécessité morale qui ne s'explique pas, un mouvement irrésistible et immédiat emportent le personnage dans la tourmente, comme une force, un flux sans autre légitimité que sa puissance.

Plus tard, Carlos, le dernier personnage disponible, pourrait-on dire, part à son tour pour l'Europe et enquête sur la disparition de Sofia et Esteban ; ainsi commence une nouvelle spirale. Si les personnages reviennent à leur point de départ, c'est donc toujours pour repartir, pour constater que l'enracinement est impossible, que le temps reprend l'homme qui voulait lui échapper.

Alejo Carpentier est peut-être en cela un homme des Caraïbes, son pays natal est double : fils d'un Français émigré récemment à Cuba, il est homme du Nouveau Monde. Regardant vers la culture

---

34.   *Le Siècle des Lumières*, p. 460.

de l'Europe et ses modèles philosophiques et politiques, il renonce pourtant à ses utopies, et à ses héros, pour fonder un nouveau type plus mobile et divers, en relation avec plusieurs lieux, plusieurs histoires, avec la nature et ses rythmes, avec le soleil et sa lumière, il ne peut qu'être en mouvement. Il revient sur les références de la culture européenne dont il hérite, pour les relire à la lumière d'une autre position (« sidérale », historique, géographique). En cela, il est bien un créole, à la croisée de deux continents, pris dans un incessant va-et-vient.

Les temps mêlés et le monde comme mouvement

Les désillusions du temps historique

Qu'est-ce donc qui pousse l'homme dans l'Histoire, alors même qu'il sait ce qu'il y risque et combien peu il y gagnera ?

N'est-ce pas un enjeu, pour nous aujourd'hui, d'imaginer comment aller au-delà de la désillusion, c'est-à-dire comment désirer être pris par l'Histoire, malgré tout ?

Pourtant, c'est un profond dégoût qu'inspire l'homme qui « fait l'Histoire », Victor Hugues. En effet, de Victor Hugues, le héros qui croit faire l'Histoire, nous comprendrons vite qu'il est largement dépassé, pris dans une logique folle, et des croyances qui donnent sens à sa vie, même quand il a cessé d'y croire. Ainsi il restera fidèle à Robespierre après Thermidor, et à la Révolution jacobine, même quand il ne la fait plus. C'est l'homme qui fait semblant, d'autant plus absurde et théâtral, qu'il feint de croire pour continuer à vivre. Il avouera sa faillite à Sofia :

> « En moins de dix ans, croyant être maître de mon destin, j'ai été amené par les autres, – par ces gens qui toujours nous font et nous défont, bien que nous ne les connaissions même pas –, à me

montrer sur tant de scènes que je ne sais plus quelle est celle qui me convient[35]. »

Puis, montrant son costume de commissaire de la Convention :

« Mais il y en a un que je préfère à tous les autres : celui-ci. Le seul homme que j'aie jamais mis au-dessus de moi me l'a donné. Quand on l'a renversé, j'ai cessé de m'entendre avec moi-même. Depuis lors je n'essaye pas de m'expliquer quoi que ce soit. Je suis semblable à ces automates qui, lorsqu'on les remonte, jouent aux échecs, marchent, jouent du fifre, battent le tambour[36]. »

Esteban, lui, ne prétend pas faire l'histoire, mais il s'embarque, fasciné, dans un même élan pour la virilité et pour l'action. L'adolescent fragile se sent confirmé par la présence de Victor Hugues : « pris entre l'inquiétude et le remords, heureux de l'incroyable aventure qui s'offrait à lui, [il] se sentait plus ferme, plus fait, plus viril à côté de Victor Hugues ».

Dans la poétique de Carpentier, l'anecdote romanesque ne constitue pas un plan à part, au-devant ou à l'arrière de la scène historique. Les personnages sont en quête de leur propre force, de leur virilité, en même temps que de l'action. C'est la même chose. Souvent se juxtaposent expériences amoureuses, séductions et actions politiques, révélations philosophiques et moments d'initiation personnelle.

Ainsi, Sofia prendra le relais, courant le monde avec des valises pleines de vêtements raffinés et d'« atours intimes », dans un élan où se mêlent sans doute désir du monde et désir tout court. La fascination pour l'homme historique est fascination pour l'homme viril. Il est significatif, à cet égard, qu'un même verbe exprime les deux dimensions : l'homme fait et l'homme qui fait l'Histoire. En espagnol, ce sont *hacer* et *hecho*. L'homme qui fabrique l'Histoire

---

35. Le terme « gens », de nouveau, insiste sur ce facteur à peu près irrationnel et indéfinissable qui fait ou défait l'Histoire, ce que d'autres ont tenté de théoriser comme « masses » ou « classes ». Le sens achoppe sur ce qui n'est ici qu'un ensemble flou et, cependant, résiste aux desseins des « grands hommes ».

36. *Le Siècle des Lumières*, p. 444.

c'est à la fois un *homo faber*, et un homme fait, c'est-à-dire viril, mûr, aguerri. Il s'agit de construire, de se construire, conformément à l'image maçonnique, pierre par pierre. Le langage est riche de ces métaphores qui exaltent celui qui maîtrise et édifie, *homo* et *vir*, dans la même affirmation d'un pouvoir où l'on édifie les autres par ses actes en étant maître d'œuvre et architecte de soi et du monde.

Comme si l'on était tellement à la recherche de cette toute-puissance de l'homme ! On découvrira bientôt l'homme défait, et le monde toujours démesurément à refaire : *l'explosion dans une cathédrale*. Dans la trame du récit, les illusions sur l'Histoire à faire et sur l'homme viril se succèdent et se répondent. C'est pour des raisons différentes, l'expérience que feront Esteban, Hugues et Sofia.

Esteban, éternel adolescent, demeurera fragile, en proie au doute, il ne se « fera » jamais. Hugues se corrompra et se défera dans une lèpre morale et physique, Sofia connaîtra l'attirance puis le dégoût à l'égard de cet homme si violent et si démuni finalement. Dans un premier moment, elle s'adonne pourtant totalement à une expérience amoureuse vécue comme un mythe, une terre promise. En effet, Sofia, dans les bras de Victor Hugues, découvre l'univers :

> « Restitué à ses racines, le langage des amants retournait à la parole nue, au balbutiement d'une parole antérieure à toute poésie, parole d'action de grâces devant le soleil qui brûlait, le fleuve qui débordait sur la terre défrichée, la graine reçue par le sillon, l'épi dressé tel un fuseau de fileuse. »

L'utopie retourne à l'enfance, comme « balbutiements », à la genèse comme antériorité absolue, nudité, racine. Les amants redécouvrent une « douce langue natale » à laquelle déjà Baudelaire aspirait. L'amour est fusion avec l'autre, et plus encore avec le monde. Il s'exprime dans un langage littéralement élémentaire, par lequel homme et femme s'effacent. Ils deviennent pure différence et complémentarité sexuelle, comme « la graine » et « le sillon », « le fleuve » et « la terre », « le fuseau » et « la fileuse », la forme « dressée » et la forme ronde. Loin des lumières des philosophes ou des idéaux, c'est à la lumière du soleil que les amants rendent grâce, comme à une très ancienne divinité.

En fait, le roman oscille entre des temps historiques, ceux des événements et de la linéarité narrative, et des temps anti-historiques, moments d'utopie et de parenthèses où la narration laisse place à des méditations poétiques et philosophiques, retourne au mythe.

Temps du mythe, rythmes cosmiques

En marge de la guerre de course contre les Anglais, dans une parenthèse de temps, Esteban s'abandonne, en effet, à des rêveries sur la nature.

Dans un texte qui est au centre du roman,

> « [Esteban] offr[e] son corps nu au soleil qui mont[e] dans le ciel, à plat ventre sur le sable, ou étendu sur le dos, jambes et bras écartés, en croix, avec une telle expression d'extase sur le visage qu'on aurait dit un mystique bienheureux recevant la grâce d'une vision ineffable[37]. »

Les dix premières pages de ce chapitre trois pourraient être citées entièrement. Dans une parenthèse poétique, Esteban découvre un temps anhistorique, où l'« Événement » n'est plus l'Histoire, mais un « poisson d'un autre âge », un être mythique qui apparaît à la surface de l'eau, avant de replonger dans les « abîmes, pour attendre qu'un siècle encore s'écoul[e], avant de retourner dans un monde semé d'embûches ». Le héros contemple un monde de « cycles lunaires », il pense « à la présence de la spirale, au long des millénaires, devant le regard quotidien de peuples de pêcheurs, incapables encore de la comprendre ni de percevoir même la réalité de sa présence ». Il découvre par conséquent des temporalités qui dépassent les périodisations historiques, des cycles beaucoup plus vastes que les décennies ou

---

37.   *Le Siècle des Lumières*, p. 235.

les années qui rythment les révolutions et les époques de l'Histoire humaine. Il médite

> « sur le flacon de l'oursin, l'hélice du couteau, les stries de la coquille Saint-Jacques, stupéfait devant cette science des formes si longtemps déployée devant une humanité aveugle encore pour la penser. Que peut-il y avoir autour de moi qui soit désormais défini, inscrit, présent, et que je ne puisse encore comprendre ? » se demande Esteban, « quel signe, quel message, quel avertissement, dans les boucles de la chicorée, l'alphabet des mousses, la géométrie de la pomme de rose ? Regarder un buccin. Un seul. *Te Deum* ».

Il s'inquiète ainsi d'une forme et d'un art, d'une géométrie, d'un langage que l'homme ne comprend pas et qui parlent pourtant, d'un langage qui n'est pas celui de l'homme et qui atteint la perfection. Non seulement l'homme n'est pas le seul être doué de langage et de « science », mais il est « aveugle » à un ordre qui le dépasse. Confronté à l'absurdité de l'Histoire humaine, Esteban découvre donc un ordre plus parfait mais dont l'homme ne peut saisir le sens. Loin d'être interprète et dépositaire de « l'alphabet » et du sens, l'homme est celui qui n'entend rien au sens du monde. Faut-il invoquer un Dieu comme nous y invite le ton assez mystique du passage qui s'achève sur un *Te Deum* ? Si la réponse à la question du sens demeure en suspens, Alejo Carpentier déplace, néanmoins, la question du temps, de l'histoire, vers les rythmes cosmiques, et la méditation philosophique devient poésie et contemplation. La dimension historique n'est plus qu'une, parmi d'autres temporalités, d'autres âges qui habitent l'univers. Esteban a donc le pressentiment d'une autre durée, d'autres cycles qui relativisent les cycles humains.

Pourtant cette contemplation n'est pas le dernier terme, on le sait. Esteban reprendra la route, vers La Havane, vers Sofia ; c'est-à-dire que le désir (et le désir de l'autre) expulse l'homme du paradis où il est seul avec la mère. Même lorsque le désir mène à la fusion, comme dans l'expérience que Sofia fait de l'amour, au début de son idylle avec Victor Hugues, la parenthèse s'ouvre à nouveau, et Sofia rêve derechef « à la réalisation, un jour, de grandes choses », comme au début du roman chacun rêvait de grands voyages[38]. L'homme ne peut demeurer dans la perfection cosmique, il ne peut se satisfaire d'une contemplation ou d'une béatitude mystique et sensuelle. Il eût peut-être préféré demeurer dans le sein maternel, dans l'île déserte dont il rêve souvent ou dans le giron de la femme aimée. Pourtant, il ressent toujours l'appel de l'autre, de l'impur et de l'inachevé. Expulsé ou volontaire, il s'embarque à nouveau. Colomb, Esteban ou Sofia, Carlos après eux, tous savent que le temps humain est celui de l'historicité, non du cosmos[39].

En revanche, il peut arriver que le temps cosmique et le temps historique se rencontrent, se superposent, ouvrant alors une brèche à la réflexion philosophique. Une ligne de fuite apparaît ainsi, par laquelle on peut mettre en perspective son propre temps et son siècle, avec les millénaires du monde. Comme dans une peinture du Pérugin, c'est le jeu des échelles et des arrière-plans qui révèle alors la dimension relative de l'homme dans l'univers.

Cette mise en perspective est à l'œuvre dans un passage encore une fois très poétique et méditatif, lorsque Esteban, revenant de Guyane se trouve aux Bouches du Dragon où l'a devancé Christophe Colomb. C'est l'occasion d'une méditation sur les vastes desseins, le désir des voyages et de « grandes entreprises » si souvent rêvées par Sofia après Victor et Esteban[40].

Faisant le bilan de son expérience, le personnage médite sur le mythe de la terre promise :

> « selon la couleur des siècles le mythe changeait de caractère, répondant à des désirs toujours renouvelés, mais il restait toujours

---

38. *Le Siècle des Lumières*, p. 418.
39. Le ventre maternel n'est-il pas mortifère ? Son enveloppe protectrice cesse d'être assez grande pour l'enfant qui étouffe. Les gynécologues et obstétriciens parlent aujourd'hui d'un processus qui pousse l'enfant lui-même à naître et à déclencher l'accouchement. Ainsi, l'imaginaire de la naissance est déplacé. Venir au monde n'est plus expulsion subie mais sortie désirée hors d'un milieu certes nourricier mais devenu trop étroit.
40. Ainsi, au moment de son départ vers Cayenne, sur l'Arrow, Sofia rêve de rejoindre « un homme de [la] trempe [de Victor Hugues qui] ne pouvait que mûrir de grandes entreprises » : elle croit s'élancer vers un « monde épique habité par des titans ». *Ibid.*, p. 387.

le même : il devait y avoir, il fallait qu'il y eût à l'époque présente
– à n'importe quelle époque présente –, un monde meilleur. Les
Caraïbes avaient imaginé ce monde meilleur à leur façon, comme
l'avait imaginé à son tour, dans ces bouillonnantes Bouches du
Dragon, éclairé, illuminé par le goût de l'eau venue de lointaines
régions, le Grand Amiral d'Isabelle et de Ferdinand. »

Lumières du soleil, lumière des intuitions et des projets
grandioses, toutes les illuminations se valent. Tous les mythes se
rejoignent. La Révolution française n'est plus le grand boulever-
sement qui achève un ordre pour annoncer un nouveau monde, elle
est un moment, un exemple, parmi d'autres, des cycles historiques
par lesquels l'homme rejoint la temporalité mythique. Quand il se
croyait absolument neuf, découvrant un monde ou le recons-
truisant, l'homme ne faisait que reprendre une démarche et une
croyance déjà inscrites dans l'univers. Christophe Colomb
cherchait un nouveau monde, les révolutionnaires également.
Chacun à son tour, à la conjonction des eaux douces et des eaux
salées, c'est-à-dire au lieu où se rencontrent les mondes différents,
a cru tout inventer, tout recommencer. Il ne faisait que dessiner une
nouvelle spirale, faire un petit tour avec un élan, une croyance, un
désenchantement et une fin sanglante, avant que « l'Événement
terminé, la mer [ne reprenne] ses occupations habituelles[41] ». Dans
cette mesure, le temps historique n'est qu'un moment des cycles
universels. La Révolution n'est ni le commencement ni la fin de
l'Histoire, elle est une spirale, un cyclone parmi d'autres.

Une pulsion qui transcende les temps

L'histoire de la révolution, prise comme un des anneaux de la
spirale millénaire n'est donc qu'un moment du mythe. Mais
l'homme ne peut s'y dérober pour autant. Il est pris dans ces vastes
rythmes du désir et de la vague. Ce sont des pulsions primitives,
élémentaires qui l'habitent, comme à travers les éléments
cosmiques, les principes masculin et féminin s'attirent dans la ville

---

41. *Le Siècle des Lumières*, p. 241.

de La Havane décrite au début du roman : « C'était une ville éternellement livrée au vent qui la pénétrait, assoiffée de brises de mer et de terre ; volets, jalousies, battants, girons ouverts au premier souffle frais qui passât[42] ».

Il faut voir là plus qu'une métaphore filée, un mythe fondateur, qui va construire une vision. Celle d'un monde où le giron, des villes ou des filles, des portes des maisons ou de la guillotine, aspirent au vent, au mouvement, à la virilité, c'est-à-dire à l'autre.

On comprend alors que Victor Hugues, plus qu'un homme historique, soit décrit comme un cyclone, tournant autour de cette maison bien fermée dont il fera céder la porte, et que la révolution soit elle-même un cyclone, un tourbillon. La foule révoltée de Madrilènes est également un moment de la spirale : « tout à coup la houle humaine sembla s'immobiliser, comme confondue par ses propres tourbillons[43] ».

Les mots tissent régulièrement la même image : *girar* est le verbe espagnol, tourbillon, tour, c'est l'image d'un cyclone. Décrit dans les premiers chapitres du roman, il préfigure toute la révolution. On y découvre une violence, « le fracas de choses poussées, traînées, roulées, lancées d'en haut »... sans qu'aucun agent ne se laisse voir, et Sofia y découvre les mystères d'une étreinte qui la souille. Le lendemain, elle sait qu'une voix lui a « ouvert les portes d'un monde ignoré. Cette nuit là avaient pris fin les jeux de l'adolescence[44] ».

L'intuition d'Alejo Carpentier est donc de mettre en relation, dans un roman historique, la dimension subjective du désir avec les mouvements collectifs et cosmiques. C'est par là qu'il transcende le genre du roman historique et met en crise le discours des « lumières ». L'Histoire n'est pas réalisation de la raison, ni rusée ni naïve, et ni les masses ni les héros ne font l'Histoire pour les raisons qu'ils se donnent.

Le grand vent amené par Victor Hugues au début du roman a défoncé les portes, arraché les enfants à la fusion fraternelle. La

---

42.   *Le Siècle des Lumières*. p. 22.
43.   *Ibid.*, p. 460.
44.   *Ibid.*, p. 84.

sexualité adulte les précipite vers l'autre, vers l'extérieur, enfer et jouissance. Ils n'ont pas le choix, s'ils veulent vivre. Esteban naît au monde, aux femmes, à la politique, à son corps, en même temps. Il reviendra épisodiquement à des girons fusionnels – plage chaude, mer sensuelle, soleil réparateur, Sofia retrouvée – mais il en sera toujours expulsé, comme un nouveau-né qui doit faire l'expérience du monde. Le héros pourrait vouloir rester / revenir dans le sein maternel, il ne lui est pas loisible de le faire. Ainsi l'Histoire est à la fois malédiction et vie.

De la même manière, Sofia se précipite vers l'homme qui la déflore et l'« ensemence ». Son destin historique est également son destin de femme. Les élans et les déceptions sont toujours à la fois sentimentales, politiques et sexuelles pour Sofia. Sans qu'un ordre logique simple régisse la dialectique. La déception politique précède sans doute la désillusion amoureuse et son dégoût pour Victor Hugues vient aussi bien de ses trahisons idéologiques que de son corps défait. C'est en quoi Alejo Carpentier n'écrit pas un roman historique tout à fait banal. Ailleurs, les héros font l'Histoire pendant que les figurants animent la toile de fond ; il y a ceux qui font l'Histoire et, derrière, ceux qui se contentent d'avoir des histoires... d'amour, de rencontres, de vie. Répartition dans laquelle se complaît, au moins imaginairement, le commun des mortels. Quelquefois, le grand homme se prête à des incursions voyeuses sous son alcôve, s'il s'agit de Napoléon, par exemple. La vie courante peut revêtir inversement une dimension historique, dans les œuvres de nouveaux historiens comme Le Roy Ladurie, les histoires de la médecine ou de la folie, mais le roman historique a le plus souvent d'autres représentations.

Des événements aux flux

La particularité d'Alejo Carpentier est donc de faire du désir le principe même de l'élan historique. Il faut aller plus loin et se demander ce qu'est cette pulsion inexplicable. Elle se manifeste assurément comme ce qui interdit de demeurer au giron maternel, dans la maison familiale, « fermée par tous ses verrous », dans l'étreinte sororale ou l'île déserte à laquelle chacun aspire à certains moments, ce lieu où « nu, seul au monde, [Esteban] contempl[e] les nuages lumineux, immobiles, si lents à changer de formes (...) Bonheur total, hors d'époque et de tout lieu[45]. » Ce lieu utopique, hors Histoire, est à la fois merveilleux et insupportable, il faut s'en arracher pour vivre, sans que le plus souvent le narrateur ne donne de justification. Le récit reprend, après une parenthèse contemplative ou amoureuse.

Le lecteur ne sait pas ce qui pousse à nouveau le personnage dans le flux des événements, et cette ellipse en dit long. Nulle logique ne vient expliquer un mouvement qui demeure donc énigmatique, comme un nécessaire passage que rien ne justifie. Ainsi, lorsque Esteban médite sur le buccin, le chapitre se termine lyriquement sur un *Te Deum*. La narration reprend alors abruptement : « Esteban fut très effrayé par le premier branle-bas[46]. » Cette juxtaposition brutale qui coupe court aux méditations est ce qui donne à la narration le caractère emporté et irrégulier d'un torrent. L'impression qui saisit le lecteur est d'un flux qui, certes, peut connaître des parenthèses, mais non des arrêts. La narration, comme l'Histoire, ne peut finir. La causalité ne règne plus sur l'Histoire, les mouvements (qui ne sont pas toujours des événements) se suivent sans raison, ni déterminisme. Ni peintre ni historien ne sont là, en effet, pour imposer un « cadre », au flux qui se continue, informe, non formalisé.

En somme, l'Histoire rejoint la nature. L'une n'est pas plus linéaire ou éclairée que l'autre, toutes deux ont leurs cycles, leurs élans et leurs épuisements. Les hommes sont donc mus par quelque chose qui les relie à la fois à des élans idéalistes et à des rythmes naturels, comme celui de la « houle », ou des cyclones. Ils sont pris dans des tourbillons humains et naturels, et c'est dans ce contexte que s'écoule l'Histoire plutôt qu'elle ne se fait. La révolution est, au sens astronomique, un tour complet sur soi, elle s'achève en revenant au point de départ. C'est pourquoi la spirale est le modèle temporel de Carpentier. Mais il ne faut pas confondre spirale et cercle vicieux. En effet, dans la spirale, on avance en cercles qui se déplacent en revenant à l'origine, aussi bien dans

---

45. *Le Siècle des Lumières*, p. 242.
46. *Ibid.*, p. 244.

l'espace que dans le temps. En cela, les phénomènes humains rejoignent les événements naturels.

Ordre naturel ou la loi humaine ?

On pourrait, dès lors, se demander ce qu'est cette pulsion, d'où vient cet élan qui surgit et propulse l'homme ou le monstre marin, le cyclone ou l'événement historique. Est-ce pure nature, est-ce également humain et symbolisable ? Quand l'homme participe d'un monde élémentaire, est-ce à dire que tout est naturel, voire biologique ? À cette question, le texte du *Siècle des Lumières*, dans lequel Esteban médite sur un buccin, répond peut-être. Le narrateur y affirme en effet l'existence d'un langage, d'une « science des formes (...) longtemps déployée devant une humanité aveugle encore pour la penser ». C'est dire que le « signe », le « message », « l'aphabet » ou la « géométrie » ne sont pas inconnus de la nature[47]. L'idée d'une nature purement physique est étrangère à ce roman où la nature est au contraire déjà symbolisée, déjà parlée ou musicale. Ainsi, le mouvement élémentaire qui saisit l'homme cycliquement n'est ni plus ni moins symbolique que le cyclone qui naît dans la mer et balaie tout sur son passage. Tous les deux aussi erratiques, ils sont tous les deux également signifiants. De la même façon, la sexualité qui s'allie aux idéaux pour inspirer l'action des personnages n'est pas dénuée de sens et d'images. Grâce au langage de la poésie ou des mythes, la vie la plus radicalement physique, sexuelle ou géologique s'avère parole déjà présente qu'il faudra savoir entendre. Le réel est véritablement « merveilleux », puisqu'il possède intrinsèquement un langage, un sens qui demeure à décrypter. L'homme n'est plus celui qui ordonne le monde par son logos, mais un élément, dans un gigantesque *mythe* cosmique qui lui parle et que, bien souvent, il ne comprend pas. Ce mythe est cependant tout aussi dangereux que le chaos, il est assez ressemblant à un Chronos (ou Saturne, selon Goya) qui dévore ses enfants. La nature n'est que dévoration cruelle, Temps qui, assurément, tue ceux qu'il engendre.

---

47. *Le Siècle des Lumières*, p. 243.

Le mouvement qui saisit l'homme et le projette dans l'événement n'est pas immédiatement significatif. Il est au contraire ambivalent, obscur. Le désir n'est pas un guide plus sûr que la raison et peut également engendrer des monstres.

L'homme, au cœur de l'irrationnel, est guidé par une force différente, plus incertaine, plus difficile à formuler en « éloquence », celle d'un élan vital qui se symbolise en termes de résistance et de sacrifice, une postulation qui lui fait parfois préférer la mort à la vie et qui l'amène à affirmer son désir d'être. Après tout, on peut considérer comme un progrès la désillusion qui nous porte à douter de la raison et des philosophes, des rationalisations des hommes politiques. « Le sommeil de la raison engendre des monstres », dit un tableau de Goya, mais la raison a les siens, répond Carpentier. La solution est peut-être dans un déplacement vers d'autres motifs, plus aveugles, mais plus humains. Le désir n'est pas un ressort très rassurant, on ne sait où il mène, mais au moins il ne peut pas engendrer une confiance, une illusion de maîtrise, plus dangereuses et plus que tout déraisonnables. L'homme reste dans le deuil, il ne sait pas encore si une nouvelle loi va remplacer l'ancien ordre. On a tué beaucoup de monde, au nom de la raison ; qu'en sera-t-il du désir ?

Ainsi Alejo Carpentier montre que l'histoire n'est pas autre chose que le désir, le mouvement, la perte de l'enfance, dont les héros gardent la nostalgie, à travers des rêves de fusion et de retour, mais à laquelle ils renoncent pour s'élancer vers « quelque chose » qu'ils ignorent et qui ressemble à la mort. Si la guillotine est décrite, en effet, comme « la porte étroite par laquelle tant d'hommes étaient passés de la lumière à la nuit sans retour », elle n'en est pas moins « porte-sans-battant », porte absolument ouverte, « suspendue sur le sommeil des hommes, comme une présence, un avertissement ». Signe ambivalent, elle ouvre sur la nuit et l'horreur mais également éveille, guide comme « un gigantesque instrument de navigation », elle invite au passage. Les portes de la maison de La Havane ont de lourds verrous, elles se referment sur une famille réduite qui s'y protège du monde, et finalement étouffe. Elles devront céder aux coups « impatients » de Victor Hugues.

De nombreuses portes doivent de même être ouvertes au vent ou au cyclone, car elles ouvrent sur « un monde ignoré » et désiré. La ville ouvre ses fenêtres au vent, Sofia offre son giron à Esteban puis à Victor Hugues. Les épisodes dans lesquels ouvrir, aérer sont des actes nécessaires et salvateurs ne se comptent pas. Ainsi, au début du roman, l'adolescent asthmatique qu'était Esteban n'a dû son salut qu'à la découverte d'une « petite porte grinçante, peinte en bleu » qu'Ogé a poussée et derrière laquelle il a découvert les herbes maléfiques qui empoisonnaient Esteban[48]. Par la suite, les sorties nombreuses d'Esteban, dans les rues et l'Arsenal, « sa voracité de tous les instants », le ramènent à la santé, « il se fait homme », remarque Carlos[49]. Et c'est une autre « porte bleue » qui se referme enfin sur lui quand il ose suivre « une fille indolente[50] ».

La porte est ambivalente. Mystérieuse et inquiétante, elle referme son couperet sur l'homme pris à son piège mais, cependant, se dresse toujours comme le signe d'une aventure et d'une liberté.

« Qu'est-ce que les lumières[51] ? »

Michel Foucault, dans un article intitulé « qu'est-ce que les lumières ? », avait déjà indiqué cette valeur essentiellement pulsionnelle de la révolution et des Lumières. Se référant à Kant, il cherchait ce qui, dans la révolution, fait signe. On peut suivre ici, son cheminement. Ce qui, dans la révolution, fait signe, d'après le philosophe Kant, ne serait pas l'événement lui-même :

> « l'échec ou la réussite de la révolution ne sont pas signes de progrès ou un signe qu'il n'y a pas de progrès. Mais encore s'il y avait la possibilité pour quelqu'un de connaître la révolution, de savoir comment elle se déroule, et en même temps de la mener à

---

48. *Le Siècle des Lumières*, pp. 65-66.
49. *Ibid.*, p. 72.
50. *Ibid.*, p. 74.
51. Nous faisons allusion, par ce titre, au texte de Michel Foucault dans *Dits et écrits*, IV, 1984.

bien, eh bien, calculant le prix nécessaire à cette révolution, cet homme sensé ne la ferait pas. »

Cette folie, cette vanité de la révolution, *tous comptes faits*, sont effectivement si présents au cœur du roman d'Alejo Carpentier qu'un Esteban semble parfaitement fondé à fuir le théâtre des opérations révolutionnaires pour lui préférer l'opéra et le théâtre baroque des îles. Tout le roman semble prouver assez que la révolution est absurde, que le prix à payer pour un hypothétique progrès historique est trop lourd.

> « En revanche, continue Michel Foucault, ce qui fait sens et ce qui va constituer le signe de progrès, c'est que, tout autour de la révolution, il y a, dit Kant, "une sympathie d'aspiration qui frise l'enthousiasme".
> "La révolution, de toute façon, risquera toujours de retomber dans l'ornière, mais comme événement dont le contenu même est inimportant, son existence atteste une virtualité permanente et qui ne peut être oubliée : pour l'histoire future, c'est la garantie de la continuité même d'une démarche vers le progrès[52]" », conclut Michel Foucault, après Kant.

On peut donc dire que le désir de révolution constitue le signe de progrès exprimé par les lumières, c'est ce qu'Alejo Carpentier nous laisse à penser, *in fine*, dans l'articulation de son roman si sceptique et de son propre engagement, dans le jeu de désillusion et de réinvestissement qui mène sans cesse ses personnages, de l'histoire au désespoir et du désespoir à l'engagement. Il relie ce mouvement à des poussées primordiales et universelles, et non seulement à l'idée d'Histoire. Dans sa poétique, se réunissent le désir d'histoire et le désir inconscient, le mouvement du vent qui ouvre les portes, et le rythme des vagues. C'est pourquoi l'image d'une pulsion, dans ce qu'elle a d'absolument simple et de parfaitement mystérieux, prédomine, dans cet univers instable et vivant, un univers qui englobe la mort comme possibilité de sens. Baudelaire dont l'œuvre commence dans les désillusions de notre

---

52.   Michel Foucault. *Dits et écrits*. IV. 1984. p. 686.

temps post-révolutionnaire ne s'exclamait-il pas déjà : « Amer savoir celui qu'on tire du voyage ! », vers auquel répond, en écho, le narrateur du *Siècle des Lumières* : « Esteban savait tout l'ennui que renfermait le mot *aventure*[53]. » Et si le poète décrit « Une oasis d'horreur dans un désert d'ennui », le romancier n'y contredit pas. Tous les deux, cependant, ont maintenu cette aspiration, malgré tout, à lever l'ancre :

> « Nous voulons, tant ce feu nous brûle le cerveau,
> Plonger au fond du gouffre, Enfer ou Ciel, qu'importe ?
> Au fond de l'Inconnu pour trouver du *nouveau* ! »

L'Histoire comme la mort, « porte sans battant », est l'un des avatars de l'« Inconnu », désirable comme tout « pays chimérique ».

Le roman d'Alejo Carpentier s'achève sur les premiers pas d'un XIXᵉ siècle romantique. Esteban, à la fin de sa vie, lit « Ossian, le roman des chagrins du jeune Werther (...) *Le Génie du christianisme* » et surtout *René* qu'il a annoté à « l'encre rouge[54] ». Les philosophes ne sont plus de saison. Alejo Carpentier est lui-même romantique en ce qu'il exprime la désillusion. Toutefois, il ne nous achemine pas vers l'abstention d'un Frédéric, dans *L'Éducation sentimentale*, mais souscrit plutôt à l'élan d'un Baudelaire : « Appareillons ! », dit le poète, « Allons-y ! », reprend Sofia. L'humanité ne se consume pas dans la nostalgie, elle se jette dans la nuit de l'Histoire. L'Histoire n'est plus un progrès, une marche triomphale de l'humanité édifiant le temple de la raison, elle n'en est pas moins l'Histoire de l'homme. Alejo Carpentier reprend, en cela, la conclusion qui était déjà celle du *Royaume de ce monde*, publié trois ans avant *Le Siècle des Lumières* :

> « [Ti Noel] comprenait maintenant que l'homme ne sait jamais pour quoi il endure et espère. Il endure et espère et travaille pour des gens qu'il ne connaîtra jamais, et qui à leur tour endureront et travailleront pour d'autres qui ne seront pas plus heureux (...) Mais

---

53.   *Le Siècle des Lumières*. p. 362.
54.   *Ibid.*, p. 457.

la grandeur de l'homme est précisément de vouloir améliorer ce qui est. De s'imposer des Tâches. Dans le Royaume des Cieux il n'y a pas de grandeur à conquérir, puisque là tout n'est que hiérachie préétablie (...). C'est pourquoi, accablé de peines et de Tâches, beau au sein de sa misère, capable d'aimer au milieu des afflictions, l'homme ne peut atteindre sa grandeur, sa dimension suprême qu'au Royaume de ce Monde[55] ».

Conclusion : « Explosion dans une cathédrale », une allégorie baroque de l'histoire[56]

Une explosion immobile

Au premier chapitre, le narrateur faisant l'inventaire des objets hétéroclites « plutôt destiné[s] à une vente à l'encan qu'à l'ornement d'une maison », qui meublent la demeure, s'arrête, parmi d'autres tableaux, arlequins, compotiers ou *Massacre des Innocents*, à cette *Explosion dans une cathédrale*, qui fascine particulièrement Esteban. Contrairement à Carlos qui apprécie les « scènes réalistes de moissons et de vendanges », Esteban aime

---

55. Ti Noel « comprendía, ahora, que el hombre nunca sabe para quién padece y espera. Padece y espera y trabaja para gentes que nunca conocerá, y que a su vez padecerán y esperarán y trabajarán para otros que tampoco serán felices (...) Pero la grandeza del hombre está precisamente en querer mejorar lo que es. En imponerse Tareas. En el Reino de los Cielos no hay grandeza que conquistar, puesto que allá todo es jerarquía establecida (...). Por ello, agobiado de penas y Tareas, hermoso dentro de su miseria, capaz de amar en medio de las plagas, el hombre sólo puede hallar su grandeza, su máxima medida en el Reino de este Mundo. » *El Reino de este Mundo*, Biblioteca del bolsillo, 1994, p. 143. Nous avons traduit *padecer* par « endurer », en écho aux analyses d'Édouard Glissant sur les Noirs, en particulier dans son essai sur Faulkner. La capacité à souffrir, et à durer, se synthétise dans le verbe « endurer »

56. Le tableau donné pour anonyme dans *Le Siècle des Lumières* est un tableau de Monsu Desiderio intitulé *Explosion dans une église*. *Cf.* Duarte Momoso-Ruiz, in *Quinze études autour de El Siglo de las luces*, *op. cit.* *Cf.* également Michel Onfray, *Métaphysiques des ruines, La peinture de Monsu Desiderio*, Mollat.

« l'imaginaire, le fantastique (...) Mais son tableau préféré [est] une grande toile, venue de Naples, d'auteur inconnu, qui, contrariant les lois de la plastique, représent[e] l'apocalyptique immobilisation d'une catastrophe ». C'est « un tremblement de terre statique », « un tumulte silencieux ». Figure d'un irreprésentable, image oxymorique inimaginable et sans doute encore moins figurable, cette toile est une allégorie d'un temps qui s'annule, d'un mouvement immobile. La toile vient d'Italie, sans doute parce que cette nation est le berceau du baroque. Elle défie « les lois de la plastique », ce qui est plus facile dans un roman que dans un tableau, c'est un peu un objet à la Borgès, ou à la Breton, une beauté explosante-fixe, c'est un objet énigmatique et d'emblée exhibé comme un signe : Esteban le contemple « pour [s']habituer », sans expliciter à quoi, comme une image virtuelle de quelque chose qu'on ne connaît pas encore, donc un augure.

Cette image peut être mise en relation avec l'incipit, et la description de la « Machine », qui anticipait cette annulation du temps :

> « C'était, à la proue, comme une porte ouverte sur le vaste ciel, qui déjà nous apportait des odeurs de terre par-dessus un océan si calme, si maître de son rythme, que le vaisseau, légèrement conduit, semblait s'engourdir dans son rhumb, suspendu entre un hier et un demain qui se fussent déplacés en même temps que nous. Temps immobile entre l'Étoile Polaire, la Grande Ourse et la Croix du Sud. »

Il est tout à fait impensable que les repères, l'hier et le demain, se déplacent, sans quoi il n'y a évidemment plus de temps. C'est la négation de toute une représentation du temps linéaire, telle qu'elle s'est justement mise en place à partir de la révolution et des lumières, celle d'une ligne de progrès que le XIXe siècle a systématisée, faisant de la Révolution la césure significative, qui permettrait de dire qu'il y a un avant et un après.

Alejo Carpentier substitue au temps, linéaire, historique, signifiant (ou absurde quand il déçoit les attentes), un rythme, celui de la mer et des phénomènes naturels cycliques, celui des mythes, dans lesquels la révolution est un phénomène naturel parmi d'autres, prise littéralement comme cycle qui achève son tour, avant de s'apaiser pour laisser l'océan revenir à son opacité, attendant d'autres tourbillons ou d'autres monstres. Il y a certes, une révolution, mais arrachée à ce temps linéaire et progressif dans lequel elle a pris sens pour nous. La Révolution est secousse, « Événement », mais elle n'annonce pas de changement qualitatif, d'illumination décisive ; elle s'annule comme le Concordat annule le culte de l'être suprême qui annulait le culte catholique, comme le rétablissement de l'esclavage en 1804 annule l'abolition du 16 pluviôse an II ; elle est boucle d'une spirale dont on ne sait si elle passe à un étage supérieur ou inférieur, attirée vers l'abîme ou vers le ciel... « Qu'importe ? »

Quand Esteban revient de Guyane, il contemple comme

> « une préfiguration de tant d'événements connus (...), cette toile prophétique, anti-plastique (...) Si la cathédrale, d'accord avec les doctrines qu'on lui avait apprises jadis, était bien la représentation – arche et tabernacle –, de son propre être, une explosion s'y était produite, certainement, quoique retardée et lente, détruisant les autels, des symboles et des objets de sa vénération. Si la cathédrale symbolisait l'époque, une formidable explosion, en effet, avait jeté bas ses murs principaux, enterrant sous une avalanche de décombres ceux-là mêmes qui peut-être avaient construit la machine infernale[57] ».

Ainsi s'inverse l'édification apprise dans les loges illuministes des maçons, et le sujet se défait plus qu'il ne devient « homme fait ». *A contrario* du modèle viril de Hugues, Esteban n'a pas réussi à se construire, son initiation semble plutôt l'amener à se défaire, à devenir un processus inachevé, toujours en voie de comprendre ou de s'étonner. Le personnage fasciné par le héros épique qui prétend faire l'histoire est devenu un héros éthique, valant par ses interrogations et ses impossibilités, ses désespoirs. À l'instar de Ti Noel, il a trouvé sa véritable grandeur dans la souffrance et la patience.

---

57. *Le Siècle des Lumières*, p. 338.

Plus tard, à son départ pour le bagne de Ceuta, Esteban a un dernier regard pour le tableau : « Même les pierres que j'irai casser maintenant étaient déjà présentes dans ce tableau. Et saisissant un tabouret, il le lança contre la toile, y ouvrant une brèche et la faisant tomber avec fracas[58]. »

Une mise en mouvement

D'une façon qu'on pourrait appeler baroque, le mouvement pénètre dans cette toile pétrifiée, les pierres se défont comme le tableau se brise ; ce que la figure niait du temps se réalise soudain, comme si le réel et l'imaginaire se rejoignaient. Esteban, littéralement iconoclaste, fait enfin exploser cette explosion retenue, immobilisée. Ce geste de transgression qui fait irruption dans l'image et la brise est élan, colère élémentaire, pulsion de révolte qui refuse la représentation figée de l'histoire comme destin.

Le tableau signifie alors que l'homme s'est laissé enfermer dans une image qui l'encadre et le tient à son tour pétrifié. En brisant cette ultime idole, Esteban remet en mouvement l'image elle-même ; libérant son émotion et son histoire, il repart : « Emmenez-moi une bonne fois », s'écrie-t-il. C'est la dernière boucle de la spirale qui se dessine pour lui, vers l'Europe et le bagne de Ceuta.

N'est-ce pas dire que l'œuvre doit rester en mouvement, que l'auteur aspire à trouver dans son roman l'image mobile, elle-même fracassée, d'un monde mobile et divers ? Il fonde là son propre baroque : en musicien, Alejo Carpentier élabore un art de la fugue qui permettrait à son œuvre de ne jamais se résoudre à finir.

Le tableau, sorte de portrait de Dorian Gray, vivra sa propre vie jusqu'à l'effacement, après avoir délivré tous ses signes, épuisé son sujet. Les derniers mots du roman sont une ultime description de cette « explosion dans une cathédrale » :

> « le tableau (...) oublié à sa place, peut-être volontairement,
> cessa d'avoir un sujet : il s'effaça, projetant son ombre sur

---

58. *Le Siècle des Lumières*. p. 396.

l'incarnat du brocart qui tapissait les murs du salon, et semblait saigner à l'endroit où l'humidité avait taché le tissu ».

Les lumières ont laissé place à l'ombre, tout s'efface, le tableau, comme l'histoire, est devenu sans sujet, *asunto*, en espagnol, mais paradoxalement il saigne, comme en un dernier sacrifice, un dernier signe de vie, comme une transsubstantiation qui permettrait d'attendre on ne sait quoi, si la mort n'est pas le dernier mot.

Une composition musicale

Le terme de sujet, sur lequel on aimerait jouer en français, est plus étroit en espagnol : cet *asunto*, c'est plutôt le thème, l'argument. Précisément, au début du roman, dans cet inventaire des œuvres d'art que nous évoquions plus haut, le narrateur précisait que Carlos, s'il préférait « les scènes réalistes », reconnaissait

> « cependant que plusieurs tableaux sans sujet, accrochés dans le vestibule, – marmite, pipe, compotier, clarinette posée près d'un papier musique –, ne manquaient pas d'une certaine beauté due aux simples vertus de la facture ».

Un tableau sans « sujet », c'est peut-être ce vers quoi tend l'esthétique d'Alejo Carpentier. Tendant à décentrer l'homme et son histoire, à l'effacer au profit d'un vaste dessin, il se fait maître d'œuvre d'une composition plus embrouillée et expressive dont l'anecdote ne vaut plus que par ses obscurités. On pourrait même avancer que la composition linéaire et descriptive laisse place à une composition musicale[59].

Ainsi Esteban fera l'éloge de la beauté, de la perfection des formes d'un buccin ou de la merveilleuse « eurythmie » des

---

59.   On peut se référer à l'article de Renaud Richard, « Sur quelques aspects musicaux de la composition : la quatrième séquence », in *Quinze études autour de El Siglo de las luces. op. cit.*, pp. 59-85. L'auteur y rapproche l'écriture du roman de Carpentier des compositions symphoniques de Beethoven.

« dauphins s'élançant hors de l'eau par groupes de deux, de trois, de vingt, ou précisant l'arabesque de la vague quand ils la soulignaient de la projection de leur forme. Par deux, par trois, par vingt, les dauphins, en ronde concertée, s'intégraient dans l'existence de la vague, vivant ses mouvements avec une telle identité de pauses, de bonds, de chutes et de ralentis, qu'ils semblaient la porter sur leurs corps, lui imprimant un temps et une mesure, un rythme et une séquence ».

Il est évident que la phrase d'Alejo Carpentier suit avec élégance et souplesse, la sinuosité de ces bonds, qu'elle est baroque, dans cet « univers de symbioses », unissant formes visuelles et cadences auditives, dans une poétique du mouvement et de la complexité. On peut en suivre les méandres et les rythmes dans le texte espagnol :

« Pero nada era comparable, en alegría, en euritmia, en gracia de impulsos, a los juegos de las toninas, lanzadas fuera del agua, por dos, por tres, por veinte, o definiendo el arabesco de la ola al subrayarlo con la forma disparada. Por dos, por tres, por veinte, las toninas, en giro concertado, se integraban en la existencia de la ola, viviendo sus movimientos con tal identidad de descansos, saltos, caídas y aplacamientos, que parecían llevarla sobre sus cuerpos, imprimiéndole un tiempo y una medida, un compás y una secuencia[60]. »

L'anaphore *por dos, por tres, por veinte*, donne rythme au texte, avec sa progression ternaire, ainsi que les accumulations, ternaires également : *en alegría, en euritmia, en gracia de impulsos*, puis quaternaires *descansos, saltos, caídas y aplacamientos, un tiempo y una medida, un compás y una secuencia*. L'addition d'un terme qui d'abord donne l'impression d'un ajout et d'un débordement, aboutit à un équilibre dans la dernière énumération composée de deux fois deux termes reliés de façon binaire. Ainsi se mêlent sensation de plénitude, de mouvement, grâce au déplacement du « y » dans la séquence, et impression de

60.　*El Siglo de las luces*, Compañia general de ediciones, S.A., 1973, p. 153.

balancement et d'équilibre. Le terme *arabesco* rappelle l'esthétique baroque, son goût pour l'entrelacs et la souplesse.

La phrase de Carpentier insiste également sur un trait que le traducteur a négligé : la fragilité, le caractère éphémère d'un mouvement qui sans cesse se forme et se déforme, tout en fugue. En effet, la forme est *disparada*, c'est-à-dire aussi vite enfuie que les formes des nuages qu'admire Esteban un peu plus loin. Quant au terme *giro*, il nous paraît encore une fois regrettable que le traducteur n'ait pas maintenu sa répétition tout au long du roman. Ici les dauphins, *« en giro concertado se integr[an] en la existencia de la ola »*, se fondent dans l'existence de la vague. Il nous semble essentiel que le mouvement giratoire, celui du cyclone, et celui de Victor Hugues, lors de son arrivée à La Havane, soit associé à un mouvement d'intégration à l'élément, qu'il s'agisse de la vague, pour l'animal ou des cycles de la nature, pour l'homme. *Girar* n'est pas seulement tourner, mais faire de soi une arabesque, devenir soi-même le mouvement, le rythme, la figure qui s'intègre au mouvement du monde.

La première occurrence de ce terme, lorsque Victor Hugues assaille la maison de La Havane *« Era como si una persona empeñada en entrar girara en torno de la casa »* est traduite par « comme si une personne obstinée tournait autour de la maison ». La seconde occurrence, au moment où se déclenche le cyclone décrit en ces termes le vent : *« girando sobre sí mismo, apretando, espesando la rotación, desde las lejanías del Golfo de México o del Mar de los Sargazos »*, ce qui est traduit ainsi : « le vent passait (...) tournoyant sur lui-même, pressant, rendant plus dense sa rotation... ». Enfin le terme *girar*, employé dans le contexte du ballet des dauphins, dans le texte que nous commentions précédemment, est traduit par « ronde » qui traduit certes bien l'idée de danse et de rythme, mais laisse de côté la répétition signifiante qui, tout au long du roman, unit le rythme à la nature, fait de la musique et de la danse l'expression d'une harmonie entre l'homme, l'animal et le monde, dans la correspondance des cadences musicales, des mouvements historiques et des cycles naturels. Même la violence si peu « eurythmique » d'un Victor Hugues peut s'interpréter comme un geste de danse et sa « giration » cyclonique en fait un événement tout aussi « intégrable » au monde que le ballet des dauphins dans la vague.

On dirait que le dessein ultime de l'homme, comme de l'animal, au-delà de l'histoire, est de se fondre dans ces rythmes profonds de l'univers, d'en chanter le *Te Deum*, ou de se glisser rythmiquement dans ses arabesques. La forme et le sens sont, dès lors, moins importants que le rythme, le mouvement. Ainsi, on peut comprendre la mort de Sofia, qui ne se bat pour personne, pour rien ; elle rejoint un vaste mouvement, décrit tel un cyclone ou un océan : « Tout à coup la houle humaine sembla s'immobiliser, comme confondue par ses propres tourbillons. » Elle se jette dans cette foule, puis

> « ce fut le chaos des convulsions collectives. (...) Dans tout Madrid régnait l'atmosphère des grands cataclysmes, des révulsions telluriques, – lorsque le feu, le fer, l'acier, ce qui coupe et ce qui éclate, se révoltent contre leurs maîtres –, en une immense clameur de *Dies Irae*[61] ».

Du *Te Deum* au *Dies Irae*, c'est une messe qu'écrit Carpentier, un chant du monde ou plutôt une *Passion*, car c'est à l'écriture polyphonique et fuguée de Bach que son écriture, intensément dramatique et sombre, fait songer. Le roman n'est plus justifié par l'anecdote, l'intrigue, ou l'*asunto*, mais par sa facture, par sa composition musicale et ses harmonies. Par là même, la fin de l'h/Histoire n'est pas la fin de l'œuvre et, lorsque le sujet s'efface de la toile, lorsque les personnages meurent et disparaissent du roman, il semble qu'on pourrait reprendre la lecture comme dans une écriture fuguée.

En effet, dans les derniers moments du récit, tout semble se « dissoudre », s'éteindre, « s'effacer ». Est-ce le dernier mot du roman ? Comment l'interpréter ? Est-ce une condamnation de l'histoire comme sacrifice inutile ? Ne faut-il pas rappeler plutôt que la structure temporelle très complexe du roman fait que la fin n'en est pas une. En effet Carlos, venu à Madrid pour enquêter sur la disparition de Sofia et Esteban commence une nouvelle spirale

---

61.   *Le Siècle des Lumières*, p. 461.

d'histoire, en reconstituant ce qui est nommé de façon symbolique
« Jour sans Terme[62] » ?

Dans un temps à la fois éternel et cyclique, le début du roman,
description de la « Machine », nous renvoie de même à un moment
bien ultérieur de la narration, moment d'ailleurs utopique d'une
narration assumée à la première personne par Esteban, dans un
livre qu'il aurait écrit. Dans un jeu de fugue, à l'infini, le rôle de
témoin privilégié et ultime de Carlos pourrait donc en faire le
narrateur vraisemblable du roman dont nous achevons la lecture.
Une nouvelle quête serait donc entreprise *in fine*. Ainsi les voix
narratives se relaient. Le livre appelle d'autres livres fictifs ou
réels. Chacun devient l'acteur ou le narrateur d'une histoire sans
sujet, mais dont la facture et le rythme font la particulière
complexité et la mouvante beauté, à l'infini.

Le baroque de Carpentier n'est donc aucunement une pure
fantaisie, une bigarrure somptueuse, il n'est pas davantage un style
propre aux auteurs d'Amérique latine, comme une couleur locale.
En revanche, s'il est certainement typique de la littérature du
Nouveau Monde et de la Caraïbe c'est qu'il met en œuvre une
problématique de la diversité et de l'éclatement, une esthétique
anti-classique, du décentrement et de l'entrelacs, de l'archipel et du
« tout-monde », dirait Édouard Glissant, auteur lui aussi de cet
espace créole en mouvement.

Il faudrait dire encore que cette vision baroque, qui rejoint
l'esthétique préclassique, et les cantates de Bach, nous apporte
aujourd'hui des lumières, plus concrètes, plus sensuelles et plus
nuancées, des soleils et des ombres où nous apercevons mieux
notre image diffractée et obscurcie que dans les simplifications
positivistes qui ne rendent plus compte de notre vivante complexité. Le baroque correspondrait ainsi, selon notre hypothèse, à
la recherche d'une nouvelle loi, loi d'expression et loi ordonnatrice, dans un monde « nouveau », post-révolutionnaire, et dans
un autre continent.

Car en prenant pour prisme la révolution française qui voit le
passage d'un ordre du monde dont la loi est transcendante, à un
ordre dans lequel la loi fait problème et où nulle légitimité ne

---

62. *Le Siècle des Lumières*, p. 459.

garantit plus le pouvoir, Alejo Carpentier interroge également la loi qui serait apte à ordonner un « nouveau monde » dans lequel les catégories et les garants du vieux continent ne seraient pas pertinents. Refonder un ordre symbolique, au-delà de l'ordre divin et au-delà de l'ordre historique, c'est le défi que se donne *Le Siècle des Lumières*. En fait, le roman laisse le lecteur sur une aporie ; aucun ordre n'est réellement refondé, l'absurde emporte tout. En revanche, l'homme semble se fier à l'ordre naturel qui l'englobe et l'entraîne dans une vaste pulsion, au rythme de cycles et de tourbillons incessants et violents. Faut-il y voir un nouvel ordre, organisé par une loi baroque, ou une impossibilité à retrouver une organisation symbolique après l'effondrement des anciens systèmes ?

Au bord de cette faille, le baroque est une poétique, une vision du monde consistante, où le temps et le rythme sont essentiels, où le mouvement est incessant, où l'élan irrationnel et vital s'ordonne dans une composition de nature musicale, dont la fugue serait peut-être l'idéal, comme figure de l'infini, et la polyphonie la structure, comme expression d'une immense diversité.

Daniel Maximin
L'Isolé soleil, 1981[1]

Ne pourrait-on, à titre d'hypothèse, considérer *L'Isolé soleil* de Daniel Maximin comme une réinterprétation du *Siècle des Lumières* d'Alejo Carpentier ?

Nous l'avons dit précédemment, une grande cohérence se révèle entre les œuvres du Nouveau Monde américain, créole et caribéen. Un univers baroque, une poétique du mouvement et de la circulation, de la spirale et du désir pourraient réunir, en un même lieu, des écritures qui se répondent d'une île à l'autre.

Nous verrons, en effet que, partant d'un projet de roman historique, celui de sa narratrice, le roman de Daniel Maximin conduit le lecteur, du labyrinthe de l'expérience historique, aux impasses du discours. Cherchant son « envol », tel un nouveau Dédale, le texte, d'abord réaliste, s'échappe, à travers les barreaux de la cage romanesque, pour laisser les signifiants proliférer, circuler, dans une écriture surréaliste et baroque. Si le lecteur suit Daniel Maximin, tout au long de sa trilogie, il aura le sentiment d'errer, d'un étage de la spirale à l'autre, du Matouba à la Soufrière, et au cyclone, de l'Histoire politique à l'histoire naturelle, jusqu'au cercle de l'enfer, dans ce face à face atroce avec le cyclone qu'est *L'Île et une nuit*. Il aura alors atteint le centre du pays et de l'expérience antillaise. Quel sens attacher à ce parcours ? De quelle révélation est porteuse cette Apocalypse ?

---

1. *L'Isolé soleil*, Le Seuil, 1981, Points roman.

Le lecteur est bien embarrassé pour formuler ce sens, arrêter une interprétation. En effet, le sens dérive, s'enroule, se déplace continuellement, selon d'autres spirales. Du récit historique et réaliste au discours sur l'histoire, puis de la parole poétique à la scansion du conte, et enfin du mythe au verbe poétique, le texte décentre et défait constamment les significations, pratiquant l'hétérogénéité et transgressant les règles qu'il s'était d'abord données.

Par conséquent, on ne s'étonnera pas de voir le lecteur errer dans le labyrinthe, souvent surpris et désemparé, pris à contre-pied. Il se pose toujours des questions qui semblent sans pertinence. En effet, si le roman *L'Isolé soleil* développe un réalisme, un discours sur l'histoire, c'est pour s'y dérober plus tard, « piratant » son propre dessein. Si les personnages deviennent vraisemblables et émouvants, c'est pour mieux redevenir inventions de papier, si la poésie envahit le texte, elle n'en efface pas les questionnements politiques et existentiels. L'écriture de Daniel Maximin rompt, en quelque sorte, tous les contrats de lecture. C'est en quoi elle est baroque, sinueuse, défiant toutes les « lois » d'écriture. Ainsi, lorsque le lecteur se croit légitimé, par le discours des personnages, à entreprendre une réflexion sur l'histoire et la négritude, à dégager le sens politique des parcours et des propos, il s'aperçoit que le texte *ne répond plus*, déjà engagé sur d'autres voies, devenu ici composition musicale, ailleurs poème surréaliste ou vision lyrique, réécriture d'un autre poème plus ancien ou d'un conte, fugue permanente, dans tous les sens du terme. C'est donc une œuvre tournoyante et enchevêtrée, à l'image des signifiants qui en composent le titre, « L'Isolé soleil », invitant au jeu et aux retournements, à chercher le sens aussi bien dans le désordre que dans l'ordre.

Des lumières désolées au soleil exilé

De la lumière des philosophes à celle du soleil, d'un siècle d'Histoire à des histoires d'îles, on pourrait résumer ainsi ce qui se continue depuis le roman de Carpentier à celui de Maximin. Carpentier mettait déjà en perspective les « lumières de la raison », des sciences et des engagements idéalistes à la lumière des éclats baroques d'un soleil sensuel et autrement éblouissant – mais qui de ce fait aveugle autant qu'il éclaire –, Daniel Maximin reprend là une interrogation sur l'Histoire des Antilles et de l'archipel caribéen. L'île est le lieu dans lequel tout éclate en « débris », en poussières, en individus « isolés », qui diffractent et font miroiter le sens afin de mieux définir une identité, un éclairage antillais sur le monde, sur une vérité non plus continentale et centrée, mais archipélique et décalée. L'Histoire s'y confronte, comme chez Alejo Carpentier, à la géographie, les rythmes et périodisations historiques se mesurent à des rythmes naturels, humains ou mythiques.

Les lumières du XVIIIe siècle furent plurielles, alliant plusieurs sciences et des démarches diverses qui se substituaient à une unique et absolue lumière jusqu'alors seule révérée / révélée, celle de Dieu. Au XXe siècle et pour un écrivain comme Daniel Maximin, ce débat n'est plus très vivant. En revanche, l'homme se sent bien seul, et les « Lumières » se sont atomisées, défaites. L'homme n'est plus qu'« isolé soleil », démuni, sans le recours à des vérités collectives, idéologiques ou politiques qui, aujourd'hui, lui font défaut.

Une vérité subjective

Adrien ou Marie-Gabriel, les personnages de *L'Isolé soleil*, ne forment pas de groupe. Ce sont des individus séparés, orphelins et sans inscription sociale ou idéologique. Ils n'ont d'autre vérité que celle, subjective, qu'ils élaborent dans le dialogue et les échanges épistolaires et les « cahiers d'écriture ». Aucun narrateur objectif, supérieur, ne vient garantir le monde de *L'Isolé soleil*. En outre, si le travail du récit fabrique du vraisemblable, c'est pour mieux l'annuler dans un second temps, comme dans une navette qui découd autant qu'elle coud. Ainsi, l'Histoire racontée – celle d'Alliot, le premier colon, celle de Miss Béa et de ses jumeaux Jonathan et Georges, consignées dans le *Cahier de Jonathan* ou les lettres de Georges – se présente, dans un premier temps, dans un effet de réel. Mais ces témoignages, si authentiques, s'avèrent, ensuite, récits inventés par une jeune fille, en train d'écrire son premier roman, Marie-Gabriel. Et cet auteur, par son discours sur son œuvre et ses personnages, peut, d'un geste, d'une parole, défaire tout le tissu narratif de son texte, ôter à ses propres personnages leur épaisseur psychologique, leur vérité humaine, les réduisant soudain aux inventions aléatoires d'un écrivain au travail.

Il suffit d'une réflexion de Marie-Gabriel sur la fabrication de son roman pour qu'apparaisse la fragilité, l'aléatoire de son Histoire. Ainsi lorsqu'elle écrit à Adrien : « Je vais changer dans mon histoire l'épisode de la mort d'Elisa, la fille de maître Alliot, dont un projet de ton Cahier d'écritures m'avait donné l'idée », le socle le plus réaliste du roman s'effondre[2]. De même, le *Journal de Siméa*, la mère de la narratrice, si pathétique, si bien nourri de pièces à conviction pourrait-on dire – par exemple de noms et événements historiques du Paris noir des années trente –, se révèle fictif. C'est encore une invention de la narratrice. Marie-Gabriel s'avère elle-même « infirmière en psychiatrie », et redouble ainsi l'histoire de sa mère, rappelant son enthousiasme pour Césaire, et l'époque où, dit-elle, « nous étions des disciples qui connaissions presque par cœur le *Cahier d'un retour*, *Bois d'ébène*, *Black label* et *Pigments*[3] ». À tout moment du roman, ce qui est donné pour récit anonyme, omniscient, élaboré dans une perspective historique, est repris comme fiction, morceau du roman écrit par l'héroïne-écrivain Marie-Gabriel.

Qu'en est-il désormais de la vérité historique ? Que penser des événements historiques du Matouba racontés dans le même roman ? Sont-ils encore des fragments de narration ? Après avoir, dans un premier temps produit un effet de réel, le roman l'efface et met en crise tous les récits. Il en ressort que toute vérité est mise en doute, tout récit ressortit à un discours subjectif qui explore une mémoire, dans ses voies singulières et son substrat collectif. Tout discours est lui-même à mettre en perspective, par rapport à

---

2.   *L'Isolé soleil*, p. 269.
3.   *Ibid.*, p. 255.

l'histoire du sujet et à sa propre position, à sa propre quête. Le lecteur ne peut plus deviner si Marie-Gabriel est fille de Siméa ou si elle s'est inventé une mère dans son livre, lui prêtant son propre univers, ses interrogations, son métier. Il se pourrait que le lecteur finisse même par s'interroger sur la réalité de Marie-Gabriel. Ne serait-elle pas elle-même une création littéraire, fruit de l'imagination de son auteur ?

Il n'est donc plus question de construire un roman historique où le temps est cadré, comme un objet figé, bien découpé que l'on pourrait observer. Les repères objectifs n'existent plus. Ainsi se réalise ce qui déjà se jouait dans *Le Siècle des Lumières* : « Le vaisseau, légèrement conduit, écrivait le narrateur, semblait s'engourdir dans son rhumb, suspendu entre un hier et un demain qui se fussent déplacés en même temps que nous[4]. »

L'absence de repères

Comment raconter l'histoire, par conséquent, lorsque le temps continue d'avancer, et que nous sommes pris dans ce fleuve qui transforme l'événement en même temps que nous essayons d'en surprendre le sens ? Temps baroque, insaisissable, subjectif nécessairement, il ne peut pas être le même pour tous, il varie selon la position des individus.

Ainsi, dans *Le Siècle des Lumières*, Esteban qui a vécu de très près l'histoire s'entend dire par Sofia qu'il était précisément trop près pour bien voir, tandis qu'il croit de son côté qu'elle est demeurée trop loin pour saisir la réalité. Le point de vue est ce qui éclaire l'événement, et il est changeant. L'expression « près » ou « loin » ne signifie d'ailleurs pas grand chose. Esteban à Paris passe son temps à chercher la scène de l'histoire sans la découvrir : « Esteban (...) n'arrivait pas à voir clairement qui faisait la révolution », affirme le narrateur, qui renchérit : « La proximité excessive des faits l'éblouissait presque », pour conclure un peu tard en ces termes :

---

4.   *Le Siècle des Lumières*. p. 17.

« Il ne valait pas la peine d'être venu de si loin voir une révolution, pour ne pas voir la révolution ; pour se contenter d'être l'auditeur qui écoute, d'un parc voisin, les fortissimi qui parviennent d'un théâtre d'opéra dans lequel on n'a pas pu entrer[5]. »

Admirable image qui peint très justement la condition de l'homme, toujours à côté de la scène où se joue la pièce, se maudissant de n'avoir pas réussi à trouver un billet ou d'être si mal placé. Pour un peu, il envie ceux qui ont pu entrer et profitent du spectacle, sur scène ou dans la salle ! Mais on découvrira qu'ils sont dans la même frustration. Si chacun suppose que les autres (ou plutôt les Autres) sont mieux lotis, dans ce théâtre-là, personne ne voit rien. Victor Hugues s'avèrera un costume vide qui tient à peine sur ses jambes et sur ses défaillantes croyances, plus joué qu'acteur. Chacun suppose qu'un Autre – par exemple Robespierre chez Carpentier ou Delgrès chez Maximin – a plus de chance. Leurre de l'imaginaire ! C'est ce que Daniel Maximin appellera « exil ».

C'est pourquoi le roman de Carpentier, nous l'avons vu, explore des spirales, chacun à son tour entreprenant le voyage pour se rendre compte, car l'expérience est irremplaçable, aucun témoin ne verra ce que vous avez vu. Dans le roman de Daniel Maximin, la conséquence d'un tel subjectivisme n'est pas l'impossibilité de l'histoire ou du discours sur l'histoire. Les personnages sont plutôt conviés à discuter. La scène qui revient le plus souvent dans le roman, et qui fera l'essentiel de *Soufrières*, réunit des amis en train de bavarder. Mais tandis qu'Esteban s'écriait : « vous m'emmerdez ! », absolument révolté, après tant de souffrances et de désillusions, de tomber sur un repaire de « jacobins », Marie-Gabriel, Adrien, Siméa, Antoine puis Rosan ou Toussaint, ont appris à parler, à discuter[6]. Ils ne cherchent pas à être d'accord. Ils assument des discours divers. En cela, ils ont renoncé à La Vérité, à l'Histoire. Ils s'accommodent d'histoires multiples, de versions probables, laissent en suspens le sens.

---

5.   *Le Siècle des Lumières*, p. 132 puis 149.
6.   *Ibid.*, pp. 351-352.

On ne saura jamais exactement ce qui s'est passé au Fort Matouba, entre fiction et réalité historique, on ne saura pas non plus ce qu'il faut en penser. C'est pourquoi Marie-Gabriel se propose de réécrire son livre en demandant simplement : « que s'est-il passé le 28 mai 1802 ? (Puis à la fin du livre, je délivrerais la réponse : ce jour-là, Delgrès a eu juste trente ans)[7]. » L'événement personnel, très décentré par rapport au calendrier historique demeurerait donc la seule vérité objective. Certitude un peu mince, en regard de l'Histoire collective et l'on ne saura jamais, à l'inverse, comment interpréter l'explosion du Matouba : « suicide collectif » ou acte de « résistance » héroïque. Après tout, la fiction que Marie-Gabriel a imaginée pour ce 28 mai 1802, à savoir les allées et venues de Miss Béa et de ses jumeaux, la circulation d'un bracelet, de Jonathan à Delgrès puis de Delgrès à Ti-Carole, est peut-être aussi plausible, si ce n'est plus vraie que l'insaisissable « réalité historique ».

Aux personnages piégés par de sempiternelles interrogations sur une insaisissable vérité historique, Antoine, le musicien, oppose une radicale injonction : « il nous faut pirater l'histoire[8] ! » Que signifie une formule si provocante, dans un roman sur l'histoire ? Le mot « histoire » est d'ailleurs ambigu, dans le propos du personnage, car il peut désigner l'Histoire des hommes, mais également le discours historique officiel. « Pirater l'histoire » signifie, dans les paroles d'un musicien qui se veut « sans-Histoire », et aspire à une création « libre », s'abstenir d'engagement historique, s'enfuir, comme le suggèrera plus tard l'anagramme « oui, frères oser fuir ». Le musicien, l'artiste, estime n'avoir ni « à rendre justice, à provoquer les chiens ni à gouverner la rosée ». En d'autres termes, il n'a pas de comptes à rendre à l'histoire, « rien à concilier ni à réconcilier ».

Mais « pirater » l'histoire est également s'élancer à l'abordage d'une Histoire collective et du discours historique, d'une manière neuve, créatrice, en se jetant comme Toussaint sur une scène à reconquérir. Ne serait-ce pas alors une invitation à ruser, à se comporter en pirates, c'est-à-dire à arraisonner violemment le

---

7.   *L'Isolé soleil*. p. 108.
8.   *Ibid.*, p. 273.

discours historique, l'aborder sans loi préétablie, sauvagement, pour le mettre en pièces, le déchirer, se l'approprier, le réécrire à la façon barbare d'un Césaire, de ces « cannibales » des débuts de la négritude ? Ainsi l'auteur, Marie-Gabriel, réinvente, réinterprète l'histoire, la fait dériver au fil de son imagination, la remanie selon ses propres questionnements et l'interroge, sans conclure. Ne serait-ce pas la seule manière de se réapproprier son Histoire ?

Si l'engagement, de Sartre au Rebelle d'Aimé Césaire, a consisté à s'inscrire dans une histoire du progrès, celle d'une Libération, la liberté revendiquée par les personnages de Maximin est plus radicale. Elle se libère même du sens et du progrès historique. Ni « esclave de l'esclavage », ainsi que l'écrivait Frantz Fanon, ni esclave du sens, le protagoniste défait l'histoire plutôt que de la refaire. Il n'a pas l'illusion de se croire totalement libre ou libéré, mais il « découvre l'espace libre entre les barreaux sans perdre la conscience de la cage[9] ».

C'est peut-être, au-delà du désir de révolution, comme signe de progrès, un désir tout court, comme signe de liberté. La condition humaine est assumée comme « cage » dont on ne saurait totalement sortir. La liberté, toute relative, consiste, dès lors, à respirer l'air libre, entre les barreaux. Résignation ou sagesse ? Sans doute une étape, à tout le moins, car la feuille, plus tard, prendra son « envol ».

Une histoire insaisissable

Les personnages de *L'Isolé soleil* qui ont pour projet déclaré de « réapproprier leur histoire », d'ouvrir « les tiroirs d'une histoire confisquée[10] », sont à côté de la scène historique. Ils sont radicalement décentrés de leur propre histoire. Qu'ils soient « exilés », Guadeloupéens de Paris ou qu'ils demeurent, à l'instar de Marie-Gabriel, en Guadeloupe, ils commentent une histoire passée plus qu'ils ne militent dans une histoire présente, ils se tiennent dans une coulisse géographique et temporelle. S'ils s'engagent, c'est

---

9. *L'Isolé soleil.* p. 171.
10. *Ibid.,* p. 18.

aux côtés du Black Power, et d'Angela Davis, ou des Algériens, à l'instar de Frantz Fanon, comme si la Guadeloupe n'avait pas ses propres combats, ses propres enjeux. Ils parlent de l'histoire guadeloupéenne, l'interprètent, échangent des lettres à ce propos mais ne sont pas tout à fait des acteurs historiques.

De même qu'ils semblent dans une relation de distance et d'insu vis-à-vis de l'histoire collective, se tenant essentiellement dans le discours, les personnages de la Guadeloupe contemporaine, Marie-Gabriel, Antoine, Adrien, se rencontrent peu, expérimentent peu, semblent essentiellement rivés à leurs cahiers, lettres, conversations, le plus souvent, à distance. Marie-Gabriel raconte l'histoire de sa mère, de son père, de ses aïeux, elle ne vit pas elle-même une histoire à raconter. À l'inverse de la génération de 1940 ou de celle de 1802, la génération actuelle, représentée dans le roman, n'est pas directement engagée, elle écrit et discute plus qu'elle ne milite. Les personnages de *Soufrières* ne démentiront pas cette impression. Ils seront témoins de phénomènes qui les dépassent, attendant l'éruption, notant ses progrès, représentant au théâtre une scène qu'ils ne peuvent jouer dans la réalité sociale et naturelle. Dans *L'Île et une nuit*, Marie-Gabriel, confrontée à l'énormité du cyclone, ne pourra guère agir, elle ne pourra qu'attendre, continuer à exister à défaut d'agir sur l'événement.

Est-ce le destin des Antillais aujourd'hui qui est ainsi représenté, comme celui de spectateurs et commentateurs du passé et non d'acteurs de leur propre histoire ? Dans ce sens, Daniel Maximin s'inscrirait dans la conception glissantienne d'une « non-Histoire » antillaise, selon laquelle l'histoire des Antilles a été confisquée par la chronique coloniale et l'histoire de la France. Un peuple esclave, puis assimilé, ne peut avoir d'histoire, il est l'objet de celle des autres, il est le reste d'un ordre qui se fait ailleurs[11].

---

11. C'est bien le sens du mot « tiers », dans « Tiers-État » ou « Tiers-Monde ». Le troisième terme, c'est le reste, ce qui est sans nom. Il y eut deux grands ordres, la noblesse et le clergé, puis deux grands mondes, l'Europe et l'Amérique, l'ancien et le nouveau. L'autre, l'innommable, c'est le tiers, le reste. Il ne fait pas vraiment partie de l'ordre, ni des ordres, il est à côté, on le tolère. Surnuméraire, il est ressenti comme informe et dépourvu de signification. C'est la part maudite de tout ordre. Il peut également en être l'avenir plus ou moins menaçant comme ferment d'un nouvel ordre.

On pourrait également supposer que *L'Isolé soleil* représente, plus généralement, la situation de l'homme du XXe siècle, bien au-delà des Antilles, qui après avoir renoncé à découvrir le lieu où l'histoire se fait aurait admis que rien ne se fait. Il se contenterait désormais de rappeler un passé largement mythifié pour en réévaluer les contenus, le mettre en crise, et finalement se libérer d'une fascination. Tout est déjà passé, mais rien ne s'est passé de significatif. Là encore on peut voir le legs d'une histoire antillaise qui s'est résorbée dans des rendez-vous manqués, des avortements, sans que des symboles et des actes clairs se soient dégagés. Le sens demeure flottant et du même coup le présent ne réussit pas à se séparer du passé. Le premier ne peut cesser de chercher un sens dans le second, restant par conséquent en suspens, en souffrance. Le présent est médusé, il se fige dans un regard de pierre. On pourrait citer Assia Djebar, faisant dialoguer deux femmes à la fin d'une nouvelle, en ces termes :

> « Il y a ceux qui oublient ou simplement qui dorment. Et ceux qui se heurtent toujours contre les murs du passé. Que Dieu les ait en sa pitié ! » « Ce sont les véritables exilés », commente la seconde[12].

Le roman de Daniel Maximin nous interroge sur l'Histoire comme Histoire de cet exil. Les personnages sont-ils exclus de l'Histoire ou pris dans l'Histoire à leur insu, ne serait-ce que par leur abstention ? L'Histoire des Antilles se fait-elle pendant qu'ils parlent du passé ? On peut se demander s'ils sont pris dans un présent – celui d'une néo-colonisation ou d'une libération ? – qu'ils ignorent et qui se déroule au moment où ils parlent du passé ou si, au contraire, leurs discussions constituent des actes, un événement significatif de réappropriation de l'Histoire. Faut-il, en d'autres termes, interpréter le récit comme la mise en question d'une génération qui se contente d'écrire et de discuter, alors que la génération précédente, de Césaire à Toussaint, a été militante ? On pourrait croire alors que l'Histoire, celle de la Guadeloupe, par

---

12.   Assia Djebar, « Il n'y a pas d'exil », *Femmes d'Alger dans un appartement*, Éditions des femmes, 1980, p. 84.

exemple, s'est arrêtée en 1945. Le lecteur pourrait donc s'interroger sur la part que Marie-Gabriel assume d'une histoire présente. En effet, dans *L'Isolé soleil*, l'Histoire contemporaine semble se faire ailleurs, à Paris, New York ou dans un lieu que nous ignorons autant que l'héroïne. Elle semble avoir déserté la Guadeloupe. À moins que l'histoire contemporaine de cette île ne soit précisément tissée par ces discussions, lettres, réflexions des personnages. En d'autres termes, l'Histoire serait-elle devenue intégralement discours sur l'histoire ?

L'image que le roman donne de l'Histoire, non seulement l'histoire antillaise mais toutes les histoires, en effet, n'est plus celle d'une suite d'événements héroïques et significatifs, mais celle d'un temps perdu, dispersé, non limité en séries fermées, que le discours cherche à saisir, à encadrer, à refaire. L'Histoire ne serait pas seulement victoires et traités mais également amorces de révolutions, avortements, discussions impossibles à clore. Ce serait même un tissu de paroles échangées, de réflexions sur soi, méditations sur son histoire en train de se faire ou de fuir. On peut interpréter le roman de Daniel Maximin comme roman d'une « non-histoire », certes, mais également comme roman d'une nouvelle vision de l'histoire, rendant compte de temps morts, d'un temps en jachère, apparemment dénué de sens, voire d'un objet hypothétique à construire. Daniel Maximin rejoindrait ainsi le sentiment que nous avons aujourd'hui d'une histoire non-événementielle, dont les formes et le sens demeurent imperceptibles pour les contemporains perdus dans la masse des petites dates et des petits mouvements, des petits signes indéchiffrables qui s'accumulent et s'annulent.

Les contemporains n'ont, d'ailleurs, jamais le sentiment de vivre l'Histoire. Musset avait déjà exprimé cette conscience que l'histoire était irrémédiablement passée et que la génération post-révolutionnaire n'en avait plus à vivre que la décrue et la nostalgie. Peut-être ignorait-il, en revanche, que toutes les générations sont « perdues », quand elles comparent leur expérience à celle de leurs illustres prédécesseurs. Le seul mérite de ces héros est sans doute d'avoir laissé le temps aux historiens d'ordonner un peu le chaos des dates, de former-formuler l'objet historique et d'en projeter le sens. *L'Isolé soleil*, comme *Le Siècle des Lumières* ne sont pas des romans d'historiens qui ordonnent, mais des romans de l'Histoire, dans son présent chaotique.

Alejo Carpentier recréait ce désordre des événements sans perspective, il réussissait à imaginer, malgré les leçons d'histoire, une Révolution en train de se faire. Les analyses de François Furet ont confirmé, depuis, cette vision qui permet de saisir une complexité si grande et une telle multiplicité d'événements et de points de vue que le sens n'est plus assignable. La Révolution est bien un événement historique, mais le sens de cet événement est largement indécidable. On peut décrire, on n'est pas sûr de comprendre. Impossible, dès lors, de relire l'Histoire pour en tirer des leçons. La grande révolution de la pensée historique contemporaine est peut-être d'arracher le discours historique à la morale sociale, à l'instruction civique.

Pendant plusieurs générations, l'école a donné à l'étude de l'histoire une dimension éducative. Faire de l'histoire ce fut comprendre le monde contemporain, expliquer le présent par référence au passé, trouver un sens, un progrès qui éclaire les mouvements d'hier et nous guide aujourd'hui. L'historien a parfois remplacé le moraliste. Souvent marxiste, toujours progressiste, il a montré les erreurs du passé afin que l'humanité ne retombe pas sur les mêmes écueils. Depuis les années 70, l'histoire est devenue plus opaque. Les historiens eux-mêmes, s'ils persistent à créer, à définir des objets historiques, n'ont plus la prétention d'en montrer le sens, ni de désigner les progrès. Leurs objets sont devenus obscurs, parfois, pour le profane[13]. On s'est aperçu que les erreurs se répétaient, que d'autres folies apparaissaient, qu'un génocide passé n'empêchait pas un génocide présent. Il ne suffit pas d'inter-préter l'Histoire passée pour cesser d'être mu par des sentiments abjects, emporté par la violence, la foi, les hymnes. Bref, les hommes ne sont pas éclairés, ils ne sont peut-être pas éclairables. L'enjeu du discours historique est une connaissance dont l'Histoire persiste à ne rien savoir, allant aveuglément sur sa pente. Dès lors un discours sur l'histoire indique davantage la défaite du sens qu'il ne construit des significations historiques.

---

13.   Une pensée commence là où le catéchisme s'arrête, les élèves dussent-ils demeurer avec de plus grandes interrogations.

Une histoire inconsciente

C'est dans la vision contemporaine d'une Histoire comme présent non ordonné, indescriptible et in-sensé que s'inscrit *L'Isolé soleil*. Les personnages ne sont pas tant exilés de leur histoire que sujets inconscients d'une Histoire en train de se faire à leur insu, dans un temps informe par cela seul qu'il est le présent. Cela ne les empêche pas de prendre part aveuglément et parfois passionnément à l'histoire. Georges et Jonathan explosent sur le Matouba, Toussaint meurt dans les émeutes anti-pétainistes, Marie-Gabriel projette d'accompagner Gerty à Paris pour militer en faveur du comité Soledad. Très différés, comme retenus jusqu'à l'ultime suspens, des actes politiques, historiques, sont tout de même lâchés. Sans illusion sur leur sens, les personnages, à l'instar de la Sofia de Carpentier, concèdent des gestes qui peuvent entraîner vie et mort.

On pourrait, en fait, estimer que les actes politiques-historiques sont des actes manqués. En effet, ils sont souvent, disons-le prosaïquement, ratés. Ainsi la résistance de Delgrès au Matouba est, en somme, une défaite. De même, la mort de Toussaint au moment où il devait partir en dissidence est décrite en termes de confusion et de « trébuchement ».

> « Les jeunes gens attaquent les gendarmes (...) C'est alors qu'une cinquantaine de fusiliers-marins tout blancs surgissent (...) Un garçon noir planqué à l'abri de la galerie désigne à un officier un des Masques-à-la-mort dont le loup a été arraché dans la mêlée. »

Toussaint dénoncé, passivement démasqué, est visé par le marin.

> « Une fillette tombe sans un cri sur la poitrine de Toussaint, qui l'écarte très doucement, (...) s'élance en droite course, froid comme une cible d'argile, sur l'officier blanc qui le vise avec l'application patiente d'un tortionnaire, et s'abat en plein vol

touché en plein visage, trébuchant comiquement sur un tambour gros-ka[14]. »

Le résistant héroïque s'apprêtant à partir à l'étranger en dissidence, le passager clandestin tragiquement démasqué, meurt presque accidentellement, passivement, « cible » offerte, tombant sans avoir rien fait, ni tué personne, dans un faux pas comique. Le père de la petite folle, Angéla, n'était-il pas mort accidentellement lui aussi, au moment où il menait en dissidence ses passagers clandestins, victime de l'étrange remontée d'un sous-marin, qui « venait de faire surface pour prendre l'air à l'abri de cette heure tardive » ? Par un hasard tragique et saugrenu, l'ennemi surgit de façon imprévisible ; les combats sont grotesques et inutiles, dans un tel contexte.

Ces actes ne sont pas, cependant, dépourvus de significations inconscientes, et sont donc doublement des actes manqués. La mort de Delgrès, celle de Toussaint portent leur énigme, comme la manifestation d'un désir de mort, une préférence marquée pour « l'héroïsme » et « l'autodestruction », pour reprendre les termes de Siméa[15]. La signification est, dès lors, à chercher, non pas dans les intentions affichées, mais dans les signifiants refoulés. Toutefois, ces signifiants ne renvoient pas à une histoire purement personnelle, à un inconscient individuel, ils laissent entrevoir un inconscient collectif, qui peut prendre la forme du mythe.

Le conte du colibri ou celui de Pélamanli-Pélamanlou, dont les figures et les symboles hantent le roman, font partie de cet inconscient antillais fait de révoltes et de résistances à la Bête à sept têtes, quelque forme qu'elle prenne au long des siècles. Il faudrait, également, interroger le signifiant majeur du volcan, métaphore matricielle de toutes les Histoires de la Guadeloupe. Il symbolise le calme apparent qui masque une menace permanente, un désir de violence et d'éruptions libérées par à-coups. Il est à lui seul la manifestation d'un inconscient formidable, d'une réserve d'énergie prête à exploser. Si, comme nous y invite l'un des refrains du roman, la géographie pouvait parler à son tour, et non

---

14. *L'Isolé soleil.* p. 233.
15. *Ibid.,* p. 224.

plus seulement l'Histoire, la révolution n'aurait plus le sens d'une transformation radicale des relations sociales, mais d'une temporaire et naturelle explosion. Le cyclone, les tremblements de terre qui, cycliquement, font entendre la voix de la terre, indiqueraient que la linéarité d'une Histoire progressive ou progressiste ne peut avoir cours dans un pays habité par le tourbillon et la spirale. Les éruptions n'y apportent pas le progrès mais l'élan vital et libérateur d'une pulsion qui mêle inextricablement la vie et la mort. On pourrait de la sorte imaginer que l'Histoire est le discours manifeste et rationalisant qui recouvre un inconscient dont le sens est toujours ambivalent, opaque, indéchiffrable et têtu.

Alejo Carpentier avait déjà largement orchestré ces jeux de contre-point entre les événements de la nature et les événements humains. Victor Hugues était lui-même un cyclone, la révolution française achevait sa spirale dans les mêmes eaux sales que les tornades tropicales, les individus s'éveillaient à la vie et à l'Histoire, en suivant les cycles du désir. De même, les rythmes qui donnent sa périodisation au roman *L'Isolé soleil*, s'accordent avec les cycles naturels autant qu'avec les moments historiques. 1802, explosion du Matouba, 1843, tremblement de terre à Pointe-à-Pitre, 1848, Abolition, 1928, cyclone. L'histoire ne s'efface pas au profit de la géographie, mais alternance et dialogue mettent en relation les deux dimensions, dès lors inséparables, d'un destin antillais.

Ainsi, Louis-Gabriel et Siméa finiront par concevoir Marie-Gabriel, ailleurs, en Haïti, presqu'à la sauvette. L'acte n'est pas raconté mais suggéré en quelques mots à l'avance, pesant peu dans le récit, en quelque sorte exilé. À son père qui lui demande de lui rapporter « dans une boîte d'allumettes un brin de terre d'Haïti », Siméa annonce son projet « de revenir avec dans [s]on ventre la promesse d'un enfant[16] ». La signification symbolique rapproche l'enfant de la terre. L'acte de cette conception est exilé, comme s'il était impossible de créer en Guadeloupe et que l'enfant ne pouvait trouver de terre fertile pour s'enraciner que dans une île qui a davantage « fait » son histoire, Haïti, terre de Toussaint

16. *L'Isolé soleil*, p. 245.

Louverture, Dessalines et Christophe. Quelle est la filiation de Marie-Gabriel ? Est-elle fille de Louis-Gabriel et Siméa ou d'un peu de terre et d'histoire haïtienne ? À l'instar de Miss Béa concevant de la forêt marronne, Siméa va concevoir un enfant en terre de révolte. Une fois encore, la filiation n'est pas seulement historique mais également géographique, on est fils ou fille des Antilles autant que fils ou fille d'Antillais. On hérite d'un pays en même temps que de parents.

Quand la géographie et l'histoire se rencontrent, des temporalités très différentes se croisent, la dimension humaine de la génération n'est plus qu'une donnée, parmi d'autres, d'un temps qui a des prolongements dans le mythe et l'éternité du volcan. Est-ce pour autant que l'homme est appelé à déserter son Histoire, à s'absenter d'une scène essentiellement introuvable sur laquelle le drame est toujours déplacé et insensé ? Le caractère imprévisible, cyclonique, désordonné de l'Histoire rend-t-il l'homme irresponsable et passif ? Ce n'est pas dans ce sens que nous tire *L'Isolé soleil*, même si la vérité historique s'y opacifie toujours davantage.

« L'exil s'en va ainsi » proclame la dernière partie, paraphrasant un poème de *Ferrements*[17]. Dans cette dernière partie, Marie-Gabriel, pour la première fois, évoque des engagements dans l'histoire contemporaine, sa rencontre avec Angela Davis, l'affaire de la prison de Soledad. Elle déclare en ouverture : « J'ai presque fini mon histoire ! » mais pour mieux passer à l'histoire en train de se faire qui ne serait pas « sujet de rature et de littérature[18] ». Renaissance et rencontres sont annoncées, « l'isolé soleil » n'est plus seul, selon les termes de l'héroïne : « Ton soleil n'isole plus et s'isole moins[19]. » L'âge des solidarités commence. Il semble que la liquidation d'une Histoire largement fantasmée, celle de Delgrès, celle de la Guadeloupe, permet de passer aux engagements, dans l'Histoire présente. Les derniers mots du roman affirment d'ailleurs cette présence : « Ni passés à l'autre, ni revenus au même, nous savons que nous sommes présents comme le verbe être ». Le roman reste, cependant, en suspens, refusant de

---

17.   Aimé Césaire, « Oiseaux », *Ferrements*, Le Seuil, 1960, p. 19.
18.   *L'Isolé soleil*, p. 255.
19.   *Ibid.*, p. 256.

s'achever sur un épilogue : « pas de dénouement, surtout pas de fin : encore de la soif », conclut le narrateur Daniel. Ainsi l'absence de sens ne justifie nul abandon, nul désespoir. Elle nourrit au contraire le désir, ouvre de façon décisive l'avenir et exarcerbe un besoin d'aller plus loin : « la feuille s'envole au risque de sa verdure[20] ». Si la raison n'est pas ce qui guide l'Histoire, qu'est-ce donc que cette force qui donne pourtant l'élan de continuer ?

Une histoire du désir

Le désir et la loi dans L'Isolé soleil

Daniel Maximin continue la question posée par Alejo Carpentier. « Le désir est à l'histoire ce que les ailes sont au moulin », annonce le narrateur dès la première page de *L'Isolé soleil*. Il ne s'agit donc plus de raison. Les personnages ont un inconscient, ils n'ignorent pas les « rêves ». Ils savent également que les cycles et les cyclones commandent aux hommes plus que l'inverse. Accidents, hasards, cataclysmes, l'Histoire, dans *L'Isolé soleil*, n'obéit pas à des lois de linéarité ou de causalité simples. Delgrès a-t-il commis un suicide collectif ou assumé un acte de résistance héroïque ? La pulsion historique est-elle morbide ou vivante ? Et lorsque Toussaint, en pleine occupation pétainiste provoque le gouverneur, et les tirailleurs sénégalais, la narratrice s'interroge : « inconscience suicidaire ou défi courageux[21] ? » La mort de Toussaint, tué par un officier blanc pétainiste, mort politique, historique s'il en est, sera cependant appelée « mort naturelle » :

> « Toussaint est mort foudroyé au visage, beau sang giclé de mort naturelle, naturelle comme une révolte juste (...) Toussaint,

20.   *L'Isolé soleil.* p. 281.
21.   *Ibid.*, p. 202.

mort sans défi ni naïveté, sans héroïsme ni lâcheté, sans suicide ni comédie, sans tortures ni poison, mort de jeunesse, mort de révolte, oui[22] » ...

Comme dans la vision de Carpentier, la pulsion est à la fois historique et naturelle, à la fois symbolisée – car la révolte lui donne un sens – et inconsciente – car l'élan qui la porte échappe aux raisons et aux procédures humaines. Mourir de révolte est naturel, au sens courant, c'est-à-dire « normal », « légitime », et au sens littéral, parce que la révolte fait partie de la nature. Les rythmes naturels, cosmiques qui enserrent les rythmes humains, historiques, individuels ne sont donc pas purement du « réél » extérieur à l'homme, ils peuvent pour une part être symbolisés, humanisés[23]. La pulsion s'éclaire de ce jeu de mots sur « naturel ». Il en ressort que la nature n'est pas moins symbolique et signifiante que biologique et physique. C'est pourquoi le mythe en dit autant sur la Soufrière que la géographie. La pulsion est cependant ambivalente, les élans de Delgrès ou de Toussaint demeurent inextricablement désirs de mort et désirs de vie. Le volcan, de la même manière, est éruption libératrice et destructrice.

Quelle loi pourrait permettre de démêler ces ambivalences ? Face à la pulsion et à l'inconscient, dont l'ambivalence est le signe, quel repère permettrait-il d'ordonner la vision ? Si la discussion revient obsessionnellement sur Delgrès, c'est le signe d'un manque. Un principe qui permettrait de guider l'action et les engagements ultérieurs fait défaut. On ne peut cesser d'évoquer l'histoire passée, malgré l'envie qu'on a d'en finir avec ça. Ainsi lorsque les personnages de Louis-Gabriel, Siméa, Toussaint font l'ascension de la Soufrière, ils se promettent de laisser « l'arbre Delgrès afin d'aller tester la résistance des forêts », selon Louis-Gabriel, mais inévitablement, la conversation revient sur l'Histoire

---

22. *L'Isolé soleil*, p. 235.
23. Nous employons le mot « réel » au sens lacanien. Il n'est pas synonyme de réalité (sociale, historique), et ne s'oppose pas à l'irréel. Il s'oppose au symbolique et à l'imaginaire, comme ce qui n'a pas encore été symbolisé par le langage, ce qui est innommable, inconcevable, comme la mort, sa propre naissance, l'abjection, le corps organique. *Cf.* Roland Chemama, *Dictionnaire de la psychanalyse*, Larousse, Références, 1995.

et Toussaint s'écrie un peu plus tard : « Ah, tu vois, Gaby, c'est toi-même qui reparles de Delgrès cette fois-ci[24] ! » Comme des enfants qui reviennent sempiternellement sur le procès de leurs parents, les personnages ressassent l'histoire de celui qui pourrait faire figure de père, sans pouvoir s'en détacher. L'évaluation d'un legs est donc au centre du roman, comme un poids, un centre de gravité, qui fait tourner en rond les personnages, le deuil est interminable et infaisable.

Dans les deux univers de Carpentier et de Maximin, en effet, on saisit le moment où des enfants sont livrés à eux-mêmes par l'absence de pères. Dans *Le Siècle des Lumières*, tout commence par la mort du père et son enterrement. Dans *L'Isolé soleil*, l'accident du père de Marie-Gabriel est également le déclencheur du roman. La mort-explosion de Louis-Gabriel dans un Boeing 707 réveille la mort de l'autre père, Louis Delgrès dans l'explosion du Matouba. Ces enfants sans père vont-ils tenter de refonder une loi ou de vivre sans loi ? Cette interrogation sous-tend les deux romans.

Dans *Le Siècle des Lumières*, les enfants jouent, expérimentent avec bonheur un monde à l'envers dans lequel on vit la nuit, on dort le jour, on se déguise, on imite les grands hommes plus qu'on ne devient homme soi-même. Toutes contraintes abandonnées, le plus joyeux désordre s'installe. Il est bien difficile, dans ce contexte, de décider si l'arrivée de Victor Hugues est celle d'un père – il en a de nombreux traits – qui remet de l'ordre – par exemple, dans la comptabilité, le magasin, les appareils de physique – ou la confirmation du désordre du monde. Ce commerçant de la Caraïbe, cet arriviste qui prendra le pouvoir pour se comporter en pirate, ce révolutionnaire qui se servira de la raison pour maintenir son propre caprice, est-il le représentant de la nouvelle loi, démocratique, rationaliste ou le symbole d'un désordre absolu ? Est-il un cyclone dévastateur comme le suggère son arrivée ou un tourbillon qui fait partie de l'ordre du monde à un autre niveau de la spirale ?

Il n'est pas facile de trancher une telle question.

---

24. *L'Isolé soleil*. pp. 217 et 222.

Le manque de loi symbolique

Il est certain, en revanche, que les enfants de ce roman n'enfantent pas, que le bébé que porte Sofia disparaîtra sans qu'on sache comment, sorte de trace vite effacée par une fiction qui en a expérimenté le caractère improbable. Les enfants ne passent pas à l'âge adulte, ils ne deviennent pas pères, pas plus Victor Hugues qu'Esteban ou Carlos. Victor Hugues pourrrait n'être alors qu'un grand frère imposteur, incestueux, qui a pris la place du père, illégitimement. Le père ne serait pas remplacé ou remplaçable. La Révolution n'aurait laissé place qu'à un vaste désordre et à une succession d'usurpateurs. N'y aurait-il plus d'ordre possible[25] ? Plus de génération possible.

Une génération demeure sans descendance, les personnages meurent sans avoir laissé d'héritiers. Certes, après la fin d'un monde d'ordre, fondé sur l'absolu principe d'un Dieu, il ne reste plus que la loi humaine, problématique, toujours contestable, discutable. Cette loi est à interroger et à refonder à l'infini quand l'ordre divin, l'ordre des castes, était posé une fois pour toutes, définissant des positions intangibles et un système de valeurs stable. Certes, le monde est en deuil de cette éternité-là. La loi nouvelle est historique, elle ne peut prétendre à l'éternité, elle change avec le temps qu'elle a introduit dans l'univers humain, avec des vérités pour le moins « biodégradables[26] ».

Pourtant, le monde est-il sans loi pour autant ? Les héros de Carpentier semblent le croire, renonçant à fonder un ordre, dans un monde absurde où les révolutionnaires d'hier sont les colonisateurs d'aujourd'hui, où les libérateurs des Noirs les revendent désormais. La seule chose qui leur reste est le sacrifice et la mort. La pulsion a

---

25.   Il est certain que la Révolution française a mis un terme à des siècles d'ordre divin, d'un temps sans Histoire parce que fondé en Dieu et donc éternel. En ce sens elle marque bien le commencement de l'Histoire comme temps éphémère des successions, recherche toujours recommencée d'une loi qui n'est plus absolue et doit trouver sa légitimité en elle-même. Le drame romantique, de Manzoni à Musset en passant par Pouchkine, s'interroge par conséquent sur la légitimité de l'ordre et du pouvoir, après les révolutions. N'y aurait-il plus que masques et usurpateurs à la place du souverain thaumaturge ?

26.   Notion empruntée à Edgar Morin.

son propre élan, mais elle n'ordonne pas le monde, elle laisse en
suspens la question d'une loi. Dans son dénouement, le roman
consomme presque tout le matériau qu'il s'était donné,
personnages, objets, de même que le tableau de Desiderio Monsu
s'efface. Ne demeurent qu'une tache de sang sur le mur, un témoin
discret, Carlos : une ombre et un fantôme. L'angoisse, le sentiment
mélancolique qui prévalent, à la fin du roman de Carpentier,
indiquent combien le deuil est impossible. Le mort continue de
saigner, dans une vision fantastique. Ni apocalypse, ni renaissance
ne se produisent, l'explosion et la vie demeurent en suspens. Cet
arrêt sur image indique le manque d'une césure du symbolique qui
laisserait mourir ce qui doit disparaître et vivre les vivants. La
pulsion, à ce stade, est elle-même menacée, elle se fige comme
l'explosion dans la cathédrale[27].

L'ordre symbolique, les générations

Les personnages de Daniel Maximin ne sont guère plus
avancés. Ils ressassent infiniment un passé dont ils ne réussissent
pas à se détacher, qui ne peut mourir. Orphelins, sans liens symboliques, ils vivent dans un monde que leur imagination et leurs
discours seuls semblent organiser. Sans père vivant, les jeunes
gens qui s'écrivent, s'aiment, discutent, sont d'une même génération. Il n'y a pas de dénivellation dans l'univers de Maximin.
Plusieurs générations, en effet, ne semblent pas devoir coexister,
trouver des places respectives, donc des positions symboliques,
simultanément[28]. Dans L'Isolé soleil, les pères et mères meurent,
au moment où l'héroïne commence à écrire et à vivre. Les autres

---

27.   De la même manière, l'éruption de la Soufrière, dans le roman de Daniel
      Maximin, Soufrières, ne se produit pas. C'est encore une explosion
      suspendue, refoulée. La parole de l'inconscient reste enfouie. Tous attendent
      une Apocalypse ou une Renaissance, ils aimeraient danser sur le volcan. Ils
      ne le feront qu'au théâtre. Dans la réalité, le temps passe, sans événement, si
      ce n'est quelques fumerolles et éructations.
28.   Sur ces questions, on peut se reporter à Jacques Lacan, Le Séminaire III, Les
      psychoses, Le Seuil, 1981, ou Gérard Pommier, Louis du Néant, La
      mélancolie d'Althusser, Aubier, 1998, ou Philippe Julien, L'Étrange jouis-
      sance du prochain, Le Seuil, 1995.

personnages n'ont guère de liens avec une génération précédente, ils n'enfantent pas non plus. Le livre se referme sur un temps en suspens, temps de l'immanence qui repose sur des échanges plus que sur des passages. La loi fait défaut.

Pourtant Marie-Gabriel essaie de se représenter une succession de générations, de Miss Béa à ses jumeaux et à Ti-Carole puis à Louis et Ignace, père de Louise. Ce seront enfin Jean-Louis et Louis-Gabriel, père de la narratrice. Mais cet arbre généalogique est un peu trop net sur la ligne des femmes, un peu obscur du côté des hommes. Miss Béa, qui est à l'origine de la lignée, a conçu ses enfants jumeaux, lors d'une rencontre avec un Nègre-marron de Louisiane. « Elle crut son amour fécondé, dit la narration, par la faveur conjointe du roi de la mer et du roi des rivages. » Plus tard elle retourne « se faire féconder par la forêt marronne dans la rivière de lave au sommet du volcan, après avoir vaincu le roi des coqs et le roi des tortues sur le chemin du retour à la Grand-Mère[29] ». Ainsi sera conçue Angela. Le troisième enfant, Ti-Carole, naîtra quant à lui de « la semence du roi de la forêt, sur l'arbre-reposoir, après la mer et le volcan[30] ». C'est dire que l'origine est mythique et non humaine.

À l'inverse, on saura très peu de choses des pères de Louis, Ignace, enfants de Louise, ou de Louise elle-même, fille de Ti-Carole. Les pères sont tout au plus un prénom, rapidement cité, un hommage à Louis Delgrès et à Ignace dont ils constituent la descendance imaginaire. Cette succession est assurée par un dédoublement des prénoms de Louis en Jean-Louis ou en Louis-Gabriel, on y gagne un prénom double ou des jumeaux, à défaut de père. Ce n'est pas une famille c'est un essaimage de signifiants. La quête de liens historiques et familiaux trouve, en fait, une réponse décalée dans le jeu des rappels et des dédicaces, dans un ordre plus imaginaire et poétique que générationnel. L'arbre généalogique, lacunaire et déséquilibré de Marie-Gabriel est concurrencé par un système de circulation des signes. La chronologie qui régit l'ordre des générations s'efface devant les rappels de prénoms et

29.   L'Isolé soleil, p. 36.
30.   Ibid., p. 38.

d'hommages qui s'échangent, dans l'immanence du texte et du temps présent.

Les pères en mourant, rappelait Bernard Mouralis dans un article sur *L'Isolé soleil*, n'ont pas fondé un ordre symbolique, ils se sont suicidés sans laisser de descendance. Selon les termes de Bernard Mouralis,

> « ces personnages, connus ou anonymes, en dépit de leur héroïsme, ont été (...) des pères stériles, et non des héros-fondateurs, qui auraient dû apporter la *Loi* et organiser le champ du politique en substituant aux rapports de pure violence des rapports contractuels, de type juridique[31]. »

Il n'y a pas d'inscription du Nom-du-père, dirions-nous. Les mères ont beau prénommer des fils selon le prénom des pères, une ellipse du père demeure. À la limite, les femmes prétendent reconstituer à elles seules la filiation, en donnant des prénoms, ou en réécrivant l'histoire, comme Marie-Gabriel. Mais elles ne passent pas par l'homme, par la reconnaissance de cet autre comme père. La relation homme / femme, qui pourrait être à l'origine d'une descendance, est largement hypothéquée. Les relations sont de frère à sœur, de femme à fille ou à fils, d'ami à ami, non d'amant à amante, encore moins de père à mère. La femme qui essaie de reconstituer la généalogie, Marie-Gabriel, ferait, pour elle-même, l'économie d'une relation sexuelle et sym-bolique à l'autre. Ainsi la génération, à la fois réelle et symbolique, qui passe par l'alliance, demeure en suspens, laissant la place à une « conception » unilatérale et unilinéaire. La rencontre de Siméa et d'Ariel, différents de sexe et de couleur se solde par un avortement. La rencontre de Miss Béa et d'Alliot n'est même pas pensée. Le métissage est impossible, mais la rencontre avec l'autre sexe ne l'est-elle pas également, quelle que soit sa couleur ?

Les formules générationnelles proposées par le roman sont donc des impasses qui laissent en suspens la question d'une

---

31.   Bernard Mouralis, « *L'Isolé soleil* ou le roman de la littérature antillaise », *Convergences et divergences dans les littératures francophones*, L'Harmattan, 1992, pp. 113-120. Les italiques sont dans le texte.

véritable rencontre entre deux lignées qui, des deux côtés de l'arbre généalogique, seraient issues d'hommes et de femmes. La généalogie utérine ne laisse guère de place à des géniteurs hypothétiques ou à des pères symboliques éphémères. Pourtant, le roman se présente comme un travail de mémoire à partir de la mort d'un père, celui de Marie-Gabriel disparu dans l'explosion d'un Boeing 707, en 1962. La tension est donc forte entre l'effacement patronymique, et la recherche d'un enracinement dans le père. On cherche des repères qu'on brouille au fur et à mesure. Les personnages retrouvent un « ventre paternel[32] » pour le quitter immédiatement. Aussi le discours sur les pères et la mémoire est-il très ambigu.

Entre le retour et l'envol, un temps contradictoire

Entre le désir de connaître le passé et l'aspiration à se libérer de ses déterminations, les personnages et le roman hésitent, dans une relation très contradictoire au temps. D'une part, le deuil, le souvenir, sont à l'origine même de l'histoire racontée, d'autre part, la narratrice se veut « sans pays natal ». Marie-Gabriel, en effet, veut se « libérer du paternalisme », elle récuse « le père et la mère imaginaires qui régneraient sur [s]on sexe, [s]on stylo et [s]on cœur », pires qu'un père absent[33]. Ainsi, Adrien répond à Marie-Gabriel, reconnaissant son désir de reconstituer une Histoire qu'il interprète en ces termes : « ta folie douce de réapproprier notre histoire, écrit-il, se répand sans doute déjà dans des pages et des pages des cahiers noirs de ton deuil ». Lui-même semble davantage soucieux d'« inventer » des « sources ».

Dans une phrase pour le moins lyrique, à laquelle le rythme et la construction confèrent un élan, il déclare :

---

32. Il est évidemment significatif qu'une telle métaphore soit utilisée par le narrateur, mettant sur le même plan maternité et paternité. Le père redouble la mère, il n'est pas pensé comme spécifique, lien essentiellement symbolique et séparateur de la mère. Il est lui-même un « ventre », père utérin et biologique, sans place singulière. Il n'est pas en place de « nom-du-père » mais fait corps avec la mère face à l'enfant qui doit se délivrer de ces deux matrices toutes-puissantes.

33. *L'Isolé soleil*, p. 19.

« pour moi, je n'ai toujours pas orienté mon désir de désirer dans un de ces chemins longs comme une vie, larges comme le désert, profonds comme l'océan. Ma soif invente encore des sources, et les sources s'élancent dans l'ignorance des mers et des déserts[34]. »

On peut comprendre que le désir demeure pur, « désir de désirer », sans objet, ne s'engageant vers aucun dessein, routes ou vastes contrées. Il n'aspire pas à se perdre dans l'océan ou dans le désert qui l'absorberaient ou lui donneraient sens. Ainsi, la source inventée – et non reconnue –, « ignore » toute destination consciente. Elle demeure source pure, dont le jaillissement fait la valeur, indépendamment de la destination. L'image vaut donc d'être décryptée. Elle nous livre une vision de la source qui n'est pas, d'abord, orientée par le sens, mais merveilleux surgissement. Le lecteur pourrait s'interroger par conséquent sur une telle figure inaugurale. La source fascine mais elle n'est pas le lieu d'une nécessaire descendance. Le présent (ou le passé) se fige sur lui-même, ne prédéterminant pas l'avenir. Que sera donc l'évocation de l'Histoire, et que vaudra, dans ce contexte, une évocation de l'enfance, source de toute existence ? Qu'est-ce que le temps ?

Un temps surréaliste

L'enfance, comme le passé historique, est à la fois sans cesse revisitée et récusée. C'est pourquoi le poème d'Aimé Césaire, *Oiseaux*, fait écho au livre de Marie-Gabriel :

« L'exil s'en va ainsi dans la mangeoire des astres
portant de malhabiles grains aux oiseaux nés du temps
qui jamais ne s'endorment jamais
aux espaces fertiles des enfances remuées[35]. »

---

34. *L'Isolé soleil*, p. 21.
35. Aimé Césaire, *Ferrements*, p. 19.

Le sens ici ne peut être que paradoxal, c'est le sens fragile et irrationnel des poèmes surréalistes dans lesquels se joue une tension entre des contraires, entre des points d'habitude inconciliables. Ainsi les oiseaux ne s'endorment jamais aux espaces pourtant « fertiles » des enfances, et l'on peut s'en étonner. Ils s'envolent comme le temps, nourris par l'exil, toujours en éveil. Le temps est un exil et un éveil, un mouvement certes, mais que l'on pourrait croire stérile.

Cet éveil ressemble à la soif absolue d'Adrien ou de Daniel, il s'inquiète et s'émeut comme l'indique l'adjectif « remuées ». Émotion et mouvement, trouble et instabilité se puisent dans l'enfance, et l'on comprend que cela soit fertile pour le poète. Mais alors pourquoi ne pas s'arrêter et dormir-rêver dans ces espaces de l'enfance ? Justement parce que l'essence même de l'enfance est d'être « remuée », de s'agiter sans trêve. On ne peut donc s'y arrêter, s'y reposer.

Le poème est une méditation sur le temps, l'enfance, l'exil. La vie et le temps sont eux-mêmes des exils. L'origine pourrait être double : d'une part, c'est le temps lui-même qui fait naître « les oiseaux » et d'autre part, contradictoirement, c'est l'enfance qui est « espace fertile ». Le poème est tendu entre les deux pôles, tout comme il semble tiraillé entre le sommeil qui inspire des rêves étranges et la vigilance des oiseaux, aussi indispensables aux poètes l'un que l'autre. On pourrait même supposer que sa véritable quête est d'annuler le temps, comme linéarité, et donc d'annuler le sens. Ne pourrait-on pas, en effet, risquer une interprétation du vers « qui jamais ne s'endorment jamais », comme négation de la négation, annulation de la négation par son redoublement ? Il faudrait entendre, dès lors, « portant de malhabiles grains aux oiseaux nés du temps qui toujours s'endorment aux espaces fertiles des enfances » ...

La poésie surréaliste ne se laisse pas interpréter aisément, selon les grilles logiques. À l'inverse, le poème puise dans cette inspiration, et dans cet « exil », le symbole d'un rêve qui abolit la chronologie, la représentation des allées et venues du temps et de la mémoire, pour en faire un monde suspendu, loin des repères temporels. Ne s'endormir jamais ou s'endormir toujours devient équivalent, car le sommeil et le rêve sont un éveil, comme l'ont si bien montré Robert Desnos, André Breton ou Benjamin Péret, grands dormeurs éveillés. En se référant à la poésie surréaliste, le romancier Daniel Maximin place évidemment son roman sous le signe de la polysémie, de l'illogisme, des ambivalences troubles.

L'Isolé soleil choisira l'envol de la feuille ou du colibri, s'achevant sur le suspens d'une feuille qui se déposera à la première page de *Soufrières*, le roman suivant. Il ne s'agit donc pas de s'attarder à l'enfance, au pays natal et de s'y endormir, il faut, à l'inverse, être oiseau, fuir avec le temps et l'Histoire dans un exil fécond (« oui frère, oser fuir »). Pourtant l'enfance n'est pas stérile et il vaut d'y revenir, et d'y rêver. Elle permet de ressaisir une mémoire, dans les contes, les berceuses, les scènes primitives comme celle qui hante la petite Angela. La tension peut désormais se résoudre en allers-retours, ou en spirales, qui permettent de sans cesse revenir à la source, à l'inspiration de l'enfance, et du rêve, pour repartir vers l'avenir, le temps des histoires et des déroulements linéaires. À la fin de *Soufrières*, une berceuse conclut :

> « Lorsque le fil des jours
> suit l'aiguille de l'espoir
> il raccommode le destin. »

Ainsi la comptine créole répond au poème d'Aimé Césaire. Les deux livres de Daniel Maximin, tendus entre l'exil et l'espoir, suivent le « fil » du temps, comme arrachement et comme réparation. Revenir à l'enfance, c'est recoudre et abandonner l'enfance, c'est reprendre le fil de l'histoire. Il ne s'agit donc pas de couper le fil, mais de « raccommoder ». Ainsi, le geste de la couturière lance l'aiguille en arrière pour avancer, sous le tissu, et remonter l'aiguille un peu plus loin. Le retour n'est qu'un point de remaillage qui permettra de se libérer et de repartir d'un coup d'aile. C'est ainsi du moins qu'on peut interpréter des images de l'enfance et du retour, du souvenir familial et de la rupture, dans le deuil, dans un ensemble de textes et d'allusions contradictoires et parfois même obscures.

On peut déceler là une hésitation à revenir une fois encore sur le passé, les pères, l'enfance d'un peuple ou d'un être humain, à accomplir un énième « retour au pays natal ». Le roman concède le retour et la référence à l'enfance (et à l'histoire passée) mais comme un passage vers autre chose. Le narrateur est vite emporté, sur les « ailes » du désir. Aussi le temps ne peut-il être conçu comme linéaire mais comme contradictoire, c'est une tension entre l'enfance et l'élan du départ. La réflexion historique devient une circulation ininterrompue entre ces deux pôles. Daniel Maximin assume par là l'héritage de Césaire et le dépasse, ou l'accomplit, car le *Cahier d'un retour au pays natal*, poème du « retour » au « morne », à l'enfance, à l'origine, s'achevait également sur un envol :

> « monte, Colombe
> monte
> monte
> monte
> Je te suis, imprimée en mon ancestrale cornée
> blanche.
> monte lécheur de ciel. »

Le roman de Daniel Maximin suscite la même interrogation que le poème d'Aimé Césaire : où s'arrête le retour, à quelle origine dernière pourrait-il faire remonter les filiations ? S'agit-il d'un retour à la Martinique, à l'Afrique, à l'enfance ? En quoi ce retour est-il à la fois nécessaire et stérile ? De quel exil faut-il sortir ou profiter pour faire son Histoire ? Chez Daniel Maximin, les sources sont sommées de demeurer sources pures, c'est pourquoi le roman ne finit jamais tout à fait son parcours narratif, proposant plutôt des débuts de romans qui se juxtaposent et interfèrent. Marie-Gabriel et Adrien commencent un roman épistolaire, Marie-Gabriel écrit les premiers chapitres d'un roman historique puis le *Journal de Siméa*. Elle entreprend, ensuite, de raconter l'histoire de sa mère, puis Adrien lui fait lire les esquisses de son propre roman, et ainsi de suite. Les sources ne se jettent pas dans un grand fleuve narratif, la discontinuité prédomine.

Qu'est-ce qui, dès lors, « raccommode » tout cet ensemble ? Est-ce « l'aiguille de l'espoir » qui donnerait une perspective, une sorte de ligne de fuite qui aiguillonne le texte et les personnages vers le futur ? Ce pourrait être une promesse politique, la recherche d'un lendemain historique pour un pays encore à naître. La question reste ouverte, d'autant plus que, sans attendre de réponse historico-sociale, l'auteur recoud ses romans les uns aux autres. En raccommodant *Soufrières* à *L'Isolé soleil* par la répétition de la dernière phrase de l'un au commencement de l'autre : « Et la feuille prend son vol au risque de sa verdure », il fait une « reprise », au sens musical et couturier de l'expression. En quelque sorte, la fin se trouve réorientée, projetée vers un avenir qui n'est décelable qu'après coup. La fin de *L'Isolé soleil*, elle-même en suspens, devient non-fin, commencement d'autre chose.

Toute limite peut être ainsi transgressée et la fin d'une H/histoire est toujours le début d'une autre. Le roman ne peut plus être achevé, car un geste ultérieur, encore inconnu pourra recoudre quelque chose à cette fin[36]. Il en serait de même de l'Histoire qui ne s'achèverait pas davantage. Le fil n'est pas celui d'un déterminisme, d'une causalité, il est plutôt fil de l'imagination, succession de hasards et échappée qui permet de se poser (comme la feuille), sans choisir. Il n'efface pas la séparation, les ellipses, se contentant d'introduire une relation, après le bond qui joint, six ans plus tard, *Soufrières* à *L'Isolé soleil*. Les îles de texte se répondent, se continuent, sans créer d'unité, de bloc. Elles forment un archipel.

L'écriture d'un roman historique devient dès lors difficile, celui de Marie-Gabriel ne s'achève pas, car le temps n'est plus un objet sécable dont on peut encadrer des morceaux bien isolés. L'écriture se continue donc, dans le *Journal de Siméa*, plus intime et singulière. Toutefois, la narratrice sera confrontée, à la fin de

---

36.   L'analyse de François Furet sur la Révolution française est à ce titre exemplaire. On voit que, pour donner sens à cette Histoire, il a fallu en délimiter les bords. On a donc fait de 93 la fin de 89, puis de 1800 la fin de la Révolution. On s'est demandé si Napoléon continuait ou trahissait la Révolution. François Furet a montré qu'il l'achevait, dans les deux sens du terme. Il a analysé les continuités au-delà des ruptures apparentes, « raccommodant » à sa façon le tissu historique afin de lui donner de nouvelles significations, ou de lui ôter les plus convenues. L'événement historique n'en devient pas plus facile à saisir, il dépend des césures que le discours opère. À la limite, c'est la construction de l'événement historique comme objet stable qui est remise en question. L'Histoire est un fil continu réinterprétable selon de multiples points de vue, selon les séries observées et les limites supposées par hypothèse. On peut se demander si l'Histoire continue à avoir un sens. Elle se contente peut-être d'exister.

« L'air de la mère », aux mêmes questions. Dans un retour au moment de la naissance de Marie-Gabriel, les deux femmes, comme deux îles, se quittent, en effet, non sans s'interroger encore une fois sur les « repères » et la filiation. On peut penser, par conséquent, que le roman revient sur ses interrogations, laissées en suspens. La question des filiations posée dans la spirale de l'histoire à propos des pères, ou de Miss Béa, resurgira, à un nouvel étage de la spirale, celui de l'écriture intime.

Loi narrative et loi poétique

Une « *femme à graines*[37] »

Le roman de Daniel Maximin est à la fois roman historique et roman poétique. Mais ces deux dimensions ne peuvent coexister sans que de vives tensions ne s'ensuivent. Le passage d'un niveau d'écriture à l'autre est un court-circuit qui permet de résoudre, sur un plan inattendu et, en quelque sorte, non pertinent les problèmes posés sur un autre plan. La narration décale les questions qu'elle engendre. Aussi ne faut-il pas s'étonner que les questions de généalogie, qui sont au cœur de la chronique historique, dérivent vers des questions poétiques.

Nous l'avons vu précédemment, la lignée de Miss Béa se passe de géniteurs et encore plus de pères. Un père profile une ombre discrète, le marron de Louisiane, très vite oublié. La forêt, les dieux, le roi de la mer, sont les véritables puissances procréatrices.

---

37. Nous osons reprendre ici une expression créole, assez hardie, qui signifie, « femme qui en a », les « graines » étant synonymes, en créole, de « testicules ». Patrick Chamoiseau emploie, quelque part, cette expression. Daniel Maximin, quant à lui, écrit plus poétiquement : « tu n'omettras pas de faire parler les mères, car elles ont des racines puisqu'elles portent des fruits » (p. 18). La femme est, en quelque sorte, la racine, la feuille et le fruit (qui porte les graines). Est-ce extrapoler que de voir ici la femme toute-puissante, mâle et femelle réunis en un être capable d'engendrer et de concevoir tout seul ? C'est la femme « poto-mitan » des Antilles, si souvent décrite par le roman antillais et les sociologues s'intéressant à cette région.

D'ailleurs Miss Béa qui connaît le secret de la fécondation des vanilliers, « se fait féconder » elle-même. Il n'est pas inutile de préciser que la fécondation des vanilliers est une opération délicate dans laquelle la main humaine intervient, véritable agent de la fécondation. Miss Béa apparaît, en l'occurrence, comme une véritable génitrice. L'expression « se faire féconder », quant à elle, montre bien « Miss » Béa sous les traits d'une véritable puissance procréatrice et non d'une femme qui serait redevable à un homme de sa grossesse. D'ailleurs le personnage restera « Miss », ce qui souligne à quel point elle peut se passer de faire alliance avec les hommes. Le mythe est révélateur d'une toute-puissance féminine et d'un vide, celui de l'homme noir.

Paradoxalement, en effet, la colonisation esclavagiste, qui a fait des femmes les victimes du maître et du viol, est, inversement, à l'origine d'une toute-puissance des femmes qui semblent faire (imaginairement) des enfants toutes seules. Dans la violence qui fonde la situation coloniale, la victime est l'homme noir qui est escamoté, supplanté par le maître, dans la fécondation des femmes. Dans le roman de Maximin, l'alliance fondatrice n'est pas accomplie entre homme et femme mais entre femme et nature. Dans ce contexte, l'autre noir est quelque peu forclos. Mais on peut également imaginer que l'autre, le colon, le Blanc est également celui qu'il convient ici de nier.

Un métissage non dit

En effet, si une rencontre était plausible, au début de la colonisation, et au début de *L'Isolé soleil*, c'était bien celle d'Alliot et de Miss Béa, le maître blanc et l'esclave noire. D'autant plus qu'ils semblent vivre en bonne amitié et élèvent des enfants qui sont comme frères et sœurs, Angela, Elisa, Georges et Jonathan. Pourtant, cette rencontre, le métissage originel en quelque sorte, n'est jamais avouée par le texte. Un déni est perceptible ici. Et comme un symptôme qui vient manifester ce refoulement, la narratrice répète que Georges a les yeux verts et la peau claire, ce que le fils reproche d'ailleurs à sa mère. À tel point que son frère Jonathan écrira le message suivant : « Dis aux frères de ne jamais faire allusion à ses yeux verts et à sa peau claire. Sur ce sujet très sensible, il se renferme sur lui-même ou se bat[38].» Cette question n'est jamais élucidée par la narratrice ou par d'autres personnages d'écrivants. Comme un lapsus du récit, le détail reste dépourvu de signification. C'est pourquoi on peut lui trouver une signification inconsciente, celle d'un métissage tu, impossible à assumer par les personnages, par la narratrice elle-même et qui sait, par l'écrivain.

C'est pourtant dans ce métissage que se joue la naissance des Antilles, comme l'a fait remarquer Jacques André, psychanalyste et critique littéraire, à ses heures[39]. Mais le texte ne veut pas entendre parler de «ça». Cela demeure inexploré comme un douloureux secret. Cependant, si le croisement des races est éludé, il semble que le croisement des sexes le soit tout autant. C'est-à-dire que le texte ne peut admettre la rencontre de l'autre, ni racial ni sexuel. La différence sexuelle n'est ici qu'un avatar de la différence tout court. On verra que les personnages opposés sexuellement deviennent frères et sœurs, jumeaux, situation qui interdit la rencontre sexuelle ; ou bien, s'ils se rencontrent, c'est dans une fusion qui les rapproche, au point de les confondre dans le même. L'univers antillais est un monde sans alliance, comme l'a bien montré Jacques André, dans L'Inceste focal[40]. L'alliance est impossible ou fragile. Ainsi Gerty et Rosan, personnages de Daniel Maximin, sont unis dans Soufrières et séparés dans L'Île et une nuit, alors qu'un enfant est né. Les autres couples restent en suspens. La seule union semble celle de la femme, puissance procréatrice, et de la nature. L'homme et le maître semblent posés dans un coin du tableau, à la façon de témoins ou de détails incongrus. Ils sont, dans la logique du fantasme, rejetés de la scène primitive.

---

38.   L'Isolé soleil, p. 38, le texte est en italiques.
39.   Jacques André, Caraïbales, « Les Lambeaux du territoire », à propos de l'œuvre d'Édouard Glissant, Éditions caribéennes, 1981, et « Le renversement de Senglis », CARE, n° 10. Cf. également, L'Inceste focal dans la famille noire antillaise, PUF, 1987.
40.   Jacques André, L'Inceste focal.

De la généalogie à la prolifération

La généalogie de Marie-Gabriel, mène donc à des impasses. C'est elle qui nomme son propre père, qui demeure sans patronyme. « Tu l'appelleras Louis-Gabriel, écrit la narratrice, Louis comme Delgrès (...) et Gabriel comme ton grand-père[41]. » D'ailleurs le roman est sans noms, les personnages n'ont que des prénoms, en général en forme d'hommages. Les prénoms, à partir d'une matrice qui est Louis deviennent Louise, Jean-Louis, Louis-Gabriel puis Marie-Gabriel. Peut-on parler de Louis Delgrès en termes de père symbolique ? Mais alors pourquoi n'engendre-t-il que des prénoms, demeurant radicalement sans descendance en tant que Nom-du-père ? Il est frappant que précisément ce soient les femmes qui donnent les prénoms, ainsi la lignée symbolique est également du côté des femmes.

Le roman semble donc chercher des généalogies pour mieux en brouiller le sens et y substituer d'autres principes de « fécondation ». La parthénogenèse des prénoms en est un, la circulation des prénoms en est un autre. Chaque époque du récit a son Angela, ses Georges et Jonathan. En outre, les parcours s'inversent. Le lecteur s'aperçoit *a posteriori* que Jonathan et Georges ne sont nommés ainsi que parce que Marie-Gabriel a rendu hommage aux frères Jackson, de la prison de Soledad, dont le drame est raconté à la fin du roman. De la sorte, c'est le passé qui est fils du présent, la fiction et la réalité contemporaines engendrent le récit historique.

De la même manière, dans le récit de sa naissance, Marie-Gabriel met en scène une double naissance dans laquelle l'enfant « délivre » sa mère. Siméa accouche de Marie-Gabriel tandis que Marie-Gabriel fait naître sa mère dans le texte, comme personnage, répondant symétriquement à l'acte de sa mère par un acte comparable, dans l'écriture. La génération n'est plus orientée des ascendants vers les descendants, mais se comprend, au contraire, par retour en arrière, ou par réciprocité. La progression linéaire d'une chronologie est ainsi relativisée, sinon abolie[42]. De même,

---

41. *L'Isolé soleil*, p. 19.
42. On ne peut nier que l'Histoire est toujours écrite dans un après-coup. Le récit historique cherche dans le passé, à partir d'une lecture du présent, des matériaux qui l'éclairent ou le justifient. Cependant, cette vision devient,

Daniel Maximin continuera à décliner ses quelques prénoms de prédilection dans *Soufrières*. Le romancier se substitue à l'état civil et constitue son propre univers. À l'instar de Miss Béa, il féconde ses personnages comme s'ils étaient des vanilliers. Nul besoin de rencontres sexuelles, les rencontres textuelles y suffisent, les personnages se multiplient par dédoublement, gémellité, reprises et répétitions, dans le temps et dans le déroulement romanesque. Vaste toile d'araignée, le texte suit moins, dès lors, le trajet historique qu'il semblait s'être donné pour guide, que les associations poétiques des signifiants et des métaphores. Il quitte le labyrinthe de l'histoire pour s'envoler dans la spirale des signifiants.

L'anagramme, cellule originelle

L'Isolé soleil ne cesse de jouer avec des anagrammes. Dès le titre, les phonèmes sont permutables, de telle sorte que « soleil » est dans « L'isolé ». C'est Adrien lui-même qui le déclare, donnant la clé du titre du roman, dans son « cahier d'écritures » :

> « 13. *Identité*
> Je voulais être soleil
> J'ai joué avec les mots
> J'ai trouvé *L'Isolé* [43] ».

Mais bien d'autres anagrammes émaillent le texte. Ainsi, Marie-Gabriel contient les mots « arbre, mère, mirage, rime, abri, gaie, mare, amie, grimée, mer, erre, arme ». Adrien lui rappelle le jeu auquel ils se livraient au lycée, composant « des phrases avec les mots contenus dans chaque prénom. (...) J'écrivais, se souvient-

---

chez Daniel Maximin, particulièrement troublante, car elle ne laisse aucune place au fait historique qui s'annule continuellement comme invention. Les repères d'une histoire collective sont effacés, la réalité devient effet de réel et se dégonfle ; il ne reste qu'un effet de discours.

43.   *L'Isolé soleil*, p. 105.

il, "l'île fait barrage à l'aile de l'amie". Tu répondais : "L'air de la mère est un abri contre le gel"[44] ».

D'autre écrivains ont joué à écrire des anagrammes, notamment dans les années cinquante, autour de l'OULIPO et de Raymond Queneau, puis de Georges Pérec. Queneau lui-même avait joué avec son nom, écrivant Chêne et Chien à partir des phonèmes, et de l'étymologie, de celui-ci. La signification de l'anagramme chez Daniel Maximin nous semble cependant dépasser l'enjeu ludique. L'anagramme est un principe d'engendrement du texte et, comme tel, il répond poétiquement à la question de l'origine. Dans l'anagramme, un mot est à l'origine de l'autre. L'origine n'est pas extérieure, elle est à l'intérieur même du mot qu'il convient simplement d'inverser ou de remettre en ordre / désordre. Tout est dans tout, sans ordre causal ou chronologique, car on peut supposer que « L'Isolé » n'est pas plus originel que « soleil », et qu'il n'y a pas de mot premier.

Le roman lui-même fonctionne comme un palindrome, puisque la dernière partie est numérotée de 14 à 1, comme un compte à rebours qui invite à remonter vers le début, en lisant à l'envers, ou à retourner à la case départ, pour recommencer la lecture. Quelle que soit l'option choisie, toute fin est niée mais, symétriquement, l'origine devient la fin. Le roman, véritablement baroque dans son déroulement, fait une boucle interminable, peut-être en spirale. En tout cas, il ne permet plus de penser une origine du type racine ou pays natal à retrouver. L'origine est inhérente à l'être, il suffit d'expliciter, d'ouvrir ou de faire exploser le mot pour découvrir l'autre mot qui s'y cachait et en révèle un sens possible.

Ronsard découvrait déjà en « Marie », « aimer », les liant dans une symbiose qui lui permettait en quelque sorte d'affirmer que l'essence même de Marie était d'aimer. Chez Daniel Maximin, le « soleil » est « isolé » parce que l'île tropicale est à la fois solitaire et solaire. Mais elle sera également « aile » et « oiseau », capable de s'envoler, de rompre l'exil. Si l'île est un cercle, un « asile », il suffit de décrypter dans ce dernier terme ce qu'il contient, pour faire naître une autre dimension : aile, île. Autour d'Elisa dont il est l'anagramme, l'asile trouve son ouverture. La folie est également

---

44. *L'Isolé soleil*, p. 21.

un élan libertaire. Les jeux d'anagrammes substituent donc une lecture par associations poétiques, essentiellement polysémiques, à la lecture diachronique et univoque.

L'histoire des personnages n'est pas seulement l'histoire de leur filiation mais l'histoire contenue à l'intérieur de leur prénom, comme une clé, comme un indice de sens qui résiste aux déterminismes historiques et leur préfère une signifiance ouverte. Les personnages et l'île tout entière sont désormais à déchiffrer dans la logique des signifiants plutôt que dans la chronologie. « L'écriture saute comme un singe du sol aux branches dans le feuilleton des arbres », écrit Antoine, plaidant pour le primat de la musique et de la poésie sur l'Histoire. Se revendiquant « musicien-sans-Histoire », il se demande « comment faire cohabiter poésie et histoire ? » et conclut en estimant que les Antillais doivent « pirater l'histoire et l'écriture[45] ».

On peut en induire que la poésie est ce qui pirate l'histoire et l'écriture, sabordant les significations linéaires pour faire entendre des signifiances latentes, inconscientes que révèlent jeux de mots et thèmes musicaux utilisés comme principe de construction du texte.

L'Isolé soleil est le roman d'un poète. Bien sûr, le texte multiplie les métaphores, en outre Daniel Maximin enserre son roman entre deux poèmes liminaires qui en rejouent le sens, et plus encore, à bien des moments, l'écriture se fait poétique, méditative et musicale[46]. Mais c'est à un autre niveau que la poésie intervient. On pourrait en effet suggérer que la loi du texte est une loi poétique. En quelque sorte, interfèrent ici la loi de la narration, chronologique, diégétique, structurant les personnages, donnant sens à leurs oppositions, à leurs rencontres et à leurs dialogues, et une loi de scansion qui n'ordonne plus des épisodes dans une organisation logique mais des thèmes, dans une composition musicale et poétique. Le lecteur est donc déstabilisé, car si un type d'approche et de questionnement est valide face à un roman réaliste, à la manière du *Cahier de Jonathan* ou du *Journal de*

---

45. *L'Isolé soleil*, p. 273.
46. Outre les poèmes liminaires, on pourrait citer le poème qui évoque la naissance de Marie-Gabriel, pp. 248-252.

Siméa, il n'est plus pertinent lorsque le récit abandonne sa fonction mimétique, s'échappe vers un autre étage de la spirale, pour devenir poème.

Un autre type de lecture est désormais requis. Le lecteur ne peut prétendre sommer le poème de délivrer un sens, il sait que la polysémie et « l'alchimie du verbe » prévalent ici sur la *mimesis*. Si le texte se fait surréaliste, il lui faudra même adopter un point de vue très ouvert sur le poème, laissant jouer les associations, sans forcer le sens, s'abandonnant aux images et aux aberrations logiques qui font volontairement imploser les significations et les catégories préétablies. En ne choisissant d'emblée ni la forme du poème, ni la forme purement romanesque, mais en croisant les deux genres, Daniel Maximin offre donc au lecteur une position très inconfortable, car le sens fuit toujours, dérive d'une grille à l'autre, passant très lestement par les barreaux de la cage.

La circulation des signifiants

Le récit ne suit plus seulement l'aventure de Delgrès ou de Jonathan, de Marie-Gabriel ou d'Adrien, de Louis-Gabriel ou de Siméa. Les fragments de ces histoires n'aboutissent guère à une rencontre décisive, à un épilogue ou à un sens. Ellipses, inter-ruptions, distanciation qui casse l'illusion de réel, tout contribue à défaire le récit plutôt qu'à le faire avancer, à l'organiser de façon convaincante et vraisemblable. Dans *Soufrières*, d'ailleurs, le récit réutilise les mêmes noms, les faisant coïncider avec les mêmes personnages dans certains cas, comme dans celui de Marie-Gabriel, ou les attachant à de nouveaux personnages comme dans le cas de Gerty et Rosan qui sont devenus des amis de la fille, après avoir été les amis de la mère, à la génération précédente, et n'ont aucun lien de parenté avec leurs devanciers. La chatte Zani entame au moins sa quatrième vie, devenant la chatte de Marie-Gabriel, après avoir tenu compagnie à Siméa, dans *L'Isolé soleil*. Il faudrait peut-être, à ce sujet, prendre au sérieux les explications que donne Louis-Gabriel à Siméa à propos de la chatte : « Vous ne savez pas que les chats noirs vivent sept vies ? Lesquelles s'inscrivent l'une après l'autre au fond d'un de leurs yeux[47] »...

Il se pourrait que l'ensemble romanesque écrit par Daniel Maximin témoigne en ce sens, donnant aux personnages, comme au chat, de nouvelles vies. Le principe de réapparition des prénoms devient dès lors la manifestation d'une réincarnation ou d'une renaissance de personnages comme autant d'avatars d'une même figure.

Par exemple, sous le prénom Toussaint se réincarnerait à travers les âges la figure de l'héroïsme suicidaire, depuis Toussaint Louverture jusqu'au Toussaint de *L'Isolé soleil* puis de *Soufrières* qui meurent à chaque fois de mort violente, entre accident, et acte politique. La transmission n'est donc pas héréditaire et familiale, elle est imaginaire et mythique. Toussaint se défend pourtant d'avoir été prénommé en hommage à Toussaint Louverture. Il ne devrait son prénom qu'à la Toussaint, étant né le 1er novembre[48]. Le personnage désamorce le lien symbolique, bien que son comportement soit bien celui d'un héros révolté voué à l'explosion. Il est, cependant, le colibri, « Toussaint-foufou, trois fois bel cœur, battu à mort[49] ». Le prénom vaut image et donne la clé d'un comportement typique et récurrent dans l'Histoire de la Guadeloupe et des Antilles.

De la même manière, le couple Elisa-Angela se perpétue mais les deux personnages, initialement sœurs, ne sont plus liées que par la relation entre l'infirmière et sa malade, tandis que l'équation malade-non malade s'est inversée. Angela n'est plus folle, elle est l'infirmière d'Elisa qui a hérité de cette folie. Angela, la petite folle de *L'Isolé soleil*, dont le narrateur nous fait croire au début de *Soufrières* qu'elle a été guérie par le docteur Frantz est donc ressuscitée, au mépris de la vraisemblance, car elle semblait bien s'être donné la mort dans le premier roman. Ce qui perdure, au-delà des retournements et glissements narratifs, c'est la figure de la folie, le signifiant du couple féminin formé par la folle et la soignante. Le lecteur comprend que le même univers se perpétue,

---

47. *L'Isolé soleil*, p. 176.
48. *Ibid.*, p. 219.
49. *Ibid.*, p. 236.

sans qu'il y ait à proprement parler de continuité chronologique. C'est l'univers de Daniel Maximin plus que celui de Marie-Gabriel.

Chez Balzac, les personnages vieillissent, ont des descendants, les personnages du *Père Goriot* seront ultérieurement les héros des *Illusions perdues* et de *Splendeurs et misères des courtisanes*. L'univers romanesque suit le mouvement des générations que le roman double et imite, faisant « concurrence à l'État civil ». À l'inverse, chez Daniel Maximin règne une immanence telle que les noms peuvent être repris et redistribués sans que les dénominations suivent la logique des filiations ou des générations. Le hasard, ou le caprice de l'auteur, semblent présider aux nominations, mais le personnage vivra cependant l'histoire de son prénom. Un quelconque Georges, apparaissant à la fin de *L'Isolé soleil* et sans aucun lien biographique ni historique avec le Georges initial du roman, redouble pourtant son histoire de révolte et de mort. Il suffit parfois d'un chiffre et le personnage qui portera l'initiale J ou G sera appelé à tenir le rôle qui lui correspond[50]. On pourrait évoquer une « distribution », au sens de distribution théâtrale, chacun épousant un personnage avec le nom et le masque qui convient à tous les Géronte ou à tous les Léandre. Ainsi la chatte « Zani » portant le nom d'un des masques de la commedia dell'arte, n'est elle-même qu'un personnage-type, un rôle à la fois traditionnel et vide.

C'est également une distribution de lettres, d'étiquettes qui font des personnages des figures génériques plus que des individus s'inscrivant dans leur génération, ce sont des types, non des fils. La cohérence est donc linguistique, symbolique et poétique. Là encore la différence entre les générations n'est pas ce qui ordonne le monde humain.

Une logique poétique

Il faut donc considérer que cet univers, que nous avons défini comme celui de l'immanence, du réseau, est organisé selon une

---

50. Nous employons le mot « chiffre » dans le sens où il désignait autrefois les initiales brodées sur le linge, la signature.

logique qui serait plutôt celle du poème. Malgré les dimensions de l'œuvre romanesque, les significations obéissent à un principe d'association, de métaphores filées ou de champs sémantiques, de jeux sonores et de récurrences constituant, à proprement parler, des thèmes, des refrains, des structures poétiques qui tissent leur propre cohérence.

On pourrait ainsi déterminer des thèmes essentiels, comme des thèmes musicaux : le colibri opposé au poisson-armé, le soleil opposé à l'île, mais relié au feu et au volcan, à la fois exilé et isolé. On pourrait suivre la constellation de l'aile et du désir, le registre de l'air en correspondance avec celui de la mer, les séquences des « S » ou du bracelet qui riment avec les éléments, soufre, sel, source. On mettrait en évidence les refrains du texte que sont les proverbes gravés par Georges, les phrases et bribes de phrases comme « les feuilles de bois-canon », « les ventres maternels », « la géographie défait notre histoire », qui sont sans cesse repris et variés. Le roman se construit donc en système musical et c'est dans l'opposition ou dans la conjonction des thèmes qu'il trouverait son progrès et sa ligne.

La Guadeloupe cesserait d'apparaître dans l'incohérence de son Histoire pour se lire enfin, à travers la cohésion de ses éléments naturels, volcan, mer, soleil, isolement, par exemple, et de ses signifiants comme éruption, île, aile, qui deviennent les signes nécessaires pour décrypter les relations de ce pays à son Histoire volcanique, à la fois révolte et avortement, ainsi que les relations spécifiques aux hommes et aux femmes de ce pays.

La rencontre difficile entre « il » et « elle », entre ce qui s'« isole » et ce qui s'« envole » serait transcendée dans la fusion d'« île » dans « aile », la rencontre de l'élément clos dans l'élément mobile qui permet à l'insulaire de prendre son essor et de trouver sa liberté. Ainsi les jeux d'anagrammes et d'assonances inscrivent la rencontre amoureuse entre Louis-Gabriel et Siméa, dans une synthèse harmonieuse qui permet aux personnages de dépasser leurs limites intérieures :

> « Oui, il y aurait son corps et âme, son être tout son prénom, Louis-soleil, isolé Gabriel, blues solaire, allure d'abeille, brûlis d'îles à l'abri, elles, il y aurait un asile à l'aise, la brise sous le bras.

Oui, il y aurait ton corps et âme, toute, ton être, tes amies, tes aimés et tes semis de mai, Siméa... »

Chaque personnage est en quelque sorte défini par une séquence sonore, un « sujet », dirait-on pour la composition d'une fugue. Dans une étape suivante, le sujet et le contre-sujet s'entremêlent, nourrissant le « divertissement » musical dans lequel ils se superposent et se répondent :

> « Oui, il n'y aurait plus de frontières, l'amour libéré aux sept fruits d'arc-en-ciel revenu de l'exil ne pourrait plus savoir où finit le corps de l'autre, ne voudrait plus prouver où commence sa jouissance, ni cacher où se prive l'angoisse de déchirer les îles de l'oiseau et les oui du poisson, les étreintes spirales s'attendrissent en roulis, et les amants délirent d'autres prénoms, pensant à d'autres choses, créant de l'imagination. Le soleil est île[51]. »

Il est assez évident que l'écriture est ici poétique et musicale. L'anaphore à l'initiale des paragraphes donne un élan et une structure qui les fait ressembler à des strophes, la reprise des sons et des mots donne l'impression d'une mélodie. La syntaxe elle-même ménage des ruptures et des parallélismes, des opacités parfois qui brouillent le sens. Dans le dernier paragraphe cité, les propositions se succèdent en éventail, la phrase s'allonge et perd sa logique grammaticale au profit des nombreuses associations métaphoriques. Le mouvement, suggéré par les mots « spirales », « roulis », est à l'image de la phrase elle-même, prise dans une construction d'abord linéaire, puis parallèle, puis en juxtapositions et ajouts sans subordination, qui semble rouler et s'étendre, par cercles concentriques. Autour des anagrammes « île, aile, asile, l'aise », donnés dans la première séquence concernant Louis-Gabriel, se développent les images de l'aile de l'oiseau et des ouïes du poisson qui deviennent « oui du poisson », et « îles de l'oiseau » grâce à des associations surréalistes et essentiellement phonétiques. Dans ce mouvement, les frontières cessent de séparer les corps et tout d'abord les corps des mots. Les lettres se

---

51. *L'Isolé soleil*, p. 215.

redistribuent pour créer un monde changeant et baroque, en perpétuelle métamorphose, comme dans les entrelacs d'une musique à plusieurs voix ou dans le dessin d'arabesques savantes.

La fusion des mots réalise donc, dans le texte, entre Siméa et Louis-Gabriel, la fusion amoureuse qui s'accomplit, en même temps, au niveau narratif. À l'inverse, dans *L'Isolé soleil* la rencontre amoureuse ne s'achève pas entre Marie-Gabriel et Adrien, les deux personnages s'en tenant aux promesses de rencontre. La fusion se fait donc au niveau des anagrammes et dans l'échange de « lettres ». Au sens le plus littéral, dans les deux cas, il y a « échange de lettres », en effet, correspondances et entrelacs de signifiants. La correspondance qui donne structure au roman, du point de vue narratif, lui donne également son sens symbolique. Elle est correspondance au sens baudelairien, entre les attributs métaphoriques et sonores des prénoms qui s'entremêlent et s'harmonisent. Le roman fait entendre, en quelque sorte, « le langage des choses muettes[52] ».

Point d'orgue de cette composition, dans *Soufrières*, les deux personnages se réunissent dans un acte amoureux qui par sa place, à la fin du roman, peut apparaître comme une apothéose. L'alliance se réalise donc, au niveau poétique, alors que la fiction se structure à partir des distances.

La difficulté de l'alliance hommes / femmes est, en effet, largement attestée, par la distance entre les protagonistes de *L'Isolé soleil*, qu'il s'agisse des désillusions, de l'avortement de Siméa, puis de la solitude des personnages. Entre Marie-Gabriel et Adrien, dans le premier roman, les échanges sont plus amicaux que sensuels. Les séparations géographiques, entre Siméa et Louis-Gabriel, entre Marie-Gabriel et Adrien, le peu de dialogues amoureux ou de perspectives de vie commune, bref, le système des personnages, dans son ensemble, est aux antipodes de la fusion. La correspondance poétique renoue ainsi ce que l'Histoire a séparé. Les hommes et les femmes antillais, dont l'Histoire est histoire de

---

52.   Baudelaire, Élévation, *Les Fleurs du mal.*

déchirement, de « femmes dehors » ou d'exclusion du géniteur, se rapprochent, dans l'imaginaire poétique[53]. Le texte affirme ainsi :

> « Deux corps féminisés, bien au-delà des frontières du sexe, vont alliancer leurs rythmes, alternant l'être et le donner, chacun tantôt pirogue tantôt lambi, tantôt paresse ou caresse, patience ou bien tison[54] »...

La phrase, structurée par des alternances, surenchérit sur le caractère interchangeable des deux individus qui inversent leurs positions et partagent les mêmes attributs à tour de rôle. La rencontre homme / femme devient rencontre homosexuelle et la fusion imaginaire, métaphorique, élude toute perception d'une incontournable différence. Après avoir emmêlé la suite des générations, le texte dénie l'autre grande catégorie qui permet de symboliser un ordre humain, la différence des sexes. À l'issue d'une effusion dont le texte, poétiquement, calligraphie la symétrie, les deux personnages sont déclarés « Soufrières : sœurs et frères mêlés », ce qui ne fait que redoubler le signifiant d'identité et de fusion. Les deux mots se mêlent en effet dans les phonèmes du premier, comme deux corps absolument imbriqués l'un dans l'autre, dans une union dont il n'est pas superflu de remarquer qu'elle est incestueuse. La différence s'efface dans l'idée d'une fusion fraternelle. L'un est identique à l'autre, dans une véritable gémellité, l'un est devenu l'autre, dans un monde où l'homme et la femme ne s'opposent ni ne se différencient mais s'entrelacent, à l'instar des lettres d'un mot dans un autre.

La vision poétique, la matérialisation poétique même, d'une fusion, dans le texte, permet de transcender – ou de masquer – l'encombrante question de la différence des sexes et de l'altérité. Pourtant dans ses premiers chapitres, le roman *L'Isolé soleil* faisait

---

53. La « femme dehors » est la seconde concubine d'un homme ayant déjà un foyer reconnu socialement, sinon légalement. Tony Delsham en a fait un roman, *Fanm dèwó*, Éditions M.G.G., 1993. La structure de la famille antillaise est décrite par Jacques André dans *L'Inceste focal*, par les psychanalystes ayant participé au numéro 11 de la revue *Carbet*, « Psychiatrie, psychanalyse aux Antilles », sous la direction de Jeanne Wiltord, 1991, et dans de nombreux ouvrages d'anthropologie.

54. *Soufrières*, p. 272.

espérer que, dans la rencontre entre l'homme blanc, Alliot et la femme noire, Miss Béa, pourrait se résoudre la question du métissage. Or, le dispositif romanesque élude très rapidement cette hypothèse. La rencontre entre Ariel, le Blanc et Siméa, la Noire, quelques générations plus tard, se solde par un avortement. Marie-Gabriel, quant à elle, ne semble, dans *L'Isolé soleil* n'avoir de relation qu'épistolaire avec son amoureux. La question qui n'a donc pas été résolue dans la fiction ou dans l'Histoire a trouvé, dans le roman *Soufrières*, non une réponse mais un point d'orgue, un « accord » au sens musical.

Pourtant, il va de soi, pour le lecteur, que l'une des grandes questions des Antilles est bien celle de la relation entre le maître blanc et l'esclave noire, et que cette rencontre soulève bien des problèmes, comme l'a montré Jacques André[55]. Violence, fascination, tensions et abjection, relation de sujétion et de passion, voire de tendresse, ont dû s'y trouver mêlées, comme le roman de Daniel Maximin nous le fait pressentir, au début du *Cahier de Jonathan*. Les relations entre les hommes et les femmes des Antilles, aujourd'hui, sont encore structurées par ces premiers affrontements. La famille antillaise, qui est née de ces relations coloniales et esclavagistes, en est traumatisée, l'homme noir n'occupant pas la place symbolique qui pourrait être la sienne, en tant que père[56].

Jacques André a bien montré en effet que le métissage forcé a mis le maître blanc au cœur de la famille antillaise, et que l'homme noir, compagnon de la mère noire, en était par là même exclu symboliquement. C'est ce qui amène l'homme antillais à essaimer des enfants dont il n'assume pas la paternité, tandis que la femme

55.   Nous renvoyons aux études de Jacques André citées plus haut.
56.   On peut s'étonner que les personnages ne soient représentés comme noirs ou blancs que dans les débuts de la colonisation, à l'époque d'Alliot et Miss Béa, puis à Paris, en 1937, lorsque le Blanc Ariel rencontre la Noire Siméa. Il n'y aurait que deux moments de la rencontre, celui de la première mise en présence, au début du XVIIIᵉ siècle ici, et celui de la prise de conscience de la Négritude, à Paris. En Guadeloupe même, pour la période contemporaine, la question cesse d'être posée par le roman. Les personnages ne sont plus décrits selon leur couleur et les oppositions ou rencontres raciales. Ils semblent appartenir tous au même monde, à la même classe sociale et à une même absence de détermination raciale, ce qui, aux Antilles est tout à fait utopique et relève d'un non-dit.

incarne seule, telle la Miss Béa du roman, la fonction de tutrice ou de « poteau-mitan ». Il est évidemment tentant de transposer le drame dans une rencontre purement langagière et poétique. Dans la dimension imaginaire et dans le corps du texte, les phonèmes se métissent plus facilement que les êtres humains.

De cette manière, le texte court-circuite effectivement des questions historiques pour les déplacer sur le plan poétique. Il répond donc bien à la question d'Antoine : « Comment faire cohabiter poésie et histoire ? » et explicite son projet de « musicien-sans-Histoire » : « Il nous faut pirater l'histoire et l'écriture, accrocher nos grappins à leur culture sur nos trois continents[57]. » Il ne dit pas à quel prix une telle synthèse est possible et si le travail de « piratage » poétique peut véritablement coexister avec une vision historique. Il est plus vraisemblable que les deux dimensions s'excluent ou tout du moins se rencontrent contradictoirement.

De l'histoire au conte

S'il est un signifiant qui donne unité au roman si décousu qu'est L'Isolé soleil, c'est le signifiant du conte créole, qui coud, autre signifiant essentiel, l'ensemble des figures. Le roman est, en effet, animé par une dialectique entre le décousu, le divers, le morcelé d'une part, et le recousu, l'unité, la synthèse, d'autre part. Peut-être pourrions-nous avancer que le roman perd sa cohérence chronologique et se découd comme roman, pour retrouver une cohérence poétique dans le conte, référence symbolique et culturelle qui unit les figures diverses de la fiction et donne sens aux épisodes les plus marquants.

---

57. *L'Isolé soleil*, p. 273.

Les débris d'une synthèse

La rhapsodie de récits qui compose le roman est, en effet, à la fois cohérente et éclatée. Le roman se déploie logiquement, certes, dans le récit principal qui en fait le roman épistolaire de Marie-Gabriel et d'Adrien, autour d'un projet de roman des origines, que les deux protagonistes commentent. Ainsi s'organisent les relations épistolaires entre Marie-Gabriel et Adrien, les premiers jets du roman et les commentaires échangés par les deux amis à ce propos. L'esquisse d'une œuvre d'Adrien et les échanges concernant l'actualité ou l'histoire de la Guadeloupe, s'enchâssent dans ce premier dispositif.

Cependant, le roman historique lui-même, commencé dans le *Cahier de Jonathan*, s'interrompt définitivement, pour laisser la place à des commentaires et à d'autres écrits. Le discours sur l'histoire et sur l'actualité, interrompt le récit et défait le peu de sens qui pouvait apparaître dans la narration des événements. Le *Journal de Siméa*, quant à lui, constitue presque un second roman, tout à fait disjoint du *Cahier de Jonathan*.

La chronologie ne sert donc plus de fil conducteur au roman, celui-ci se fragmente en plusieurs « airs » ou « cahiers d'écriture ». La forme épistolaire permet d'intégrer, avec beaucoup de liberté, des fragments, des réflexions, sans souci de continuité. La réflexion et le dialogue réduisent, ainsi, en lambeaux ce que la trame romanesque tentait de tisser. Le texte est donc véritablement fait de débris, à l'inverse de la « synthèse » que tenterait de constituer un véritable roman historique. Sa structure est archipélique, car il est constitué d'îles textuelles qui se tiennent à distance, mises en relation par les allers-retours des discours échangés par lettre.

L'échange épistolaire se substitue donc à la structure linéaire d'un roman historique. Cependant, rien là non plus ne se déploie tout à fait ni ne se réalise comme unité ou comme rencontre. À la première correspondance, entre Marie-Gabriel et Adrien, s'ajoute un échange entre les protagonistes et quelques amis, Ève et Antoine, puis d'autres messages juxtaposés, comme le récit, entre guillemets, que l'on peut attribuer à Angela Davis, racontant son séjour en Guadeloupe en 1969, et enfin la lettre signée « Daniel ». La correspondance s'étoile, se ramifie, s'ouvre, sans véritablement créer un sens, nouer une intrigue, comme dans *La Nouvelle Héloïse*, par exemple. Elle demeure échange de discours et de fragments, paroles inachevées, relations esquissées. Cependant l'auteur a conscience du caractère éclaté de sa narration, il la revendique comme l'image fidèle d'une antillanité qu'il définit en ces termes, à la suite d'Aimé Césaire :

> « De débris de synthèse en fragments d'un pluriel, île et aile, c'est nous, désirades déployées proches dans l'accord des prénoms, des musiques et des actes, l'alliance des rêves et des réveils[58]. »

L'unité est donc donnée par la musique, les anagrammes, « le jeu pour liaison », c'est-à-dire ces correspondances et entrelacs poétiques ou ludiques que nous avons déjà analysés. Elle se manifeste également dans une métaphore récurrente, celle du fil à coudre qui devient, dans sa littéralité, la médiatrice des relations entre les thèmes et les motifs du roman[59].

Un « fil » conducteur

En effet, une première fois, l'acte de coudre apparaît, lorsque Angela recueille « dans une petite boîte à secrets un cheveu de chaque enfant qu'elle assembl[e] avec grande délicatesse en un fil continu avec lequel elle cou[d] trois "S" noirs sur la blouse[60] »... Elle annonce ainsi le thème essentiel d'un des deux chapitres suivants : « Trois fois S » dans lequel les protagonistes Siméa et Louis-Gabriel jouent à deviner les significations possibles de ce signifiant qui permet une variation sur le thème de Siméa, prénom de la mère de Marie-Gabriel mais également de l'amie de celle-ci, qui était précisément couturière. Mais les trois « S » évoquent

58.   *L'Isolé soleil*, p. 281.
59.   La mère de Daniel Maximin, il nous l'a confié, était couturière. *Cf.* également « Les Antilles à l'œil nu », in *Enfances d'ailleurs*, Nancy Huston, Leïla Sebbar, « Dix-sept écrivains racontent leur enfance », Belfond, 1993.
60.   *L'Isolé soleil*, p. 166.

également trois éléments : soleil, soufrière, source, ce qui les relie à des thèmes essentiels du roman.

Le thème de la couture réapparaît dans un jeu de mots entre « aiguille du pick-up » et aiguille à coudre : « mazurka, ti-jazz, biguine, meringué, boléro ; et l'aiguille du pick-up arrête modestement son laborieux raccommodage[61] ». Le rapprochement prête déjà à la musique la capacité de réunir les éléments divers, d'être le véritable fil conducteur et fil à coudre.

Un peu plus loin le texte file la métaphore lorsque « le pick-up repique une biguine[62] ». Bien mieux, le thème de la couture se greffe sur celui du carnaval et du conte dans le chapitre intitulé « Pierrot-Jumeaux ». Dans ce chapitre, en effet, Siméa, la couturière, prépare les costumes d'un carnaval dont le thème sera le conte créole précisément. La narratrice raconte comment Siméa « a pédalé, pédalé sur sa Singer pour finir à temps deux robes d'atours à l'antique[63] ». Le texte parodie ici un passage du *Cahier d'un retour au pays natal*, dans lequel le poète évoque sa mère « dont les jambes (...) pédalent de jour, de nuit, je suis réveillé la nuit, écrit-il, par ces jambes inlassables qui pédalent la nuit et la morsure âpre dans la chair molle de la nuit d'une Singer[64] »... Le texte renoue donc également, dans le jeu de l'intertextualité et de la citation, avec ses sources, revendiquant le tissage d'un lien culturel et filial avec Aimé Césaire.

La description continue en ces termes :

> « Sur le divan sont étalés les costumes qu'elle a imaginés (...) les robes de princesses de la Belle-Sans-Connaître et de ses sœurs jumelles (...) et les colibris vert et rouge avec leurs petits tambours de grenadiers. Tout un conte au repos sur ce divan, comme dans une réserve de féerie[65]. »

61.   *L'Isolé soleil*, p. 167.
62.   *Ibid.*, p. 168.
63.   *Ibid.*, p. 207.
64.   Aimé Césaire, *Cahier d'un retour au pays natal*, Présence africaine, 1983, p. 18.
65.   *L'Isolé soleil*, p. 208.

Les associations permettent donc bien au tissu romanesque de rapprocher différentes séquences qui sont d'abord anecdotiques : Siméa coud / Siméa, la mère de Marie-Gabriel, lui emprunte deux costumes / c'est jour de carnaval / le thème du carnaval est l'illustration des contes créoles ; mais, finalement, convergent pour conduire à des significations essentielles : le carnaval et le conte sont subversifs, ils vont permettre aux dissidents de commettre un attentat, les personnages du conte offrent une image de résistance, et de fraternité, la flûte enchantée de Pélamanlou sera la voie d'un salut hors de la folie et de l'aliénation pour Angela, comme pour Louis-Gabriel à travers la musique du jazz.

En outre, ce fil qui tisse son chemin à travers le texte se manifeste à nouveau dans la métaphore suivante : « Je sais aussi, écrit Ève, que parfois l'espoir est suspendu à un fil de l'araignée du soir si on hésite à l'écraser. » Elle nous mène ainsi à *Soufrières*, roman qui se rattache ou se recoud au premier par la « reprise » (au double sens de répétition et de raccommodage) d'une même phrase : « et la feuille prend son vol au risque de sa verdure ». Le roman se termine précisément par l'évocation d'un fil :

> « Lorsque le fil des jours
> suit l'aiguille de l'espoir
> il raccommode le destin[66]. »

Ces vers rapportés comme ceux d'une comptine créole, ne sont pas sans rappeler la phrase de *L'Isolé soleil*, dans laquelle les termes « espoir » et « fil » étaient déjà présents. Ainsi se répondent un thème de diffraction – « l'envol de la feuille », les « débris d'une synthèse », la pluralité des voix – et un thème inverse de réunion, exprimé par la métaphore d'une couture fragile.

Le temps historique, qui est ellipses et inaccomplissement, trouverait dans le « destin » une autre dimension dans laquelle seraient recouvrées unité et continuité. Le geste féminin de coudre se substitue ainsi au travail de l'historien. Une fois encore les femmes sont médiatrices d'une reliaison, quand la réalité sociale, historique, psychologique et diégétique échoue / hésite à renouer

---

66. *Soufrières*, p. 278.

les éléments disjoints. On pourrait suggérer que la filiation le cède au fil. L'auteur, par ce choix esthétique rejoint le champ de la féminité. Il n'inscrit pas son imaginaire dans une écriture chrono-logique qui chercherait sa légitimité et sa filiation, du côté du père, mais dans une cohérence toute maternelle, une descendance utérine et naturelle, une couture féminine. Il n'est certainement pas indifférent que cette continuité soit assurée sous les auspices d'une comptine créole. Ce sont les femmes, chez Daniel Maximin qui disent contes et comptines, et si Louis-Gabriel raconte l'histoire de Pélamanli-Pélamanlou, c'est « en se confiant à la logique des souvenirs des contes de sa mère[67] ». La mémoire est féminine, la tradition passe par les femmes.

Bien d'autres thèmes métaphoriques seraient à explorer, car le texte est saturé de signifiants et de symboles qui se répondent, attributs de personnages qui se rencontrent et se croisent, comme les bracelets, la clarinette, les S, les initiales des prénoms, le chiffre trois. La profusion de ce que nous pourrions appeler les constel-lations métaphoriques nous semble toutefois trouver son point de convergence dans une évocation des contes créoles qui peu à peu orientent la lecture, comme si le roman était une variation sur les thèmes de ces contes. On pourrait supposer que les signes indivi-duels – initiales, bracelets, petites phrases – rencontrent les signes collectifs dans lesquels ils se fondent, réécrivant, non plus une Histoire de la Guadeloupe, mais une version nouvelle de contes anciens, ce qui est peut-être la même chose.

---

67. De même, Angela chante une comptine que Siméa reconnaît car sa « mère aussi avait accoutumé d'endormir ses enfants » en la leur chantant (*L'Isolé soleil*, p. 164). Daniel Maximin se distingue par là d'une tradition selon laquelle le conteur antillais est un homme. On peut le vérifier chez Maryse Condé, dans *Traversée de la mangrove*, chez Patrick Chamoiseau et Raphaël Confiant, dans *Lettres créoles*. Dans *La Case du commandeur* d'Édouard Glissant, c'est Pythagore qui raconte l'histoire du poisson-chambre ; enfin, les contes recueillis par Ina Césaire, Joëlle Laurent ou Marcel Labielle sont toujours dits par des hommes.

Le conte créole comme synthèse

Le roman *L'Isolé soleil* pourrrait, en effet, se lire comme la réinterprétation du conte du colibri qui est cité dans le texte. Les personnages de colibri, et de poisson-armé, luttant depuis toujours l'un contre l'autre, jusqu'à la mort tragique du colibri, sont les archétypes de la résistance héroïque et inutile des Antillais, de Delgrès à Toussaint, contre le maître qui envoie des adversaires de plus en plus redoutables afin de s'approprier le tambour de colibri[68]. Il est sans doute significatif que le maître, « bon dieu » ou béké, veuille dérober à colibri son tambour-ka, afin de faire travailler les nègres[69]. On pourrait comprendre dès lors que la musique soit thème de prédilection pour Daniel Maximin qui en fait le véritable médiateur d'une liberté. Les expressions comme « le jazz (...) faisait son 1789 », « dissidence musicale[70] », ou des questions comme celle de Siméa : « Est-ce que la musique n'est pas la seule liberté que nous ayons véritablement conquise jusqu'ici depuis les trois siècles de notre oppression[71] ? », le prouvent assez. Le tambour-ka n'est pas fait pour l'oppression et le travail forcé, il exprime au contraire la singularité irréductible et la liberté des Antillais.

C'est pourquoi, à la fin du roman, c'est un autre conte qui prend le relais jusqu'aux toutes dernières pages, le conte de Pélamanli-Pélamanlou. Dans ce conte, la musique est enfin victorieuse puisque Pélamanli et Pélamanlou, dont Louis-Gabriel fait des frères jumeaux, se relaient sans trêve pour jouer une « musique si belle » et danser, afin de terrasser la Bête à sept têtes.

---

68. La résistance de Delgrès n'est peut-être pas inutile au sens où elle fonderait un symbole et donnerait sens à l'Histoire des révoltes nègres de la période révolutionnaire. Précisément, c'est ce sens qui demeure en suspens dans *L'Isolé soleil*. Comme l'a souligné Bernard Mouralis, le geste de Delgrès ne fonde rien, demeurant une hypothèse aux interprétations multiples. Il est dans l'essence de la résistance de ne pas gagner d'emblée, mais est-il dans son essence de ne jamais gagner ?

69. *L'Isolé soleil*, p. 159.

70. *Ibid.*, p. 170.

71. *Ibid.*, p. 172.

« Toute la vie de la nuit, conte le narrateur, un frère remplaça l'autre d'un seul bond dansant, pour faire danser la Bête aux sept têtes suant, soufflant, criant grâce, sans pouvoir s'arrêter de suivre la musique des frères (...) jusqu'à ce qu'elle s'écroule épuisée morte[72]. »

Le conte réalise ainsi une synthèse de tout le roman.

Il permet d'abord de ressaisir l'histoire de la petite Angela, dont la folie est directement liée à la violence historique et qui manifestera, pour la première fois, des émotions, en entendant Louis-Gabriel jouer de la clarinette. Elle se présentera, ensuite, précisément, sous le costume de Pélamanlou, le joueur de flûte[73].

D'autre part, il rend compte des multiples figures de révoltés-colibris et symbolise, en particulier, les actions dissidentes, pendant l'occupation de la Guadeloupe, par les troupes de l'amiral Sorin[74].

---

72. *L'Isolé soleil*, p. 278.

73. L'histoire d'Angela est en effet liée à l'Histoire collective : « Une nuit où son père, un pêcheur de Marie-Galante, allait prendre la mer pour faire passer deux hommes en dissidence à la Dominique, elle l'avait supplié de la laisser l'accompagner jusqu'à son canot », raconte le narrateur à propos de la petite Angela. Elle a vu le canot se renverser sous le coup d'un « ennemi surgi par traîtrise du fin fond de la mer, sous la forme d'un énorme poisson gris aux écailles lumineuses (...) un des deux sous-marins allemands signalés depuis des mois à l'affût de la flotte française ». Sa folie est donc l'expression d'une violence politique et d'une aliénation historique nouées au drame personnel qui lui fait assister à la disparition de son père. Elle ne dira plus un mot jusqu'à ce que la narratrice, Siméa, qui lui raconte des « histoires créoles en raccommodant des effets pour les malades », évoque l'histoire de Pélamanlou, le petit garçon à la flûte », *L'Isolé soleil*, p. 164. Les thèmes de la couture, du conte et de la folie sont ainsi liés une fois de plus.

74. Nous renvoyons, à ce propos, aux analyses détaillées de Christiane Chaulet-Achour, autour de la figure du colibri, dans l'essai paru aux éditions Karthala, *La Trilogie caribéenne de Daniel Maximin*. Notre propre recherche était achevée lors de la parution de cet essai, en mars 2000, sans quoi nous eussions pu nous en inspirer davantage et ne pas revenir sur certains points parfaitement mis au clair par Madame Chaulet-Achour. Notre point de vue et l'objet de notre recherche n'étant pas les mêmes, cependant, nous espérons que notre essai mettra en lumière des aspects qu'il restait à dévoiler, dans l'œuvre de Daniel Maximin.

En outre, il confère à la musique la fonction libératrice que plusieurs personnages revendiquent au cours du roman, depuis Georges qui écrit des biguines impertinentes jusqu'à Louis-Gabriel qui joue du « free-jazz », en passant par Louis Delgrès qui meurt en jouant du violon. La musique triomphe de la bête et de la folie, double oppression dont souffrent les Antillais, double aliénation, politique et mentale que Frantz Fanon a dénoncée.

Le conte de Pélamanli-Pélamanlou réécrit par Daniel Maximin fait en outre la synthèse avec le conte du colibri, car dans l'énumération des sept têtes de la bête, le narrateur a glissé une allusion aux différents adversaires de colibri : « sa tête de cheval-à-diable, sa tête de bœuf à cornes, sa tête de poisson-armé, (...) sa tête de Bon-Dieu-Blanc, et sa tête de chien[75] ». Ainsi Pélamanli-Pélamanlou représentent en même temps le colibri, cette fois victorieux, grâce à la flûte magique, grâce également à la gémellité qui a permis aux deux frères de se relayer sans trêve, pour fatiguer la bête. Enfin, la mort de la bête est évoquée par le narrateur en des termes qui lui permettent de renouer avec la thématique propre au roman : « elle s'écroule épuisée morte, avec dans les yeux de tous les frères un grand éclat musical d'étoiles, de lune et de soleil tout mélangés[76]. »

Le conte réinvestit donc les signifiants essentiels du roman, permettant de tisser une unité fondamentale entre le présent et le passé, entre le roman et la tradition culturelle créole. C'est pourquoi le narrateur « Daniel » conclut le roman par ces mots : « Le conte nous fait signe », avant de refermer paradoxalement son livre sur une non-fin, un envol. Le fil ne se coupe pas, le roman cherche au contraire à recoudre les références et les traditions dans une rhapsodie. L'Histoire n'est peut-être pas la dimension privilégiée par L'Isolé soleil. Le roman préfère finalement les histoires, le conte créole qui offre un ancrage culturel identitaire et des archétypes fondateurs, et d'autre part la poésie qui permet de tendre vers la musique, en « piratant l'Histoire et l'écriture ».

Toutefois, dans le conte, c'est la dimension musicale qui est privilégiée par Daniel Maximin. La musique est la clé de voûte de cet univers qui trouve sens dans la variation et l'improvisation

---

75.   *L'Isolé soleil*, p. 278.
76.   *Ibid.*

libre, autour de thèmes traditionnels. Elle est à la fois culture et liberté. Le conte y représente le « standard », en termes de jazz, la référence commune, la réécriture permet, quant à elle, une variation plus personnelle.

Ainsi, en faisant de Pélamanlou, personnage unique du conte, un couple de jumeaux, Pélamanli-Pélamanlou, Daniel Maximin confère au conte de nouvelles significations. Il suggère qu'à la solitude mortifère d'un Louis Delgrès, à l'isolement d'Adrien, « isolé soleil », l'Antillais peut échapper dans la gémellité. Cette solution originale, emblème de fraternité, celle des jumeaux Georges et Jonathan, lui permet de dépasser la problématique de l'individu révolté, « isolé » et condamné à l'échec de ce fait, et d'autre part la problématique du couple voué à l'incompréhension et à la conscience d'une indépassable altérité.

Si Ariel et Siméa, en effet, ne se rencontrent que pour se reconnaître irréductiblement étrangers, Louis-Gabriel et Siméa, en revanche, pourront se mêler en un tout, dans la fusion amoureuse. Ils passent par une étape cependant significative, puisque le texte les fait d'abord « Pierrot-Jumeaux ». Il semble que l'homme et la femme trouvent une véritable entente fraternelle et gémellaire. On pourrait se demander si ce n'est pas imaginairement résoudre la difficulté d'une rencontre amoureuse et sexuelle entre deux individus se reconnaissant autres et s'assumant comme tels. Le roman, qui ne donne pas de forme autre qu'épistolaire à la rencontre entre Marie-Gabriel et Adrien, se résout dans la formule « oui, frères oser fuir », qui nous conduit, anagrammatiquement, à « Soufrières ». Les antagonismes historiques et la différence sexuelle paraissent trouver corps et synthèse dans la fusion d'un nouveau terme, à la fois emblème du pays et emblème secret de fraternité. Le conte est donc également une lecture mythologique de l'Histoire.

Le conte, entre le mythe et l'Histoire

Concurremment à une organisation historique et chronologique des événements et des figures, le conte propose une interprétation culturelle, identitaire et structurelle des destins. La figure du colibri

opposée à celle du maître est une structure, la figure du joueur de
flûte opposée à celle de la bête à sept têtes en est une autre.
D'ailleurs, les folkloristes et les anthropologues ont montré
comment le conte symbolisait la situation politique et historique
des esclaves[77]. Aux difficultés qui semblent prévaloir dans le
discours historique, à démêler le sens des actes et des événements,
à l'instar de l'explosion du Matouba, la narration juxtapose puis
substitue une autre logique. La lecture proprement politique de
l'acte de Delgrès débouche sur une aporie et un ressassement, et
c'est dans le conte que les protagonistes du roman vont chercher
une vérité capable de stimuler et d'éclairer l'action.

La Guadeloupe est désormais le lieu d'un affrontement entre
colibri et Bon-Dieu, comme entre Pélamanlou et la bête, confi-
guration qui se perpétue dans le roman *L'Île et une nuit* dans lequel
le cyclone est évoqué sous les traits de la « bête à sept têtes »,
tandis que colibri et le crabe-tambourineur, le poisson-armé ou Ti-
Jean L'Horizon sont les diverses figures du conte créole,
représentées dans le roman. Est-ce à dire que la structure l'emporte
sur l'évolution ? Quelle est la relation entre le mythe et l'Histoire ?
La référence au conte ne risque-t-elle pas de figer la représentation
de l'histoire des Antilles dans quelques figures, d'ailleurs assez
ambiguës, comme celle du compère-lapin débrouillard, ou déses-
pérées comme celle du colibri, certes bien courageux mais tout de
même sempiternellement écrasé par le poisson-armé. Ou bien
peut-on relire, réinterpréter, réécrire indéfiniment les contes ?
Chercher des mythes à travers les contes créoles, n'est-ce pas alors
tenter de trouver des « repères », à partir desquels penser l'expérience historique et son interprétation ? Plutôt que de figer
l'histoire des Antilles dans l'éternelle défaite du colibri / Delgrès,
mythe fondateur et en même temps désespérant, négateur de tout
progrès historique, ne pourrait-on pas imaginer un colibri
vainqueur, et à quel prix ? Une dialectique s'inventerait ainsi, entre
la figure quasi éternelle du conte et l'interprétation, actualisée, par
une parole neuve, de cette structure qui permet de penser et
réécrire l'Histoire / histoire. Ainsi l'un des derniers messages de

---

77.   *Cf.*, par exemple. Ina Césaire et Joëlle Laurent, *Contes de mort et de vie aux*
      Antilles, Nubia, 1976.

L'Île et une nuit est : « Tu devras te rappeler à tout instant que le véritable saut consiste à introduire l'invention dans l'existence. Tu n'es pas esclave de l'esclavage. La densité de l'histoire ne détermine aucun de tes actes[78]. » C'est pourquoi, par la réécriture très libre du conte, Daniel Maximin lui redonne vie. Loin de figer le sens du conte dans une vérité mythique, intemporelle, l'écrivain le dynamise en lui conférant des échos, des contenus, des dimensions inédits.

Nous l'avons vu, Daniel Maximin prend des libertés avec les récits traditionnels tels qu'on peut les trouver chez Lafcadio Hearn ou Ina Césaire, par exemple. Dans la tradition du conteur, il varie, improvise selon sa thématique personnelle. On pourrait d'ailleurs imaginer qu'il tente, à travers l'univers figé des contes dans lesquels l'esclave – colibri – finit toujours par mourir, de redonner un sens libérateur au conte, de même qu'il utilise des figures diverses pour atteindre une synthèse. Ainsi, colibri, sous les espèces de Pélamanli-Pélamanlou, tue enfin la bête à sept têtes – bœuf, poisson-armé – et s'envole en même temps vers d'autres contes, d'autres récits.

En effet, on peut allier, par métonymie et par métaphore, le thème de l'oiseau à celui de l'envol de la feuille, le thème de l'aile à celui du colibri. On retrouvera ce personnage comme un mot de passe, de roman en roman. Il est à la fois obsession et centre de gravité (sa mort pèse véritablement sur le texte qui tourne autour), et mouvement d'aile, impulsion qui fait renaître le texte dans d'autres séquences, d'autres romans. Le thème du colibri et de la mort, de la révolte et de la poésie sont enfin réunis dans la séquence de « beau sang giclé », à la fois réécriture d'un poème d'Aimé Césaire et mot de passe de la dissidence.

L'Île et une nuit transformera la formule en « beau chant giclé », comme en un point d'orgue. Le thème lyrique d'une mort transfigurée, dans le chant poétique et le chant de l'oiseau, donnera, dès lors, toute sa place à la dialectique qui oppose souffrance et musique, aliénation et révolte, assujettissement, voire écrasement, et triomphe libertaire de la poésie. Le chant du poète naît dans le sang du colibri-résistant, il est le deuxième temps

---

78. *L'Île et une nuit*, p. 155.

d'une dialectique dans lequel l'oiseau / poète « fait le compte de ses plumes dispersées ». La poésie est donc triomphe sur la mort et l'asservissement, le poème est le lieu où la synthèse est possible à partir des « débris ». Le mythe du colibri est, en quelque sorte, la réécriture du mythe d'Osiris dont les membres dispersés sont recueillis par Isis. La synthèse n'est donc nullement discours politique. En revanche la poésie est politique, en ce sens qu'elle tente cette synthèse, se proposant d'être la parole qui réunit, « fait le compte » (le conte ?), après la bataille[79]. La poésie est politique en ce qu'elle représente le véritable « saut », « l'invention » qui libère de tous les « esclavages », en particulier des esclavages idéologiques.

Le poème de *Ferrements* devient donc le « standard » qui permet à l'écrivain de faire des variations, à travers la totalité de la trilogie, à l'instar de ces musiciens de « free- » jazz qu'il cite volontiers. Il faudrait noter à ce propos les déplacements, dans l'écriture et la typographie, des thèmes qui changent au fur et à mesure de statut, comme un sujet musical change de registre ou de pupitre. Toutefois, les variations peuvent également, faire dériver le sens, dans la fugue et le contrepoint. Les jeux poétiques et musicaux sur le conte et sur la figure du colibri, à travers la reprise de « Beau sang giclé », en sont l'illustration. Dans ce cas, le conte, réinterprété poétiquement, perd ses repères traditionnels. Sa signification, à l'épreuve de l'écriture poétique, devient polysémique et plus incertaine.

---

79. La vision d'Aimé Césaire était bien celle-là, dans le *Cahier d'un retour au pays natal*. Le nègre était « sans rythme ni mesure », il était l'albatros « essayant de se faire tout petit sur un banc de tramway », « d'abandonner (...) ses jambes gigantesques », c'était une des figures du poète « déposé sur les planches », moqué, hideux, abîmé (Aimé Césaire, *Cahier d'un retour au pays natal*, p. 40, Baudelaire, *L'Albatros*, qui a visiblement inspiré Aimé Césaire). La poésie est donc nécessairement la dimension qui lui redonne valeur et vérité. La poésie est sa vérité, son essence. On peut s'étonner qu'une conception si romantique, encore très baudelairienne, ait pu inspirer un discours et une action politiques. Senghor lui-même estime que le nègre est essentiellement rythme. Le nègre du tramway dont Aimé Césaire fait le portrait comme désordre, déréliction, littéralement décomposition appelle une recomposition dans le rythme, la parole poétique et cadencée, la musique. Le poète était donc bien le seul à même de redonner ordre à ce désordre.

Un sens en dérade

L'expression « Beau sang giclé », est, à l'instar de « Body and soul », l'occasion d'un véritable déploiement narratif et poétique, puisque la séquence fournit, par associations, le thème de l'attentat et de la mort de Toussaint-colibri. Toussaint, on le sait, utilise, en effet, le poème de Césaire comme mot de passe pour la dissidence.

Ainsi, « Beau sang giclé » achève la boucle des significations du conte du colibri, à la fois dans *L'Isolé soleil*, et dans *L'Île et une nuit*. Réciproquement, le poème d'Aimé Césaire, dans le contexte du roman, prend une signification plus précise, qui permet de décrypter, à partir de sa relecture par Toussaint, une allusion au colibri malmené par le bœuf et le poisson-armé, qui ne sont pas directement nommés dans le poème :

> « Dard assassin beau sang giclé
> Ramages perdus rivages ravis (...)
> L'oiseau aux plumes jadis plus belles que le passé
> Exige le compte de ses plumes dispersées. »

La reprise du poème dans le « journal de dissidence » écrit par Toussaint s'accompagne de ce commentaire : « Il est temps de mettre en application nos meilleurs contes et nos poèmes de révolte... – Exiger le compte de nos libertés dispersées[80] ». Le mot « libertés » paraphrase ici le mot « plumes », confirmant la lecture politique qui est faite du poème, et la relation entre « Toussaint-fou-fou », le colibri, et l'oiseau qui « exige le compte de ses plumes dispersées », dans le poème. Le conte, comme le chant du colibri, sont donc la réponse politique à l'asservissement, ils sont la meilleure forme de résistance. C'est là l'exemple même des pauses qui se font dans le sens, autour d'un symbole qui semble s'élucider.

En revanche, la reprise, dans le contexte de l'accouchement de Siméa, du même poème, est assez troublante. Dans ce cas, le « thème » a dérivé, à partir de ses multiples images et de la référence au poème surréaliste d'Aimé Césaire, vers d'autres

---

80.   *L'Isolé soleil*, pp. 206-207.

contenus. Ainsi, le colibri, sorte de nœud analogique, s'est associé à Toussaint, le résistant « fou-fou » qui meurt dans un atttentat contre les pétainistes. La mort violente de Toussaint devient « beau sang giclé » qui, à son tour, par métonymie, symbolise l'accouchement de Siméa. Dans ce jeu de passe-passe, la signification d'un acte politique, l'attentat dissident, s'attache, par glissement et parallélisme, à une situation qui lui semble totalement étrangère, un accouchement tragique. Le lecteur peut se demander, par conséquent, de quelle résistance, dans cette dernière occurrence, il s'agit, comment le conte du colibri peut s'associer, de manière significative, et non seulement anecdotique, ou métaphorique, à la mort de Siméa en couches. Le rapprochement du sang du résistant et du sang de « l'hémorragie incoercible » dont meurt Siméa, en donnant naissance à Marie-Gabriel, est-il l'indice d'un sens inattendu qui ferait de la mort de la mère une ultime résistance ?

Or, la scène développée dans le passage qui clôt la partie intitulée « L'Air de la mère », à partir de la page 246, n'a rien de politique, ou d'historique. Au contraire, l'écriture est ici développée sur un registre personnel et émouvant. Les pronoms « moi », « toi », les mots « amour », « aimer », « désir », les interpellations lyriques et sentimentales, en font une parole intime et le moment d'une confidence féminine. Le discours technique et médical est, quant à lui, le garant d'un réalisme assez cruel qui fait de ces pages un paroxysme émotionnel, entre distance scientifique et identification sentimentale au personnage.

L'accouchement de Siméa est, cependant, mis sous le signe de la « liberté », et d'un élan libérateur, aux antipodes de la tonalité tragique, voire horrible, commandée par le contexte médical et réaliste. Le poème « beau sang giclé » donne donc une signification nouvelle à cette « hémorragie », et à son cortège d'horreurs – « hystérectomie », « perfusions », « cinquante-deux flacons vides ». Le poème transforme ainsi le sang médical en « beau sang », l'accouchement en nouvel avatar du combat entre le colibri et le poisson-armé. La mort de Siméa devient symbole de « renaissance antillaise ».

Le contexte, d'ailleurs, si l'on remonte au début du chapitre, est tout entier sous le signe du discours et de l'événement politique. Ainsi, le terme de « Renaissance », se substitue à celui de

« naissance » dans le titre du chapitre, et l'expression politique
« renaisance antillaise », fait de cet accouchement un événement
aussi politique qu'intime. En effet, dans l'introduction du chapitre,
l'évocation de la naissance est associée aux thèmes de la
« révolution », de la « dissidence », de la « libération » des
Antilles. Un discours de Frantz Fanon, puis une critique
enflammée de l'« assimilation », des discussions politiques sur le
thème de la révolution, laissent assez soudainement place, après un
rapide retour au contexte fictionnel, au récit de la naissance : « Les
saignements spontanés et indolores se font plus abondants ». Par
conséquent, en dépit des ellipses et du morcellement du texte, le
thème de l'accouchement est indéniablement associé au thème
politique, ce qui invite le lecteur à comprendre la mort de Siméa
comme celle d'un nouveau colibri.

La mort de la mère est donc évoquée comme « liberté » pour
Marie-Gabriel qui écrit : « ma liberté a trouvé ton repère au sortir
de toi-même ». La mère elle-même est délivrée par sa propre mort
et la naissance de sa fille : « Je te laisse vivre ta fin d'histoire,
rendue à toi-même », écrit encore Marie-Gabriel[81]. En d'autres
termes, la mort de la mère est condition de liberté, pour Marie-
Gabriel, mais également pour la mère qui est « rendue à elle-
même », libérée de tout lien à sa descendante. La mort est donc
une fois encore transfigurée en résistance et en renaissance.
L'héroïne se libère de sa mère, comme elle s'était libérée de son
père, au début du roman.

Par conséquent, Marie-Gabriel, d'un bout à l'autre de son texte,
s'efforce, avec insistance, d'échapper à la filiation. Lorsque Marie-
Gabriel donne péremptoirement un prénom à son père, elle
l'engendre textuellement, inversant la relation de descendance, et
lorsqu'elle écrit l'histoire de Siméa, elle fait naître sa mère, imaginairement. Lorsqu'elle raconte sa propre naissance, elle se sépare
de sa mère, en inversant les rôles : « Oui, je sors de toi, mais je ne
veux pas te garder. (...) Je te laisse vivre ta propre histoire, rendue à
toi-même, comme une racine qui meurt sans déranger la feuille
nouvelle[82]. » C'est ainsi qu'elle renverse les relations de

---

81. *L'Isolé soleil*, p. 249.
82. *Ibid.*, p. 249.

descendance et de dépendance, s'affranchissant de toute filiation réelle ou symbolique pour ne conserver que la filiation imaginaire et fantastique, purement langagière, qu'elle a créée dans l'écriture.

En fait, dans le poème de Marie-Gabriel, la mère est à la fois Marie-Gabriel qui « délivre » sa mère Siméa et Siméa qui accouche de Marie-Gabriel. La racine qui meurt sans déranger la feuille nouvelle est à la fois l'une et l'autre, on ne voit plus une mère et son enfant, mais deux femmes qui se donnent mutuellement la vie (et la mort, proche ou à venir). La naissance est fusion amoureuse entre les deux femmes, dans un étrange instant où elles se mélangent homosexuellement, et qui annule la filiation, abolissant la différence entre les deux femmes. Ainsi, dans l'énoncé « je te laisse vivre ta fin d'histoire, rendue à toi-même comme une racine qui meurt sans déranger la feuille nouvelle », la racine est Siméa. Mais, dans un renversement surprenant, dans la phrase suivante, « ma liberté a trouvé un repère au sortir de toi-même, et je serai fidèle à ta sève comme une racine d'acoma », la mère, Siméa est « sève », et c'est Marie-Gabriel qui est devenue « racine ». Naître c'est, en effet, quitter une racine, pour en devenir une soi-même, et la morte est en même temps « sève » qui continue de nourrir imaginairement l'enfant arbrisseau. De même, lorsque Marie-Gabriel écrit : « Notre délivrance l'une de l'autre », elle indique clairement que la naissance est partagée, dans une fusion.

Cette sorte de fusion amoureuse qui met sur le même plan, Marie-Gabriel et Siméa, dans une relation parfaitement réversible, n'est pas propre à redessiner le champ d'une filiation et d'un ordre symbolique. À l'inverse, Marie-Gabriel se veut « fille sans héritage, sans maîtrise ni maîtresse[83] ». Elle incarne donc bien le colibri révolté, le Rebelle radical qui, jusque dans les relations intimes, familiales, rejette les liens asservissants, de parenté, de filiation, d'héritage. La relation mère-fille, devient fusion entre deux femmes, sans père ni mari, purement duelle et non symbolisée. Elle ne passe pas par un tiers. En ce sens, les deux femmes sont également « filles-mères », bien que Marie-Gabriel s'en défende dans une formule assez énigmatique, au début du roman :

---

83. *L'Isolé soleil*, p. 250.

« tu ne seras jamais la fille-mère de tes ascendants[84] ». Marie-Gabriel faisant naître à elle seule sa mère, comme Siméa donne naissance à Marie-Gabriel, en l'absence du père de celle-ci, sont des femmes-colibri et célibataires, parfaitement indépendantes et en ce sens « filles-mères ». Les femmes portent des « fruits » et des « racines », dit le texte, elles se fécondent sans médiateur, à l'instar de Miss Béa qui féconde les vanilliers. La nature et la femmes se rencontrent, dans une fusion évidente et biologique qui exclut l'homme, sa médiation, son nom, ses symboles, son autorité.

La naissance de Marie-Gabriel pousse donc à son paroxysme un désir libertaire d'autonomie et de réversibilité, jusqu'à la transgression de tout lien familial. La dimension politique de cette « libération » est aux antipodes d'un acte politique qui s'inscrit dans les lois, les symboles, les jeux de pouvoir. Ici, l'absence de « maître et de maîtresse », enracine le désir de liberté dans un élan anarchiste et intime qui dépasse la sphère habituellement réservée au politique, afin de postuler une liberté radicale qui conteste même les symboles et les positions filiales. L'effusion amoureuse entre mère et fille, leur séparation / délivrance constituent un rejet de toute inscription dans le symbolique. Et c'est dans l'imaginaire, par son jeu de renversements métaphoriques et ses formules para-doxales, et donc dans le langage et l'écriture, que le texte de Daniel Maximin, d'inspiration surréaliste, puise la liberté qu'il offre à son personnage.

On pourrait en conclure que le colibri-Siméa, mourant dans le sang, écrasé dans son dernier combat, laisse la place à un autre type de révolté, l'écrivain (car Marie-Gabriel en est la représen-tation) qui échappera à toutes les déterminations historiques et familiales pour redistribuer, dans l'imagination libertaire, tous les signifiants, dans tous les sens. Le colibri meurt, mais non sans descendance, pour cette fois. Il donne naissance à un poète, un Pélamanli qui saura vaincre les poissons-armés par son écriture. Le politique se déplace donc vers la création poétique, et, est-ce indifférent, l'homme-colibri laisse place à la femme-écrivain, comme si celle-ci était plus apte que celui-là à faire triompher l'imagination créatrice, à accomplir la « renaissance antillaise », de

---

84. *L'Isolé soleil*, p. 19.

femme en femme plutôt que de père en fils. Marie-Gabriel, toutefois, n'est peut-être qu'à mi-chemin de ce parcours. Comme son double-prénom l'indique, n'est-elle pas contradictoire, mi-homme-mi-femme ? De même, dans son projet d'écrivain est-elle partagée entre la recréation par l'imagination et la représentation réaliste. Peut-être faudra-t-il attendre Antoine, le « musicien sans Histoire », ou Adrien, voire Daniel, pour réaliser le projet poétique et musical du « musicien petit-bonhomme ». Le déplacement de l'homme-colibri vers une véritable androgynie se joue moins, en effet, dans la distribution des sexes (entre les personnages) que dans l'écriture – qui permet d'assumer les deux sexes, toutes les voix et tous les points de vue, grâce à la plurivocité du texte –, ou dans le dépassement des classifications par la musique.

Si le texte de Maximin s'inspire fidèlement du « beau sang giclé » d'Aimé Césaire, c'est, en effet, tout autant par son écriture que par ses thèmes. Bien que le texte se propose comme récit autobiographique de Marie-Gabriel, il ne se lit véritablement qu'en tant que poème car il laisse les formules parfois provocantes et opaques se multiplier par associations, jeu sur les mots et les sons, les renversements. Le chapitre, après des paragraphes de plus en plus courts, se termine d'ailleurs par des vers. Sa logique n'est donc pas linéaire mais surréaliste et poétique.

Peut-être, dans les opacités, les entremêlements du sens, est-il également « beau sens giclé », véritable transgression des logiques linéaires et descendantes. Marie-Gabriel, en refusant d'entrer dans la logique générationnelle, en donnant textuellement naissance à sa mère et en faisant de sa mort une liberté, annule les déterminismes originels de la vie et de la naissance. L'écriture inverse les causalités habituelles puisque aussi bien c'est elle, Marie-Gabriel qui accouche de sa mère, en poésie. La résistance du colibri est dans ce travail libertaire sur le langage et les images.

Par conséquent, les variations sur le conte en déplacent conti-nuellement les enjeux. Le conte du colibri est vérité politique du résistant, mais également résistance de la femme libre ou résistance de la poésie, refus de reconnaître les liens sociaux et familiaux de descendance et de dépendance. La réinterprétation du conte, musicale et poétique, l'ouvre à de nouveaux enjeux, bien au-delà des contenus politiques les plus évidents. Si Marie-Gabriel déclare à Siméa : « ma liberté a trouvé ton repère au sortir de toi-même », formule, il est vrai assez étrange, le narrateur-scripteur de la même manière, semble ne trouver de « repère » dans le conte que pour mieux le trahir, le quitter, « en sortir ». Le conte est donc un « repère » qu'il faut savoir remettre en mouvement. L'écriture est dimension de liberté car elle ose jouer avec les motifs en les déplaçant, en les rejouant comme des pièces ou des notes à réordonner indéfiniment, sans inhibition.

Pourtant, une telle ambiguïté demeure dans certains passages, dans des expressions contradictoires et étranges comme celle que nous citions précédemment : « être fille mère de ses ascendants », ou encore « sortir des ventres paternels », « j'ai trouvé ton repère au sortir de toi-même », « les feuilles envolées au risque de leur racine », que les lecteurs, à l'instar des personnages quelquefois, ressentent un certain embarras. La prolifération des sens, la polysémie de toutes les séquences de récit et de discours, créent, certes, une liberté, mais également un malaise. Si « le désir est à l'histoire ce que les ailes sont au moulin », il faudrait s'assurer que le moulin n'est pas un moulin à paroles, et que les « mots ne sont pas du vent ». La liberté d'invention, de jeu avec les mots, à l'infini, grâce auxquels un « envol » est possible, voire un moulin à mots et à histoires / histoire sont exaltants. Mais, sur son versant négatif, le texte s'angoisse de l'instabilité du sens, de l'impossibilité de vérité. Ève souligne ainsi que « pour fixer le sort des mots, il faut savoir quel combat mener[85] ». Ce personnage renvoie le sens à un projet, et rappelle que l'interprétation de l'histoire passée dépend étroitement de l'histoire en train de se faire. Il s'agit donc de trouver des « repères », dans le présent et dans le passé, afin de construire une chaîne signifiante. Marie-Gabriel et le narrateur semblent, à l'inverse, dénouer toutes les séquences linguistiques de la chaîne syntagmatique. Ils en retirent fécondité et ouverture, mais également ambiguïté et indécision, de sorte que la liberté devient « angoisse » devant l'infinité d'un sens en suspens.

Dès lors les répétitions, les alternances n'engendrent pas des dialectiques mais des spirales. Les cycles naturels du sommeil, du désir et du cyclone, ou de la mer, comme chez Alejo Carpentier,

---

85. *L'Isolé soleil*. p. 260.

sont à interroger, plus pertinents, semble-t-il que les durées humaines ou les dynamiques causales. *L'Isolé soleil* confirme cette préférence accordée finalement aux rythmes cycliques et naturels : « Pas de dénouement, surtout pas de fin : encore de la soif, avec le feu du cœur et du volcan, le vent des cyclones et des baisers, l'eau des sources et de la mer. » Le monde élémentaire prend le relais de l'univers humain et l'exploration des événements historiques le cède à l'évocation des volcans et des cyclones, dans les deux romans suivants de la trilogie. La fin du roman *L'Isolé soleil* est donc suspens et envol, la dernière phrase se « posant », pourrait-on dire, au début de *Soufrières*. Cet envol pourrait être interprété comme fuite, ou « saut », hors du champ historique, les romans ultérieurs, *Soufrières* et *L'Île et une nuit*, explorant plus profondément la dimension du mythe, du fantastique et de la poésie. La métaphore de « l'envol » sera d'ailleurs associée dans le dernier roman au vol d'Icare, ce que le lecteur ne peut manquer de lire comme un désir d'échapper au labyrinthe des significations historiques.

Le verbe poétique

La géographie, entre histoire et mythe

L'un des motifs récurrents de *L'Isolé soleil* est une phrase qui, sous plusieurs formes, met en balance histoire et géographie. Siméa demande ainsi à Toussaint s'il est « sain d'opter pour l'histoire au détriment de la géographie », tandis qu'Adrien, dans une lettre à Marie-Gabriel, estime que l'erreur de Louis Delgrès fut d'avoir « choisi de mourir avec la complicité de l'histoire, plutôt que d'espérer le secours de la géographie[86] ». Le roman, dans ses alternances et sa chronologie même, hésite entre les deux approches. Si la mort de Louis Delgrès en 1802 est un repère essentiel dans le texte, et en particulier dans le roman écrit par

---

86. *L'Isolé soleil*, pp. 225 et 86.

Marie-Gabriel, le tremblement de terre de 1843, tient une place aussi grande que l'abolition de l'esclavage en 1848, le cyclone de 1928 quant à lui devient un événement fondamental, d'autant plus que le seul rescapé, Louis-Gabriel, est à l'origine de la famille, du côté paternel. Si *L'Isolé soleil* est le roman où se joue la contradiction entre histoire et géographie, les romans suivants *Soufrières* et *L'Île et une nuit*, semblent opter plus directement pour la géographie. De fait, la référence historique et politique, dans laquelle s'inscrivent ces deux romans, ne joue plus le rôle d'une détermination essentielle.

À l'inverse, l'événement se déroule dans un présent, un suspens du temps, quelques mois pour *Soufrières*, une nuit pour le second roman. Si la date figure encore dans *Soufrières*, des repères seuls sont énoncés dans *L'Île et une nuit*, renvoyant au cyclone de 1928 principalement. La date elle-même s'est effacée et la mesure du temps, si elle demeure, se réfère à un temps naturel, « la nuit ». Les deux titres renvoient bien à la géographie, et aux déterminations spécifiques de la nature guadeloupéenne et caribéenne : le volcan de la Soufrière d'une part, l'île d'autre part. Le récit nous introduit au cœur de la particularité des archipels tropicaux, le drame n'est plus essentiellement humain mais il suit l'éruption volcanique ou le déchaînement d'un cyclone. Ce qui fait le propre d'une identité n'est plus à chercher dans une anthropologie ou une histoire politique, mais dans une géographie singulière marquée par le volcan et le cyclone. La Soufrière est espérance et angoisse d'une éruption, parole et révolte en suspens, violence radicale qui balaie tout sur son passage ; le cyclone a des cycles plus rapides qui marquent de leur sceau la nature et la vie des Antillais, les confrontant à des alternances de destruction-renaissance. Autour de ces structures naturelles prises comme figures matricielles, les romans brodent leurs images, réinventent une histoire singulière.

De la sorte, les écrivains antillais, d'Alejo Carpentier à Édouard Glissant, ou de Daniel Maximin à Patrick Chamoiseau, dans *Texaco*, tentent de construire leur propre discours historique et de prendre des repères originaux. Pour Daniel Maximin, le discours historique qui consiste à remplacer l'historiographie française qui fit de Richepanse un héros, par un nouveau discours historique dans lequel Delgrès devient le véritable centre de gravité, est une première étape. Mais plus loin, l'auteur cherche à établir de nouvelles périodisations, une nouvelle représentation historique. Dans cette problématique, les éruptions volcaniques ou les cyclones sont les véritables repères. Ainsi les grandes dates de l'histoire antillaise deviennent 1928 ou 1902, et non 1789 ou 1815. Les intervalles temporels ne sont pas nécessairement déterminés par la succession des événements politiques, à l'instar d'une histoire de France dont on pointerait sur un axe chronologique, surchargé, les dates précisées en jours, mois, années. Les intervalles antillais pourraient se dessiner dans l'écart entre deux cyclones ou entre deux saisons, entre l'éruption de 1902 et la menace de la Soufrière en 1976. La géographie, dans ce sens, produit donc une « histoire ». Les hommes nomment les volcans, les cyclones, les repèrent grâce aux dates, suivent les évolutions d'un cyclone ou d'une éruption volcanique dont ils guettent les signes avant-coureurs, les repos, les formes particulières. La nature n'est jamais saisie immédiatement, en effet. Au contraire, elle est nommée, décrite. Des repères temporels, une expérience, sont transmis.

Dans L'Île et une nuit, les humains réunis par un « héritage » retrouvent les gestes indispensables devant la menace du cyclone. Une lettre de Saint-John Perse devient un témoignage historique qui éclaire et fait ainsi la preuve d'une expérience culturelle de la catastrophe naturelle. Toute la « première nuit » se fait donc l'écho d'une « tradition ». La *physis* devient ainsi géographie humaine. Les préparatifs sont vécus collectivement, par un « nous » qui revendique une véritable culture qui permet de symboliser et d'humaniser la catastrophe. Le paradoxe est même, en l'occurrence, que le cyclone qui détruit tout sur son passage est en même temps ce qui donne identité aux hommes qui l'affrontent. « Jamais tant que pendant le cyclone, nous ne nous sentons aussi enracinés », déclare le narrateur collectif de la « première nuit[87] ». Le cyclone est à la fois un ennemi terrifiant, décrit en termes guerriers, qui lance des « offensives » et des « assauts », fait entendre des « canonnades », et un allié qui confirme une identité antillaise. La lutte contre le cyclone est, en même temps, lutte avec

---

87.   *L'Île et une nuit*, p. 15.

le cyclone. On peut lui faire confiance, malgré sa sauvagerie, il
« fait du mal avec du bien, (...) lave la terre et l'eau, bouscule et
arrache sans distinction nos cancers et nos santés[88] ».

Un pas reste à franchir pour conférer au phénomène une signification magique, ou spirituelle, et en faire un mythe. Il est franchi,
en effet, dès que le narrateur s'interroge en ces termes : le cyclone
n'aurait-il pas exprimé « la vengeance d'U Ra Kan, géant du vent,
contre le traité de déportation des derniers Indiens vers les réserves
de la Dominique et de Saint-Vincent[89] » ? Le cyclone est désormais entré dans la dimension du mythe.

Le cyclone serait un agent tout-puissant et juste, un véritable
dieu capable de punir les hommes et de signifier sa colère à propos
d'un « traité » inique. La loi suprême du cyclone, à l'instar de
Shango tente de « détruire ce qui n'aurait jamais dû être édifié
ici »[90]. À la fin, le cyclone laisse « un pays dévasté, mais un pays
retrouvé : île battue, île combattue, très belle, et bâtie[91] ». Une sorte
de loi transcendante et totalitaire prend le relais d'une histoire que
les Antillais, Indiens ou Africains ne semblent pas devoir faire. Les
hommes des Caraïbes subissent l'histoire dictée par les hommes
blancs et leurs traités, mais les forces naturelles réintroduisent une
nature qui résiste et des cataclysmes qui défont ce que l'homme
blanc a bâti. Dans une telle interprétation, les forces naturelles, et
divines à la fois, sont agents mythiques.

La géographie à elle seule ne dit rien, il faut encore interpréter
les phénomènes et l'homme y déchiffre donc son histoire, son
identité. Lorsqu'il adopte les repères des saisons ou des cataclysmes, il fait encore une histoire du pays, mais, lorsqu'il
déchiffre, dans le cyclone, l'action des dieux, il écrit un mythe et
n'assume plus sa propre logique. Le narrateur est d'ailleurs dans
l'embarras, car le cyclone détruit à la fois les « cancers et les
santés », il est force aveugle qui ne délivre pas immédiatement de
sens. S'il permet une nouvelle « naissance », après le déluge,
encore faudra-t-il que les humains se saisissent de cette chance
pour réordonner le monde. À moins d'être condamnés à un monde

---

88. *L'Île et une nuit*, p. 62.
89. *Ibid.*, p. 27.
90. *Ibid.*, p. 74.
91. *Ibid.*, p. 154.

absurde qui n'aspire qu'à la destruction cyclique. Le cyclone ou l'éruption sont donc les fondements d'un mythe, d'une parole en attente d'interprétation.

Dans *Soufrières*, en effet, le volcan est véritablement figure de mythe, il parle et commente les événements. Dans *L'Île et une nuit*, c'est l'Œil du cyclone qui devient personnage mythique, voyant et agissant tout au long de la quatrième heure. La géographie est saisie comme réel absolu, sorte de repère premier qui parle, au sens littéral et au sens figuré, comme dans les expressions « c'est très parlant », « ça parle ». Les phénomènes physiques donnent sens. Ils sont à la fois fantastiques, figures personnifiées, et réels parce que parfaitement ancrés dans le monde physique. La dimension humaine, intersubjective et sociale est éludée. La parole humaine est ce qui vient mettre des mots sur le réel irréductible de la nature, mais elle n'a pas, ici, pour fonction d'instituer un monde humain et de manifester son *logos*, sa loi. C'est la nature elle-même, dans une interprétation mythique, qui, inversement, imposera son ordre.

De même, le mythe unit les hommes quand l'histoire les dresse les uns contre les autres. En effet, les hommes sont aux prises avec des événements historiques qui les font victimes ou bourreaux, à l'instar des Indiens, cités plus haut, qu'un traité a condamnés à l'extinction. Ils sont, par l'histoire, dans un désaccord profond. De même, les Antillais décrits par Daniel Maximin, dans *Soufrières*, sont-ils éparpillés, dispersés comme autant de solitudes. Or, surplombant les hommes, le regard mythique unit ce qui est désuni, passe par-dessus la réalité sociale qui est disjonction et échange. Ainsi, dans *Soufrières*, alors que le roman évoque les personnages dans la dispersion, les rencontres brèves, la solitude ou la distance, le volcan, dans une vue transcendante, un regard imaginaire et globalisant, voit « un peuple ». Tandis que la narration, à l'instar de celle de *L'Isolé soleil* croise des voix qui s'ajoutent sans faire une communauté sociale, la Soufrière, « rumeur de la terre », voit

> « les injustes niaiseries humaines fond[re] en faillite à la flamme d'un peuple soudé, qui sait l'art de désorienter les boussoles des conquérants pour leur faire perdre la carte, l'art de marronner le

dominateur sur son propre terrain, et la meilleure manière de cacher la nation dans le paysage[92] ».

Par conséquent, là où les repères historiques échouent à donner ordre au monde et au discours, les éléments géographiques ordonneraient le monde, y compris dans une vision politique. Résultat pour le moins paradoxal, car les phénomènes naturels sont la manifestation d'une violence et d'un chaos : éruption, destruction et déluge, cataclysme terrifiant. Ils n'en sont pas moins porteurs d'ordre, dans les alternances, entre le déchaînement et l'arrêt, la nuit et le jour, dans le cycle de déluge et sortie de l'arche auquel *L'Île et une nuit* fait souvent allusion. Ils prouvent l'existence par la survie, la présence par la menace de disparition et de mort. Ils font date plus sûrement que les faits humains et politiques. On peut également suivre leur déroulement au fil des mois ou des heures. Le désordre du monde s'avère finalement plus lisible que le désordre de l'histoire.

On pourrait même suggérer que les deux romans qui font suite à *L'Isolé soleil*, et s'organisent selon le déroulement des catastrophes naturelles, sont mieux ordonnés que le premier roman tout dédié aux histoires et aux discours humains. Les six parties du premier roman sont assez difficiles à organiser comme un tout structuré et significatif, alors que les sept heures du cyclone, temps de passage et écoulement d'une nuit, de même que les six tableaux de Wifredo Lam dans *Soufrières*, et la succession temporelle de mai à septembre, font davantage l'effet d'un ensemble organisé. Les éléments naturels sont plus aisés à saisir dans leur immédiateté et leur déroulement que les événements historiques. Marie-Gabriel pourrait difficilement poser la question « que s'est-il passé la nuit du cyclone ? » alors qu'elle se demandait : « que s'est-il passé le 28 mai 1802 ? » Dans ce second cas, les événements historiques ouvrent sur des significations difficiles à élucider, dans le premier, l'événement naturel est tautologique. On peut même se passer de date pour l'énoncer, il fait repère temporel à lui seul, la nuit du cyclone est la nuit du cyclone. La difficulté de trouver des repères symboliques dans le monde humain aboutit par conséquent à

---

92.   *Soufrières*, p. 155.

chercher des repères dans le monde naturel et les rythmes cosmiques. De même qu'Alejo Carpentier semblait se demander quel ordre humain pouvait structurer un monde livré à la spirale du buccin ou du cyclone, ainsi Daniel Maximin s'interroge sur la possibilité de trouver une loi qui éclaire l'ordre humain. Il se tourne, après les apories de *L'Isolé soleil*, vers les évidences de l'ordre / désordre naturel.

Alors que *L'Isolé soleil* peinait à définir une Histoire antillaise, à laquelle personnages et/ou lecteurs eussent donné sens, se proposant finalement de « pirater l'histoire », *Soufrières* et *L'Île et une nuit* semblent accéder au cœur d'une réalité antillaise comme déchaînement du cyclone, éruption volcanique, violence et rythmes naturels. Cependant, pour Marie-Gabriel, attendant la fin du cyclone dans sa baignoire ou dans une voiture, livrée à la solitude et au dialogue à distance, la loi qui donnerait sens à un monde antillais n'est sans doute pas plus claire que lorsqu'elle essayait de comprendre l'héritage symbolique de Louis Delgrès. Peut-être l'opacité s'éclaire-t-elle néanmoins, d'être confrontée à la violence des éléments. On pourrait comprendre qu'un monde – au sens géographique – parcouru par les phénomènes naturels aussi monstrueux que le cyclone ou l'éruption volcanique ait, précisément, quelque difficulté à se structurer symboliquement. Les tentatives d'organisation humaine y seraient bien dérisoires. Marie-Gabriel semble « écrasée » par le diabolique « U Ra Kan, géant du vent », et c'est l'adjectif qui s'impose pour décrire la maison « écrasée », dans un pays « dévasté », pendant une nuit « d'enfer ». Rien n'est à proprement parler humain dans ce désastre.

En revanche, l'homme y trouve une « nature », comme on peut le constater dans le passage suivant : « L'éclairage de l'Œil et des hérédités surgies lui avait rappelé qu'il n'y avait d'humain à préserver dans tout cyclone que le naturel de la résistance des humains[93]. » L'humain n'ayant pas pu trouver la loi qui lui permet de symboliser et d'ordonner le monde, reçoit donc une loi de la nature et la « résistance », terme répété inlassablement dans *L'Isolé soleil* comme dans *L'Île et une nuit*, n'est plus force historique,

---

93. *L'Île et une nuit*, p. 93.

position politique mais tendance « naturelle » à la survie, dont Marie-Gabriel fait la démonstration au cours d'une nuit atroce.

Un ordre inhumain

Alejo Carpentier, nous l'avons vu, tend également à faire de la résistance à l'oppression, dans le geste ultime de Sofia à Madrid, une force naturelle qui pousse l'homme à agir, en conformité avec les rythmes cosmiques qui le dépassent. Cependant on peut s'interroger sur ce qui est prouvé par là en termes humains. L'existence, la résistance, la survie permettent-elles de définir un monde humain ? Peut-on, sans un profond malaise, s'affirmer non-mort, non-disparu plutôt que sujet d'une Histoire ? Sofia, dans *Le Siècle des Lumières* était prise encore dans un élan de résistance à l'oppresseur, elle s'abandonnait certes à un grand mouvement irrationnel, sans arguments, sans « éloquence », portée par une Histoire spiralique et phénoménale. C'était encore de l'Histoire pourtant, un événement politique, une rébellion. Dans *Soufrières* ou *L'Île et une nuit*, c'est à la nature déchaînée que l'homme résiste, à la mort « naturelle » qu'il est confronté, sans armes ni instruments pour se battre.

Il ne reste guère à Marie-Gabriel qu'un « toit » pour symboliser, dans sa situation, la culture et la trace d'une vie sociale. Pourtant, si l'importance du « toit » est réaffirmée à de nombreuses reprises, depuis *L'Isolé soleil*, sa valeur culturelle, on va le voir, est bien ambiguë.

Le thème du toit apparaît pour la première fois dans le proverbe que Georges a gravé sur un bracelet qui circulera dans le récit, de Ti-Carole à Marie-Gabriel, en passant par Louis Delgrès. Ce proverbe dit ceci : « Voyage vers le village où tu n'as pas ta maison, mais voyage avec ton toit[94] ». Marie-Gabriel a hérité de ce bracelet que lui a légué son père ; proverbe et bracelet forment l'un des thèmes récurrents de la trilogie. Par conséquent, le « toit » n'est pas rien, il symbolise la présence, la main de l'homme, ce qui demeure au-dessus de l'homme, même dans l'exil, l'errance,

---

94.   *L'Isolé soleil*, p. 56.

comme une protection tutélaire. Il peut également signifier le legs, la transmission, de génération en génération, d'un objet totémique, d'un lien profond à l'histoire et d'une parole éclairante.

Mais cette parole, si l'on y réfléchit précisément, n'est pas un guide très « clair ». Il est, en effet, paradoxal qu'un toit soit transportable, et ne coïncide pas avec la maison. Est-ce à dire qu'un toit, protection modeste doit préserver l'être humain, même le plus errant ? Que représente alors ce « toit » qui n'est pas « maison » ? Ne faut-il pas entendre ici un calembour sur toit / toi ? *L'Isolé soleil* atteste de ce jeu de mots, au moment de la naissance de Marie-Gabriel. En effet, Marie-Gabriel s'adresse à sa mère Siméa en ces termes : « nous créons du désir sans vengeance ni nostalgie, ni objet ni sujette l'une de l'autre, sans maison ni village mais pas sans toit. Oui, pas sans toi[95] ».

Le proverbe suggérerait donc : « Voyage sans oublier de t'emporter toi-même, tu es ta seule résidence, ta seule protection ? » Il rappellerait à Marie-Gabriel que le vrai « toit » est le moi, l'identité profonde de l'être humain où qu'il se trouve. Dans cette acception, le proverbe n'affirme pas la nécessité d'une structure sociale, d'une protection culturelle, puisqu'au contraire, le moi / toi est nu et solitaire, à l'instar de Marie-Gabriel dans *L'Île et une nuit*. Une fois de plus, les symboles sont polysémiques. Il est bien difficile d'accorder un sens à ce « toit » qui ne sauve que médiocrement du désastre.

En réalité, ni la musique, ni la maison, ni le coup de téléphone à Adrien ne sauvent Marie-Gabriel du cyclone. Le cyclone « est parti. L'angoisse poursuit sa route caraïbe[96] », c'est tout. D'ailleurs, Marie-Gabriel n'a plus de toit, au sens littéral : « Des Flamboyants rasés, il ne restera que la dalle », et plus loin : « l'écroulement de la toiture avait à moitié rasé l'arrière de la maison[97] », dit le narrateur faisant le bilan. Quels héritages, quelles lois ou quelles paroles auraient quelque chance de lutter efficacement contre les forces telluriques et cosmiques ? Quel symbole permet de maintenir ou construire un monde humain devant une

---

95. *L'Isolé soleil*, p. 248.
96. *L'Île et une nuit*, p. 152.
97. *Ibid.*, p. 169.

telle calamité ? Faut-il même se battre contre le cyclone ou le laisser achever son œuvre de destruction et de purification, véritable déluge salvateur qui annonce une nouvelle naissance ? La nature serait une alliée paradoxale qui détruirait ce qui doit être détruit, soufflerait aux hommes comme aux bêtes les quelques rudiments de savoir-faire qui fondent une « résistance naturelle ». On ne voit guère comment un véritable « sujet » humain, sujet parlant et échangeant adviendrait ici, dans un cosmos auquel l'homme est confronté davantage comme espèce, dans sa nudité et sa solitude, que comme sujet.

Marie-Gabriel devra « rebâtir [s]on être, [s]a maison, les poteaux d'angle de [s]on pays[98] ». Après la destruction, le déluge, le vieux monde est mort, l'héroïne est morte également, dit le narrateur. Répétant, en quelque sorte, l'expérience vécue à l'accouchement / mort de Siméa, et les symboles qui s'y faisaient jour, le texte affirme qu'une nouvelle naissance est possible. « Tu pourras te mourir » dit la voix de la septième heure à Marie-Gabriel, « mourir à nous pour une nouvelle naissance, celle où l'on n'accuse personne de sa vie retrouvée[99] ». Le mythe est donc ce qui permet de rejeter une histoire qui s'avère préhistoire, antédiluvienne. L'histoire de la colonie est balayée par un cyclone qui fait table rase et offre la chance d'une renaissance, sans parents, sans antécédents, en toute liberté, une fois encore, sans coupables ni péché originel – par exemple celui de la colonisation et de la traite – l'île est lavée de son origine, elle peut renaître à elle-même, sur de nouveaux « poteaux ».

La vision historique cède donc la place à une conception de la vie, comme cycles. Le cyclone est la mort transcendante qui invite à renaître purifié, sans déterminisme historique. La quête qui, dans *L'Isolé soleil*, avait permis de passer d'une origine à l'originalité et à l'immanence, aboutit ici à l'aspiration à une origine mythique, renaissance après la fin du monde. Il ne s'agit plus seulement de porter en soi son origine, mais de refonder le monde, de le re-créer totalement, comme si, décidément, l'histoire et ses héritages étaient insupportables. Au niveau de l'individu, dans *L'Isolé soleil*,

---

98.   *L'Île et une nuit*, p. 165.
99.   *Ibid.*, p. 159.

comme du monde, dans *L'Île et une nuit*, l'auteur semble rêver d'un univers sans passé, sans retour sur des ascendants et des géniteurs. Il s'agit, en fait, de se débarrasser d'une fâcheuse tendance à rejeter fautes et responsabilités sur les ancêtres, les parents, les générations précédentes, bref, à être « esclave de l'esclavage ».

De même que dans *L'Isolé soleil*, au moment de la naissance de Marie-Gabriel, la mort était suivie d'une renaissance, le moi rénové sera réveillé :

> « Si tu existes, repars à ta recherche
> Tu sais te réveiller[100] ».

Ainsi, l'homme errant, sans maison, porte bien son « toit », son moi en réalité, qui seul le protège, et lui permet de se refonder de façon autonome, solitaire. On voit bien ce qu'il y a de déni d'historicité dans ce mythe qui affirme l'existence et la résistance, dans un moi qui affronte directement les forces de la nature et réaffirme son être dans une résistance qui, paradoxalement, s'accorde avec la nature et ne l'affronte pas. Quel sujet antillais peut se dire dans une telle position ? Bien sûr, Marie-Gabriel est restée vivante, elle n'est pas devenue folle et ne s'est pas morcelée. La musique, la communication téléphonique, les traces d'un ordre humain lui ont sans doute permis de maintenir son intégrité. Pourtant, la parole est ici impuissante, elle est parallèle et non agissante, elle n'est pas organisation symbolique, tout au plus nourrit-elle un imaginaire qui fait écran à l'horreur[101].

---

100. *L'Île et une nuit*, p. 166.
101. Jacques Lacan, précisément, dans le « schéma L » ou dans l'analyse du « stade du miroir », oppose le « moi », livré aux identifications imaginaires, au sujet, qui tente de saisir, au-delà de l'axe imaginaire et à travers celui-ci, en quelque sorte, un axe du symbolique. Si l'imaginaire est un *medium* qui permet d'anticiper une virtualité du sujet, il n'est pas à lui seul capable de soutenir le sujet qui doit être, dans la mesure où l'image est nécessairement aliénante, image de l'autre qui fait écran au sujet. Tout écran, en effet, projette, permet de voir, d'anticiper une construction, mais en même temps, comme le mot l'indique, « fait écran », empêche d'aller quelque part. Les images du moi empêchent le sujet d'aller « là où ça était » et de symboliser dans le langage ce qui peut l'être. Lacan ne condamne nullement l'imaginaire, qui est constructif, anticipateur. Vouloir se passer de l'imaginaire,

On pourrait toutefois objecter que Marie-Gabriel, dans sa nudité, retrouve des gestes, des repères culturels, et peut-être historiques. Les cyclones précédents ont permis d'engranger une expérience dont témoignent la lettre de Saint-John Perse, les mesures de prudence, comme le fait de se réfugier dans la salle de bains. Le cyclone révèle donc une part de l'être humain qui est universelle, absolument nue, devant la catastrophe et une part culturelle qui retrouve des repères propres à son identité singulière. Cette tension extrême entre les pôles de l'historique et de l'universel laisse dans l'indétermination la nécessité d'un travail proprement historique et d'un échange de paroles qui sont les dimensions proprement sociales, symboliques, humaines des êtres. La relativisation de ces échanges symboliques, dans le roman, pourrait suggérer une parenté entre les hommes « nus », réduits à un corps et les animaux qui réagissent également à l'approche des cyclones et trouvent des réponses à l'environnement en s'adaptant.

Ainsi, il nous semble significatif que la Shéhérazade antillaise qu'est Marie-Gabriel n'ait pas d'interlocuteur. Il faut souligner en effet que dans les *Contes des mille et une nuits*, les contes, la parole, ont un réel pouvoir. Ils sont paroles et lien entre deux individus dont l'un parle et l'autre écoute. Les contes ont également force de symbolisation dans ce sens qu'ils vont transformer la situation, ils ont pour enjeu une sentence de vie ou de mort. Shéhérazade, en charmant le sultan, se sauve. Les contes la font vivre et rendent le sultan plus humain. Daniel Maximin, en se référant aux *Mille et une nuits*, crée l'illusion d'une symétrie, d'une ressemblance. Pourtant, c'est aux antipodes du dispositif des contes orientaux de Shérérazade que nous mène *L'Île et une nuit*.

---

ce serait vouloir se passer de toute image, de toute projection de soi, donc, à la limite, demeurer dans l'informe, le non-être. En revanche, en rester à l'image, c'est demeurer aliéné aux représentations et à l'Autre. L'axe de l'Imaginaire s'interpose entre le sujet et le Symbolique, c'est-à-dire qu'en même temps qu'il crée une difficulté à atteindre le symbolique, il offre un passage, une médiation vers celui-ci. Daniel Maximin, on le voit dans *L'Île et une nuit*, ne reconnaît que le « moi / toi / toit ». Marie-Gabriel, nue, démunie, seule, n'a pas accès à un monde symbolique, elle reste dans l'imaginaire du moi. Le langage, la relation à l'autre, demeurent, pour elle, sans repères.

En effet, la situation du discours, dans ce roman, est plus complexe et opaque. La parole est certes adressée. Mais de qui à qui ? De Marie-Gabriel à Adrien, d'un narrateur à son personnage, de voix anonymes ou élémentaires à Marie-Gabriel. D'autre part, la parole n'a pas de répondant direct. Aucun interlocuteur ne s'en saisit, Adrien n'est pas au bout du fil, personne ne répond à personne. Enfin, la parole n'a pas d'incidence sur la situation, elle n'a aucune influence sur le cyclone. En réalité, le cyclone n'est pas rendu plus humain, ni par la musique, ni par les paroles de Marie-Gabriel. La dissymétrie entre les *Mille et une nuits* et *L'Île et une nuit* est frappante.

Ici, deux êtres humains face à face vont s'affronter puis faire alliance par la parole. La loi totalitaire et terrifiante, injuste décret inspiré par l'angoisse du sultan devant une situation humaine banale, le mariage, va être fléchie et humanisée grâce aux paroles charmeuses et cependant vraies de la conteuse. Car les contes disent le vrai des relations humaines, des trahisons et de l'inconstance, des passions, de la ruse et de la volupté. La rencontre homme / femme en deviendra possible. Dans ce cas, la littérature est bien force de symbolisation humaine, elle unit les personnages en situation de parler et d'écouter une parole qui transforme la réalité de leur relation.

Là, une femme seule et nue face à un cyclone, totalitaire et terrifiant, désastre naturel et inflexible. Que peut la parole ? La littérature peut nous faire croire que la musique et la poésie font passer le temps, le temps que le cyclone « infléchisse » sa trajectoire ; elle ne peut nous assurer que le langage humain résiste à une telle agression. La fonction de la parole, du symbole et de la littérature nous semble dès lors bien différente[102].

---

102. À moins d'objecter que la parole est ici celle du livre adressée au lecteur. Dans ce cas, on pourrait se demander quel est le sens de l'histoire racontée et quel est son but. Peut-être la voix du livre, véritable Shéhérazade s'adresse-t-elle à un lecteur (antillais) qui réfléchit sur le sens de son identité et que cette nuit de cyclone aidera à trouver le véritable objet de sa « résistance ».

Du mythe à la création poétique

L'homme en mal d'une loi qui lui donnerait la clé de son univers historique et symbolique s'en remet donc à l'ordre naturel, à un réel écrasant auquel il donne pourtant forme dans le mythe. Le langage poétique tente alors de dire le mythe, dans de courts récits comme celui de la femme morte et de l'enfant, ou d'un Œil qui regarde Marie-Gabriel se débattant contre le cyclone, la comparant à Noé dans son arche. L'auteur, à travers le mythe, essaierait donc de symboliser ce qui échappe à l'ordre humain, ce que Lacan appelle le « réel », ce qui n'est pas symbolisable, la mort, l'origine, l'abjection, par exemple.

Le mythe, en effet, fait intervenir les forces surnaturelles et naturelles qui dépassent l'homme, le verbe y est plus grand que la parole humaine, il est divin. Dans le mythe, le garant de la loi est non humain, la loi repose sur des fondements à la fois naturels, physiques et divins. En fait, le mythe ne fait pas référence à une loi humaine, dans la mesure où celle-ci est problématique. Le mythe est ordre, il propose plutôt la représentation de catégories et d'essences, non la quête plus humaine et incertaine de positions et de valeurs. La loi humaine est compromis fragile, contrat, pacte, arrangement qui ne satisfait pas totalement mais rend possible un projet, historique, social ; le mythe est affaire de tout ou rien, absolu désordre ou ordre absolu, création totale à partir d'un rien, genèse issue du chaos, recréation absolue après le déluge. De cette manière, le mythe n'est pas parole mais verbe, il se comprend comme profération d'une vérité éternelle, alors que la parole humaine, le symbole, est instable, pris dans l'arbitraire du signe et la commutation.

Il faudrait revenir encore à la valeur fondamentale du symbole – *sumballein*, assembler – qui nous rappelle que le symbole est fait de deux moitiés. Le symbole, comme le signe linguistique, est partagé, entre le signifiant et le signifié d'une part, entre celui qui parle et celui qui écoute d'autre part. Le langage humain n'est pas un absolu, il est pragmatique, le sens fragile s'y glisse entre deux sujets parlants, au moins. La situation du discours transforme le sens, dans un accord inconstant qui peut laisser place à de nombreux mensonges et malentendus. À l'inverse, le verbe divin de la Genèse est tout, dit tout. Il n'a que faire d'interlocuteur. L'homme ne répond rien, le monde obtempère : « que la lumière soit et la lumière fut ». Le garant divin de l'ordre ne suppose nul accord, nulle négociation, nul lapsus.

Plus encore, il faudrait interroger ce qu'il en est d'un mythe sans dieu. Car le mythe chez Daniel Maximin, comme les forces cosmiques chez Alejo Carpentier ne sont pas nécessairement soutenus par une représentation religieuse ou mystique. Certes, personnifications et métaphores animent les forces cosmiques, Soufrière en éruption, cyclone. Le volcan parle dans le roman *Soufrières*, le cyclone voit dans *L'Île et une nuit*. Cela suffit-il pour construire un mythe ? Le langage poétique engendre ces personnifications et métaphores, mais il n'est pas créateur d'un ordre et d'une loi garanties par une transcendance. À l'inverse, la poésie est son propre monde, la création poétique rivalise avec la création divine, la puissance de l'imagination engendre mille images, mille fantasmes et créatures, mais elle est pure immanence. Elle ne se réfère pas à un principe qui soutiendrait son dire, comme le mythe se soutient de la référence à un dieu, ou à un accord. Le langage poétique, en ce sens, engendre une vision fantastique et non un mythe. On pourrait suggérer que l'image, le fantasme y sont tout-puissants, non le symbole qui organise, impose des places, des césures, propose au désir une loi.

La poésie est sœur de la parole du mythe, mais elle est orpheline de dieu. Si elle vise à s'instaurer « verbe », comme chez Mallarmé, chez Arthur Rimbaud, si souvent cité par Daniel Maximin, ou chez Aimé Césaire au « verbe parturiant[103] » et péléen, elle n'engendre que son ordre et ses lois propres. Elle suit son propre désir. Elle est une trace du sacré, mais elle n'est pas le sacré. Ainsi le poète est celui qui a des pouvoirs extraordinaires, véritablement créateurs, mais en même temps il connaît ses limites, son impuissance. Le poète rejette la parole coutumière, celle des transactions, du commerce humain, la parole usée des conversations courantes. Il est alchimiste, « tu m'as donné ta boue et j'en ai fait de l'or », déclare-t-il. D'autres dieux en ont fait un corps. Et

---

103. *Cf.* Daniel Delas, *Aimé Césaire ou « le verbe parturiant »*, Hachette supérieur, 1991.

le poète, chez Daniel Maximin, tel Dieu ou Rimbaud parle à sa créature : « À l'origine, je t'ai rêvée, puis je t'ai inventée. » Il s'est épris de sa créature : « J'ai dessiné tes contours que j'ai rêvé d'étreindre[104]. » Le poète s'imagine tout-puissant, sa langue, qui est invention, « a la puissance magique de détourner le vent ». Du moins peut-on rapprocher le « secret des tambourineurs-médecins des sons » de ce que le texte déclare à la septième heure : « Tous mes tambours t'ont protégé du vent[105] ».

Pourtant, le même texte fait entendre entre personnage et voix narrative le dialogue suivant : « Pourquoi n'emploies-tu pas ton art à empêcher la mort, puisqu'il te sert aussi à créer des vivants ? Et je te répondrai que je suis messager et non pas magicien[106]. » Ainsi le poète est à la fois celui qu'exalte un fantasme de toute-puissante imagination et celui qui avoue, avec une soudaine modestie, ses limites. Mais peut-être faut-il rappeler que celui qui parle, dans *L'Île et une nuit* n'est ni clairement désigné, ni toujours le même. Parfois poète, parfois narrateur, ici voix céleste et là voix de la musique, il n'a pas toujours les mêmes pouvoirs. Là encore, l'écriture de Daniel Maximin, en refusant de s'inscrire dans une loi d'expression – celle de la poésie, ou celle du roman – une fois pour toutes choisie, brouille les cartes. La voix narrative peut donc revendiquer le « verbe parturiant » d'un côté et la parole narratrice et limitée de l'autre, en les conjuguant.

En effet, si le « je » qui parle dans *Le Cahier d'un retour au pays natal* ou dans *Alchimie du verbe*, si celui qui profère

« [...] voyelles,
Je dirai quelque jour vos naissances latentes »

est bien pour le lecteur, le poète, l'alchimiste, on ne sait pas qui parle dans *L'Île et une nuit*. Tantôt, il s'agit d'un narrateur, si l'on prend le texte comme celui d'un récit, d'un « roman », ainsi que l'indique la page de titre, tantôt, il s'agit de Marie-Gabriel, et tantôt d'une voix anonyme qui lui répond. La voix peut être celle d'un

---

104. Daniel Maximin, *L'Île et une nuit*, p. 157.
105. *Ibid.*, pp. 114 et 159.
106. *Ibid.*, p. 163.

narrateur omniscient et surplombant comme dans la quatrième et la sixième heures mais elle peut laisser entendre les paroles d'un sujet personnel, qui dit « je » - « tu » ou « nous », « vous ». Il est difficile d'assigner une provenance, une identité à cette voix. Est-ce le narrateur, le poète, le scripteur, le livre lui-même, à l'instar de *Soufrières* où celui-ci prenait la parole pour s'adresser à Elisa, la petite folle ? L'identité de cette voix s'obscurcit encore d'être tantôt masculine, tantôt féminine « Je suis par ma nature ignorante des murs », dit-elle. On peut comprendre que la musique elle-même parle ici[107].

Ailleurs, la voix se réfère à un masculin, lorqu'elle dit : « je suis messager et non pas magicien. » Mais dans la même septième heure, un curieux accord inverse les rôles. Dans la proposition « Je t'ai inventée », en effet, « je » se réfère au narrateur et « inventée » à Marie-Gabriel, mais à qui renvoie la suite : « Puis tu m'as invitée » ? Le participe passé fait de celui qui parle un féminin, alors que le dialogue semblait se dérouler jusqu'alors entre Marie-Gabriel et le narrateur / poète, son créateur qui s'adressait à elle. De la même façon, la phrase « Tous mes tambours t'ont protégé du vent » est énigmatique. On pouvait la croire adressée à Marie-Gabriel par le livre ou le créateur / scripteur. Mais alors pourquoi cet accord au masculin ? Le dialogue inverserait-il les interlo-cuteurs ou la voix se déplacerait-elle au fur et à mesure, tantôt homme-créateur parlant au personnage-femme, tantôt musique parlant au narrateur voire au livre ? La voix ne se contenterait pas de varier d'une nuit à l'autre, ce qui est relativement repérable, mais d'une phrase à l'autre. Le texte brouille les pistes. Même les formes grammaticales, par lapsus ou choix délibéré, se refusent à servir de repères.

La voix-livre, poète qui parle ici est d'une certaine manière encore plus libre, encore plus toute-puissante que celle du poète, car elle est partout à la fois. Elle est multiple et elle n'est rien. Elle est voix « d'encre » comme le personnage est texte : « je te laisse, toi l'imaginée », qui disparaît, à la fin du livre, retournant au « mirage » des mots[108]. La créature n'est que « masques », sans

107. *L'Île et une nuit*, p. 97.
108. *Ibid.*, p. 155.

réalité, mais en même temps toute la réalité du texte. Ainsi le texte affirme : « Tu vas, en ultime message pour différer ta mort cette nuit, répandre le long tracé de tes pages d'écriture[109] ».

La parole poétique, qui procède d'instances multiples, s'énonce dans des voix diverses et même contradictoires, devient donc l'autorité capable d'engendrer des histoires dont le seul garant est l'imagination. Le récit de la sixième heure est ainsi création et naissance dans l'imagination : « La réalité de l'imagination était si puissante qu'elle prenait des formes d'horreur que seul le désastre pouvait susciter[110]. » La référence au *Bateau ivre* de Rimbaud, image des Flamboyants pris dans un déluge, voire image de l'île entière en « dérade », véritable arche de Noé, ancre le récit dans la dimension du verbe et du délire, de l'ivresse créatrice de l'imagination et du poème. Il faut peut-être entendre le double sens de la question :

> « Aurait-elle voulu avoir montré à l'Enfant des poissons d'or et des poissons chantants, des écumes de fleurs sous les cheveux des anses ? L'emmener en bateau afin d'illuminer de merveilleuses images l'idée du déluge en allé, ivre après sa fin du monde[111] ? »

Il se pourrait que le texte assume l'équivoque de l'expression « emmener en bateau » qui au sens courant signifie « leurrer, bercer d'illusions ». Dès lors le texte, narration ou poème se déploie dans la toute-puissance de l'imagination et du jeu verbal, suscitant des mondes, des créatures, tout en se sachant fait de mots et d'ombres, de « mirages » et d'encre. À la différence des mythes de genèse ou des mythes qui structurent les sociétés primitives, la création littéraire devient « verbe » tout-puissant, tout en assumant la dimension de fantasme, de pure création verbale. Les mythes primitifs ont pour garant un ordre divin, une force transcendante, les mythes poétiques n'ont pour garant que la poésie. Ils sont en cela parfaitement utopiques et visionnaires.

---

109. *L'Île et une nuit*, p. 163.
110. *Ibid.*, p. 143.
111. *Ibid.*, p. 136. Les italiques sont dans le texte.

En effet, se prenant pour son propre univers, dans lequel l'ordre décidé par le poète et par son langage, fait loi, la poésie ne rend de comptes qu'à elle-même. Désordre et ordre s'y jouent du sens plus qu'ils ne font naître le sens. Daniel Maximin s'inscrit dans cette dimension de la poésie plus que dans la relation mimétique et symbolique du roman qui ne cesse d'interroger la loi humaine. Le langage n'est plus un langage de communication ou de vérité sociale, il est verbe créateur et enivrant qui se substitue au monde. Les mots ne sont plus des signes linguistiques mais des notes, une matière sonore et métaphorique qui constitue une palette d'images et d'impressions, à l'instar de la couleur et des formes en peinture.

Musique des mots, des phrases au phrasé

D'une façon à la fois logique et inattendue, dans un texte qui s'assume comme livre, et prend pour modèle les *Mille et une nuits*, le texte ne cesse de proférer sa méfiance à l'égard des mots. C'est toujours, en effet, à partir d'une défiance ou d'une déception à l'égard du langage commun que le poète souhaite « donner un sens plus pur aux mots de la tribu », voire inventer son propre langage. En ce sens, *L'Île et une nuit* formule le paradoxe omniprésent de la trilogie. En effet, si le pouvoir des contes est affirmé à travers la référence à Shéhérazade et aux « mille et une nuits », si le colibri semble avoir résisté au cyclone, le narrateur estime pourtant qu'« il est parfois des paroles qui font désespérer de la parole. (*Seule la musique arrive à ne jamais faire désespérer de la musique*[112].) En réalité, le langage qui permet à l'homme de symboliser, dans la parole, est tenu en suspicion. Ailleurs encore, l'enfant du conte a peur « de se mettre à fabriquer des sentiments attachés à des paroles sans raisons d'eaux profondes[113] », comme si paroles et sentiments étaient erratiques, sans repères, sans authenticité.

Il est certain que les discussions, dans la trilogie, aboutissent le plus souvent à des apories, et que les phrases, les mots s'opposent, se déplacent, se défont plus qu'ils ne réussissent à signifier. Les

---

112. *L'Île et une nuit*, p. 86.
113. *Ibid.*, p. 133.

mots réduits à leurs composantes sonores ou littérales, retravaillés hors de la chaîne signifiante pour entrer dans un vaste jeu de puzzle, ne sont pas les garants de la signification. Le langage ne sert plus à défendre des interprétations mais à permettre une ambivalence, un suspens, une ouverture à toutes les interprétations. En ce sens, il est langage de poète et non de romancier, il ne s'inscrit ni dans le projet mimétique du roman réaliste, ni dans le projet discursif du roman à thèse. Aux paroles et aux idées, le narrateur préfère la musique, il n'a de cesse de le répéter. Le langage n'a de valeur que devenu lui-même musique, assonances en [el] qui se déclinent en aile, elle, Gabriel, Daniel, ou en [i] dans île, lui, il, mille, nuit ; refrains, modulations, innombrables passages de texte qui semblent écrits pour le rythme.

On pourrait citer au hasard. Ainsi cet extrait, à la troisième heure : « Souviens-toi qu'il était une fois pour toi et moi un beau soir aussi seuls que cette nuit » où une rime intérieure en [wa] et une allitération en [s] font une musique plus sensible que n'est clair le sens, dans la succession de groupes nominaux juxtaposés assez librement. Les rimes intérieures rythment la proposition à défaut de ponctuation. La phrase continue car il s'agit d'un long paragraphe :

> « et le bonheur a poussé la porte ouverte sans se frapper, pour ne plus rien savoir, si ce n'est le désir partagé du plein et du délié, et notre sang s'est dressé, cabré, rebiffé, blessé, relevé, révolté de tant de virevoltes passées, pour le mariage de nos purs sangs jetés à l'eau... »

L'énumération des participes passés en [e], les allitérations en [s] ou la paronomase entre « blessé » et « dressé », puis le jeu de mots entre « révolte » et « virevolte » sont à la fois rythmes et musicalité qui guident la phrase dans un élan. Le mouvement n'est plus seulement idée mais impression, ligne mélodique d'une phrase emportée dans ses associations. Le « désir » et l'émotion suggérée dans le mot « sang » ont vite fait de glisser par métaphore au galop du cheval « dressé, cabré », des « purs sangs », associés par métonymie à la race, dans le contexte des Antilles[114]. La pratique constante des glissements de signifiants, ici entre frapper à la porte et « se frapper », entre sang pur et pur-sang, ou entre « révolte » et « virevolte », confirme le travail d'une langue désarticulée, poétique, qui, par associations de sons et de métaphores, déplace les thèmes sans être assujettie, ni à la syntaxe courante, ni aux significations préétablies. La langue poétique est une langue décomposée qui recompose à partir des signifiants une musique, un air, une partition dont le sens n'est pas privilégié. Un titre comme « l'air de la mère », dans *L'Isolé soleil*, y prend une signification nouvelle.

C'est, toutefois, dans le troisième roman, *L'Île et une nuit*, que s'affirme le triomphe de la musique, déjà annoncé dans *L'Isolé soleil*. Dans le premier roman, le jazz, on l'a vu, était la véritable source d'une libération, dans le dernier, la musique « enchante » un monde totalement écrasé par le déluge qui s'abat. Daniel Maximin a confirmé cette importance de la culture et de la musique en particulier, dans de récentes publications. Il écrivait ainsi, dans un article intitulé « L'identité littéraire aux Antilles » :

> « Dès l'origine, la culture antillaise, c'est le passage du cri au chant, de la chaîne à la danse. L'artiste esclave de la loi de réalité, improvise un art dont la nouveauté esthétique a pour fonction de donner forme possible à l'espoir, en manifestant à sa communauté par l'exemple de son engagement éthique et esthétique, la possibilité d'émergence d'un avenir libéré, édifié dans la nuit du blues et du tambour-ka[115]. »

---

114. Peut-être faut-il voir ici la réminiscence d'un poème d'Aimé Césaire publié dans *Tropiques* en 1941 :
« Et voici mon ouïe, tramée de crissements
et de fusées, syncoper des laideurs rèches,
les cent purs-sang hennissant du soleil,
parmi la stagnation », « Fragments d'un poème », *Tropiques, op. cit.*, p. 10.

115. Daniel Maximin, « L'identité littéraire aux Antilles », *in* « Le roman francophone actuel en Algérie et aux Antilles », études réunies par D. de Ruyter-Tognotti et M. van Strien-Chardonneau, *CRIN 34*, 1998, pp. 71-74. *Cf.* également *Tropiques métis*, Musée national des Arts et Traditions populaires, 1998.

Ainsi Marie-Gabriel ne semble devoir sa survie qu'à l'audition de bandes de jazz qu'elle dévide toute la nuit, reconstituant intérieurement les morceaux. « Tous mes tambours t'ont protégé du vent », déclare à la fin, le narrateur[116]. Pourtant le cyclone ne fait que passer et s'arrêter, nul ne peut s'opposer à lui. Mais le conte peut faire croire que la flûte de Pélamanli-Pélamanlou ou le tambour ont eu raison de la violence de la bête. Le narrateur ou la voix du texte qui parle, dans la septième heure est plus modeste, laissant un message plus ambigu sur le pouvoir des mots : « Je n'ai rien pu faire moi non plus ce soir. (...) Je ne peux rien contre ce déluge noyé[117]. » Le livre n'est pas tout-puissant contre le cataclysme. Il se fait « médiateur », prophète d'un futur plus que puissance créatrice. Il confie son interlocutrice à son « désir de vivre ». Une fois encore, il affirme le primat du naturel :

> « une vibration de chair, un élan nu qui remonte le corps de l'estomac au cœur, un tracé de soleil qui éclaire les sentiers de l'être, de l'île, plaines, plages, pleines pages, nues, plurielles (...) Tu vois, toi et moi, nous allons nous déshabiller de phrases[118] ».

Les mots ne sont que le passage vers un désir de vie qui s'affirme en termes quasi physiques, « soif », « faim », « élan nu » qu'ils masquent le plus souvent. Ils ne retrouvent le chemin de la nature que s'ils sont « déshabillés », c'est-à-dire détournés de la servitude syntaxique pour renaître comme purs signifiants et para-digmes, « ailes, île, elle, l, oiseau ». La parole ne peut agir que comme « beau chant giclé », poème, et plus encore musique. Sans doute le travail de déstructuration des phrases auquel *L'Isolé soleil* se livrait en jouant avec les anagrammes a-t-il pour enjeu de rendre le langage à sa musicalité et de l'arracher au domaine des significations. Le texte obéit à un double appel, vers plus de réel, de nature, de chair d'un côté, vers plus de musique de l'autre. Entre les deux, le langage commun, les « phrases » sont un masque, un

---

116. *L'Île et une nuit*, p. 159.
117. *Ibid.*, p. 161.
118. *Ibid.*, p. 166.

habillage qui ment, opacifie, inquiète, brouille la lisibilité du monde plus qu'il n'en décrypte l'ordre.

Par conséquent, la musique est précisément l'ordre qui permet de rendre compte, à la fois dans le conte et dans le poème, de la puissance du verbe. Si donc les contes se mesurent au cataclysme, c'est cependant la musique qui triomphe de la bête. Dans le conte créole, Daniel Maximin privilégie la musique, la flûte de Pélamanlou, le tambour de colibri, les refrains des comptines et des berceuses. Le conte est reconnu dans sa dimension incantatoire et magique. À la fin de *Soufrières* déjà, un conte racontait comment « Le crapaud (...) dit le MOT incorruptible, oublié, perdu, plus vieux que la tristesse du monde. Et le mot devint lumière de l'aurore[119]. » Le conte permet d'accéder à un « MOT » majuscule qui n'est certainement pas « les phrases », au pluriel. Le mot magnifié, magique, renoue avec un univers perdu, il est verbe et acte. Il transfigure le monde. L'art – poésie, musique ou peinture – est la dimension qui permet de rendre compte des phénomènes les plus radicalement hétérogènes à l'ordre humain. Plus que la parole, l'art ouvre un lieu qui est à la fois humain et non humain. Il ne s'agit plus de parole de communication et de signification, mais d'un verbe capable de créer la présence et la mort, de dire tout ce qui n'est pas habituellement symbolisable, ce qui effraie, tout ce que l'homme pressent et redoute, qu'il ne maîtrise pas : la mort, le cataclysme, le trou noir du passé, et de l'origine, la parole absolue et perdue. En ce sens l'art mobilise un langage qui, à sa façon, montre ce que la parole ne réussit pas à symboliser. Il ordonne, dans la mise en forme abstraite qui est la sienne, un monde que la parole comme logos ne fait qu'approcher et dont elle ne peut rendre compte.

---

119. *Soufrières*, p. 269.

L'art et le sacré

Si dans *L'Île et une nuit*, comme dans *L'Isolé soleil*, c'est la musique qui résiste et triomphe de la bête, dans *Soufrières*, c'est également la peinture, à travers les tableaux de Wifredo Lam, qui permet d'ordonner le monde. Musique ou peinture, l'art est la puissance créatrice. La référence faite ici par Daniel Maximin à la peinture de Wifredo Lam n'est pas anecdotique. Les textes de la trilogie citent très souvent ce peintre. Mais surtout l'auteur découvre chez Wifredo Lam l'art d'un initié. Dans un entretien avec Aimé Césaire puis avec Thomas Mpoyi-Buatu, Daniel Maximin est revenu sur l'importance, chez Wifredo Lam, de la spiritualité africaine.

> « Lam, disait-il, est un peintre initié, c'est un peintre dont la grand-mère était une prêtresse vaudou qui a initié et donné sa protection à l'enfant Lam en lui disant que quand il sera grand, il exprimera cette force des dieux. Et c'est la seul explication en effet que l'on peut donner à cette spécificité des tableaux de Wifredo Lam et de cette puissance de l'homme ancré avec des pieds énormes dans une terre[120] ».

Daniel Maximin estime que « l'imaginaire africain, la spiritualité africaine ont voyagé avec les esclaves ». Il corrige une idée très répandue en ces termes :

> « On a trop souvent mis en avant l'image que les esclaves sont arrivés les mains vides. On oublie que même si on n'a pas les statues et les totems, on a quand même dans la tête, l'imaginaire. Et qu'on peut garder la spiritualité, on peut garder le contact avec la nature de laquelle on provient, le contact avec un certain

---

120. Thomas Mpoyi-Buatu, « Entretien avec Daniel Maximin à propos de son roman *L'Isolé soleil*, *Nouvelles du Sud*, Fasc. 3, pp. 35-50. La biographie de Wifredo Lam par Max-Pol Fouchet parle d'une marraine et non d'une grand-mère. *Cf. Wifredo Lam*, Éditions du cercle d'art, Paris, 1989. *Cf.* également « Aimé Césaire : la poésie, parole essentielle », entretien avec Aimé Césaire, *Présence africaine*, n° 126, 1983, pp. 7-24.

nombre d'images, de rites de sa société d'origine, même en prison. »

Une telle réflexion, bien antérieure au roman *L'Île et une nuit*, mais vraisemblablement contemporaine de l'élaboration de *Soufrières*, confirme l'importance de la nature physique comme protagoniste essentiel des deux romans qui ont suivi *L'Isolé soleil*. La nature est une force en laquelle perdure une présence sacrée.

Par conséquent, s'ancrer dans la terre, même avec « d'énormes pieds », ce n'est pas manifester un matérialisme mais, à l'inverse, communiquer avec les dieux, avec les puissances primordiales du vaudou, avec les « loas ». La peinture de Wifredo Lam est un espace dans lequel survit un sacré, les titres en témoignent, à l'instar de « Danse pour Damballah » ou de « La rumeur de la terre » cité dans *Soufrières*. La peinture est art de l'initié qui convoque une présence divine, ou surnaturelle, comme le graphisme tracé à terre par le prêtre vaudou, cette sorte de hiéroglyphe appelé « vévé » dont on retrouve certains signes chez Wifredo Lam. La présence du vaudou est de même bien attestée dans l'œuvre de Daniel Maximin, à la fois par la référence aux dieux, aux rituels et aux incantations de Miss Béa, dans *L'Isolé soleil*, et par la présence si fréquente de jumeaux dont Alfred Métraux a montré qu'ils sont une divinité du vaudou : les Marassa[121].

Cependant, il n'est pas indifférent que « les statues et les totems » aient disparu et que seul « l'imaginaire » subsiste. La poésie est une sorte d'initiation, pour reprendre les termes d'Aimé Césaire, mais initiation sans dieu[122]. C'est pourquoi Daniel Maximin parle de « spiritualité » plutôt que de religion. Le sacré, pourrait-on suggérer, subsiste à l'état de trace dans l'art, comme dans la tragédie grecque subsiste la trace du dithyrambe et des cultes dyonisiaques, selon Nietzsche. De même que la tragédie

---

121. Alfred Métraux, *Le Vaudou haïtien*, Gallimard, Tel, 1958.
122. Là encore, on pourrait faire la remarque que le symbolique s'efface au profit de l'imaginaire. La religion comme langage institutionnel, autorité, ensemble complexe qui constitue un puissant ordre symbolique, ne subsiste que dans son reliquat imaginaire, mystique poétique, effusion lyrique ou symboles plus artistiques que religieux. La religion inspire mais n'organise pas.

grecque est née en se séparant des rituels religieux, de même Wifredo Lam est devenu peintre en refusant de prendre la suite de sa marraine « mambo » et en allant apprendre la peinture en Espagne.

Le sacré n'existe donc qu'à l'état de trace dans l'art, dans la peinture ou dans la poésie. Si l'artiste est initié, il n'en est pas pour autant prêtre. Peut-être l'artiste a-t-il la nostalgie de cette autre initiation qui l'aurait fait prophète, et c'est en quoi il regarde vers le mythe ou le verbe. Pourtant, il lui faut assumer cette perte. C'est dans ce mouvement et cette hésitation que s'inscrivent des textes qui, constatant l'absence de loi et de repères dans l'histoire, regrettent peut-être le temps où une parole transcendante fondait l'ordre. Alejo Carpentier ou Daniel Maximin commencent par conséquent leur récit par la mort des pères et dans le désordre jouissif qui s'ensuit. C'est dans ce deuil que s'origine une quête d'un nouvel ordre, d'une nouvelle loi. Mais les deux écrivains échouent à refonder l'ordre ; le suspens se prolonge en aporie. Il est vraisemblable que l'on en reste à la contemplation d'une perte. Les hommes ne peuvent refonder dans l'Histoire un ordre symbolique, tout est usurpation, ou non-sens, il vaut mieux dès lors se confier au chaos du monde, en espérant qu'il recèle un ordre cosmique secret[123].

La poésie est alors le langage qui réunit le chant de l'individu et le chant du monde. Elle dit à la fois la nostalgie du sacré et la perte mélancolique de la transcendance. De cette situation de l'art, témoigne l'entretien entre Aimé Césaire et Daniel Maximin. En effet, après avoir longuement évoqué Wifredo Lam et les dieux africains, Aimé Césaire évoque le souvenir d'une fête en Casamance, au cours de laquelle il avait reconnu dans un masque, le diable rouge familier du carnaval Martiniquais. Il affirme à travers cette anecdote que le sacré africain a été avili aux Antilles :

---

123. Le poète, l'artiste n'ont sans doute aucun intérêt à refonder un ordre. Ils préfèrent le « dérèglement de tous les sens », la toute-puissance de la vision. C'est pourquoi il y a une ambiguïté dans le roman qui se veut réaliste et en même temps œuvre d'art, poème. D'un côté, il semble questionner la loi et chercher à définir un ordre social meilleur, de l'autre, il tire jouissance et créativité de l'instabilité et de l'absence des pères.

« Et voici le drame de l'histoire antillaise, déclare-t-il. Ainsi je crois que le sacré existe chez nous, mais il s'agit d'un sacré qui est profané, il s'agit d'un sacré qui est galvaudé, et s'il s'agit de retrouver le sacré, il faut le retrouver par les voies de l'art, il faut le retrouver par les voies du langage, par les voies de la poésie. »

Pourtant, ce n'est sans doute pas de croyances et de religion que les auteurs se mettent en quête par ce biais, mais bien d'une spiritualité et même d'une signification politique : « Retrouver le sacré cela veut dire redonner son énergie au sacré, autrement dit : redonner au sacré la dimension révolutionnaire, au sens propre du mot. »

Daniel Maximin insiste alors sur la perte de la signification religieuse : « vous dites qu'il est profané, on peut aussi dire qu'il est profane. » Puis évoquant le « tambourineur [qui] frappe le gros-ka », il ajoute :

« Disons que chez nous la chose s'est profanée dans la mesure où nous ne savons plus quel était le message des dieux, quel était le sens de cette communication avec l'autre, nous avons gardé la frappe, (...) autrement dit nous sommes, à la limite, dans le sacré sans le savoir. »

En reprenant le terme « profané » qu'emploie Aimé Césaire et en lui substituant le terme « profane », il semble que Daniel Maximin veuille mettre l'accent, non sur la dégradation de la spiritualité, mais sur sa transformation et sa réactualisation dans l'art, pratique profane mais de haute valeur. Par conséquent, l'art est défini comme une expérience profane qui conserve une trace inconsciente du sacré. Là où Aimé Césaire voit le signe d'une « aliénation », Daniel Maximin voit une transmutation de formes qui permet de valoriser l'art.

On comprend, dans ce contexte, que le langage du romancier soit bien un langage poétique et musical qui tend vers l'incantation, l'abstraction et la forme. Il aspire à se faire trace d'une présence sacrée, d'un verbe divin, d'une prophétie hautement significative. Mais en même temps, il désigne la perte de la prophétie, de la présence divine. Bien que romancier, son langage est celui du poète, car c'est dans l'articulation entre les deux genres qu'il peut dire, semble-t-il la perte. Il n'aborde le roman que pour en miner les soubassements, dépasser la visée mimétique et critiquer la parole comme discours. Il glisse du roman au poème, subrepticement, afin de récuser les *a priori* du monde romanesque et les certitudes référentielles. Plutôt que d'écrire des poèmes, cependant, il fait semblant d'écrire des romans pour inscrire à l'intérieur même du monde des représentations sociales, discursives, un dysfonctionnement qui amène le lecteur à mettre en question le sens. Pris dans l'errance des signifiants, le lecteur en vient à admettre que la loi qui régit le sens et le langage n'est pas dans l'Histoire, dans le contrat social, mais dans l'imagination propre au sujet d'une part, dans la trace d'un verbe sacré d'autre part. C'est le frottement entre les deux lois qui fait l'efficacité de l'univers romanesque de Daniel Maximin et occasionne un trouble prolongé dans la lecture.

Si Daniel Maximin avait choisi d'écrire des poèmes, le lecteur serait d'emblée entré dans l'acceptation de la polysémie ou du surréalisme, de la dérive et de l'imagination. Aucune transgression n'aurait résulté d'un tel choix. En écrivant d'abord des romans, dont le premier semble être historique ou évoquer, d'un point de vue assez réaliste, des Antillais aux prises avec leur Histoire, il semblait s'installer dans la *mimesis* et poser les problèmes de la réalité sociale, dans la logique du discours et du temps. En réalité, le roman glissait vers une dérive, un « envol » du langage qui contredisait cet enracinement dans le discours. Une autre « loi d'expression » se substituait à celle de la *mimesis*. La parole du sujet et des sujets, le verbe poétique, dynamitait, « piratait » l'histoire, comme narration et comme vision historique. Le terrain romanesque sur lequel l'auteur avait planté son décor était pris d'un tremblement. Le séisme qui s'ensuit était prévisible. Péninsule en dérade, le texte de Daniel Maximin devient bateau ivre. Si le lecteur continue à y rechercher la logique d'un récit ou d'une réflexion sur l'histoire, il n'y comprend plus rien. Si, à l'inverse, il accepte de faire une lecture poétique, il peut, par associations et analyses des signifiants, décrypter un secret.

N'est-ce pas la rencontre entre deux lois d'expression qui intéresse Daniel Maximin et justifie l'absence de choix ? C'est la rencontre du langage poétique et du langage romanesque qui produit le « piratage » de l'histoire. Et c'est en même temps une vérité historique que désire proférer Maximin. Il ne cherche pas à déserter la scène de l'Histoire, mais à faire entendre, sur le terrain de l'Histoire, une vérité qui n'y est pas entendue habituellement. C'est en cela que le frottement l'intéresse. Il est en effet évident que la vérité poétique de Daniel Maximin a valeur de message social. La poésie et la musique sont les deux faces du seul langage qui libère l'homme, et le Noir. Ce n'est pas dans l'élaboration d'idéologies et de théories historiques que le Noir se libère, mais dans une révolution musicale et dans la création poétique. Cette vérité qui pourrait sembler vérité de poète, il importait sans doute à l'auteur de la faire entendre comme une vérité historique et sociale. La liberté individuelle et l'imagination sont les armes de l'auteur, il appelle tous les hommes à s'en saisir, même pour lutter contre / avec les cyclones.

Conclusion

Daniel Maximin ne résout donc pas la contradiction entre prose et poésie, langage romanesque et langage poétique, au contraire, il les met en relation pour qu'une nouvelle vérité se fasse jour. Dans la contradiction, chaque loi s'avère insuffisante : le poème, qui n'a pas toute liberté, rencontre la chronologie et le système généalogique ; le roman, en revanche, ne peut dérouler sa logique, car les discours des personnages sont détournés, le dialogisme est repris dans un verbe poétique unique ; enfin, le mythe ne peut croire en lui-même au point de recréer un monde originel, tous les systèmes tournent autour d'un manque[124].

---

124. Dans un entretien qu'il nous a accordé en février 1998, Daniel Maximin exprimait très clairement cette contradiction entre la nécessité de fonder ses propres mythes, ses symboles, autour de Louis Delgrès, par exemple, et la crainte de pétrifier le passé en valeurs vénérables et écrasantes. Il ne fallait pas, selon l'auteur de *L'Isolé soleil*, faire de Louis Delgrès un « saint ». Le mouvement de démystification est donc proportionné à l'élan fondateur.

En ce sens, le texte ne peut désigner une loi, il ne peut qu'éprouver le manque de loi, la nostalgie d'un ordre symbolique, qu'il soit celui du sacré ou de l'Histoire. En même temps, il se réjouit de cette perte comme d'une liberté. En cela, il est véritablement profane. Dans la littérature, le mythe est orphelin. Il ne peut se tourner vers le principe transcendant de sa légitimité, il n'ordonne pas le monde. Il ne peut être que trace d'un sens perdu, il est « sacré sans le savoir », et peut-être également « révolutionnaire » sans le savoir. On comprend, dès lors, le caractère hybride et baroque d'une écriture dont les transgressions sont la force et la faiblesse, en l'absence d'une pleine légitimité de la parole.

À l'instar d'Orphée, son maître, cette écriture obéit à son seul désir, c'est pourquoi l'exil l'entraîne dans une errance infinie. Si la poésie hante le royaume des morts, en effet, c'est toujours *in fine* pour échouer, car le poète refuse d'entendre la loi : il oublie la condition qui seule l'autoriserait à ramener Eurydice. L'attirance pour l'image est trop forte, le désir trop puissant, et le poète se retourne toujours trop tôt. Il met ainsi la parole et le symbole en échec[125]. Alejo Carpentier et Daniel Maximin répètent cette fascination pour l'image, le désir, le fantasme tout-puissants. Ils y trouvent une liberté exaltante, certes, mais y perdent toute chance d'entendre la loi qui rendrait Eurydice à la vie et son sens à l'Histoire.

La quête d'Édouard Glissant pourrait apparaître de la même façon comme la recherche d'une « loi d'expression » (terme que nous lui avons emprunté et qui apparaît dans *Le Discours antillais* et dans *Malemort*), et d'un ordre symbolique conduisant à

---

125. Une réinterprétation du mythe d'Orphée à la lumière des concepts lacaniens serait fertile. On y verrait peut-être un Orphée au stade du miroir qui anticipe l'image d'Eurydice, réalisant la première phase formatrice, sur l'axe de l'imaginaire. Mais ne sachant résister à son désir narcissique d'étreindre l'image immédiatement, il ignore que l'axe de l'imaginaire n'est qu'un médiateur / écran de la symbolisation. Orphée n'accepte pas la castration et la limite que lui impose la loi. Il veut tout et veut Eurydice toute, tout de suite. Il la perd faute de la gagner dans la symbolisation, non pour ce qu'elle serait, image séduisante, mais pour ce qu'elle est dans une position symbolique dans laquelle le contrat passé avec Hadès, père symbolique et représentant de la mort, de la castration, joue son rôle. Eurydice retourne au réel de la mort, à l'impensable autre bord, faute de symbolisation.

reconnaître la perte du sens et la trace d'un secret, d'une parole, irrémédiablement perdus. Dans cette œuvre se poursuit la même interrogation sur le sens d'une Histoire ou des histoires antillaises. Le désir pourrait y rencontrer une loi, nous verrons à quelles conditions.

Édouard Glissant
La Case du commandeur, 1981

Introduction : une analyse datée

La Case du commandeur est, dans l'œuvre d'Édouard Glissant, le moment le plus aigu où se donne à lire une opacité, un « dévoilement différé ». La vérité est inaccessible, l'oubli et l'impossible sont au cœur même de la révélation. Se plaçant au centre même du délire collectif et individuel, le texte cherche ce qui pourrait bien faire loi dans ce chaos. Il cherche à réordonner une histoire et une filiation. Nous poursuivrons donc, dans cette œuvre, la quête commencée à travers les romans d'Alejo Carpentier et Daniel Maximin, réflexion sur le désir et la loi confrontés l'un à l'autre dans le récit d'une Histoire brouillée, véritable creuset d'un ordre insaisissable tant il est perverti. Nous verrons que, loin de formuler la loi qui réorganiserait le monde, le roman en montre l'absence, en dessine en creux les limites. Plutôt que de se saisir fantasmatiquement d'une image congruente, séduisante, du monde, il cherche la ligne de fuite qui mettrait en perspective la vision, permettrait de percevoir valeurs et volumes et qu'Édouard Glissant a nommé ailleurs point de la « Relation ».

Le monde de *La Case du commandeur* n'est pas mimétique du monde social, il n'en donne des fragments que pour interroger le manque d'unité d'un corps morcelé. Au-delà de l'image à construire dans le miroir, nous verrons qu'il s'inquiète de la position symbolique, du point de vue capables de réorganiser les « relations », la re-liaison, pourrait-on dire. En ce sens, le roman d'Édouard Glissant nous semble une tentative exemplaire de penser, dans la littérature, « la loi d'expression » et d'interprétation d'un monde énigmatique. Il ne lui substitue pas immédiatement l'ordre imaginaire que les romanciers sont enclins à préférer au désordre social. Son écriture saurait, par son suspens, laisser entrevoir au-delà de l'imaginaire et de son miroir, de sa toute-puissance enivrante, une ligne de partage symbolique entre le réel impensable, inaccessible, de la mort et de la déchéance, et le sujet qui cherche son nom.

Après *Malemort* publié en 1975, Édouard Glissant confirme son analyse de la société antillaise comme société morbide, prise dans une « névrose collective ». Il publie, en effet, la même année 1981, *Le Discours antillais* et *La Case du commandeur* qui, parallèlement, explicitent le malaise psychique d'une collectivité à la dérive. Si les comptes rendus de presse de l'époque font l'éloge des deux œuvres, aucun ne met en relation leur contenu. On appréhende l'essai et le roman séparément[1]. Pour nous, à l'inverse, il ne fait aucun doute que les deux œuvres s'articulent en une commune problématique. On pourrait probablement distinguer dans une œuvre concertée, archipélique, dans laquelle essais, poèmes et romans se répondent, une trilogie plus affirmée qui lie *Malemort, Le Discours antillais* et *La Case du commandeur*, véritable réécriture à plus d'un titre du roman précédent. De sorte que, si nous abordons l'œuvre d'Édouard Glissant par le roman *La Case du commandeur*, nous lirons celui-ci dans sa résonance avec les deux autres textes qui, selon nous, lui donnent sens. C'est en quelque sorte une entrée, un angle d'attaque dans un ensemble plus vaste et cohérent. Nous nous garderons ainsi de systématiser des significations qui sont à chaque fois rejouées dans les progrès de l'œuvre.

---

1.   Si Jean-Pierre Faye, dans *Le Nouvel Observateur* voyait le roman et l'essai comme « deux versants », s'il estimait que les « deux admirables livres (...) se f[aisaient] face », il ne tentait pas pour autant la lecture comparée des deux œuvres. Il semblait cependant percevoir dans le roman l'invention de ce « discours antillais » que cherche à fonder l'essai (« Glissant le maître du feu », « Lettres antillaises », *Le Nouvel Observateur*, 18-24 juillet 1981).

En effet, à l'instar de Daniel Maximin, qui réinterroge *L'Isolé soleil*, dans *Soufrières* et poursuit la quête, dans *L'Île et une nuit*, Édouard Glissant, multiplie les relations d'une œuvre à l'autre, déplaçant les enjeux et le sens. Ainsi, *La Case du commandeur* et *Malemort* se répondent, tous deux en relation étroite avec *Le Discours antillais*, tandis que *Mahagony* continue *La Case du commandeur*. Dans le même élan, *Mahagony*, annonce, dans ses derniers chapitres, le roman *Tout-Monde*. Par un effet d'après coup, le sens qui paraissait se déposer à la fin de chaque roman est donc réinterprété, remis en perspective. Toute fin est provisoire, comme si la césure décisive du point final et de la publication n'étaient qu'un point de suspension, une commodité ou une nécessité, que vient chaque fois remettre en question le roman suivant[2]. Les œuvres n'ont donc pas valeur de réponse définitive, de terme ultime, mais de tentatives. On pourrait les lire comme des hypothèses successives, à partir d'une même question, d'une situation qui évolue selon le temps et selon le point de vue du narrateur, de l'auteur, voire selon l'environnement théorique, politique et historique. Une lecture sera donc toujours inconfortable, prise entre le système approximatif de l'œuvre isolée et l'appel vers d'autres éléments de l'ensemble. Il n'en reste pas moins que des pôles sont explorés avec plus ou moins d'intensité selon les moments historiques, biographiques, scripturaux.

Pendant la période qui va de *Malemort* à *La Case du commandeur*, Édouard Glissant met l'accent sur un « tourment d'histoire » qui hante la conscience antillaise[3]. Le « délire verbal », dont essai et romans tentent de mettre à jour les soubassements, est dès lors appréhendé comme symptôme. Ainsi, dans une livraison du *Monde Diplomatique* en juin 1977, les collaborateurs de la revue *Acoma*, Roland Suvélor, Jean Crusol et Édouard Glissant dressent le portrait d'une « société morbide », d'une économie déprimée et

---

2.   Les Éditions Gallimard ne viennent-elles pas de publier *À la recherche du temps perdu* en un seul volume de deux mille pages, sur papier bible ? Conformément au vœu de Marcel Proust, l'œuvre n'est plus qu'un unique roman. Il faudrait peut-être envisager de lire l'œuvre d'Édouard Glissant de la même manière, ce qui ne va pas de soi pour les contemporains qui lisent au fur et à mesure.

3.   « Le délire de théâtralisation est *tourment d'histoire* » écrit Édouard Glissant dans « Le délire verbal », in *Le Discours antillais*, p. 378.

désignent les « masques et mécanismes de la dépossession[4] ». De
même, dans les entretiens qu'Édouard Glissant devait accorder en
1981, reviennent des formules comme « c'est la mémoire qui nous
sauvera de la névrose », ou bien encore « il y a bien sûr des
remèdes ponctuels (...). Il faudrait opérer "une cure en profondeur"
qui consisterait à "réinsérer les Antillais francophones dans les
Antilles[5]" ».

En 1987, lorsque Édouard Glissant publie *Mahagony*, dont la
réception est plus discrète que celle des deux ouvrages précédents,
le discours a changé. *Mahagony* s'achève par un chapitre intitulé
« Le Tout-monde » et esquisse des orientations que l'écrivain
confirmera dans ses romans ultérieurs. La décennie 90 inaugure
par conséquent un autre discours. La conscience d'enjeux
planétaires, l'idée que la créolisation s'effectue à l'échelle du
monde et non plus de l'île, l'ouverture au « cri du monde » et à un
« lieu » moins défini et exigu qui ne serait plus un « territoire »,
sont les lignes de force d'un nouveau discours. Édouard Glissant
n'a pas tout à fait abandonné la référence à des luttes locales,
comme il le rappellera dans *Introduction à une Poétique du
Divers*. À l'autre pôle, *L'Intention poétique* témoigne que des
thèmes comme ceux du « chaos » ou d'un désir « d'abattre les
murailles » étaient déjà présents dans la réflexion d'Édouard
Glissant. Il écrivait ainsi :

> « La poésie recommence aux domaines de l'épique. Dans
> notre univers anarchique une telle manière de poésie cesse d'être
> accidentelle, s'impose comme la Récolte impérieuse. Elle nomme
> le drame qui est le nôtre : feu du Divers, combat du Disparate,
> vœu de l'Autre. Elle perpétue au chaos ce travail, qui est de poésie

---

4.   On peut se reporter pour cette question à l'article de Romuald-Blaise
      Fonkoua, « Instituer le savoir des Antilles aux îles : l'Institut martiniquais
      d'études et la revue *Acoma* », in *CRIN 34*, études réunies par D. de Ruyter-
      Tognotti et M. van Strien-Chardonneau, Amsterdam-Atlanta, Ga, 1998,
      pp. 103-121.

5.   *Cf.* « Édouard Glissant : c'est la mémoire qui nous sauvera de la névrose »,
      Jérôme Garcin, *Nouvelles Littéraires*, vol. LIX, 18-25 juin 1981, et « Des
      remèdes à l'aliénation antillaise », article et entretien par Anne Fabre-Luce,
      La Quinzaine Littéraire, n° 351, 1-15 juillet 1981.

seule ; d'abattre les murailles, les écorces ; d'unifier sans dénaturer, d'ordonner sans empailler, de dévoiler sans détruire[6]. »

Mais les accents se déplacent. Que ce soit dans les éditoriaux du *Courrier de l'Unesco*, dans les entretiens consignés dans *Poétique de la relation*, ou les conférences comme celle prononcée à Strasbourg devant le parlement des écrivains, qu'on se réfère au *Traité du Tout-monde* ou au roman *Tout-Monde*, l'urgence ne semble plus d'entreprendre une « cure en profondeur » contre une « colonisation réussie (...) au prix non seulement de la dépersonnalisation, mais encore (...) du déséquilibre général du peuple martiniquais[7] ». Il s'agit plutôt de reconstruire « la tour » multilingue de Babel, de penser un monde créolisé de part en part, rhizomatique et sans frontières. Les guerres d'indépendance ont fait des millions de morts, et

> « une certaine manière de se libérer [peut] verser dans le même trouble et le même acharnement et le même enfermement que le colonisateur proposait. Il faudra [donc] trouver d'autres manières de résister, sans faire de l'idéalisme ».

Le discours essaie, par conséquent, de tenir les deux pôles d'une contradiction, dans une tension que l'on peut résumer en ces termes : d'une part, « [i]l y a des résistances concrètes qu'il faut mener. Dans le lieu où on est », d'autre part, « [l]e lieu n'est pas un territoire : on accepte de partager le lieu, on le conçoit et le vit dans une pensée de l'errance, alors même qu'on le défend contre toute dénaturation[8] ». Le discours s'est éloigné de la revendication plus nationaliste et politique du *Discours antillais* dans lequel Édouard Glissant déclarait : « le seul moyen de dénouer une telle forme de dérèglement serait la résolution politique de la situation ». Il

---

6.   Édouard Glissant, *L'Intention poétique*, p. 222.
7.   *Le Discours antillais*. p. 109.
8.   « Le chaos-monde : pour une esthétique de la Relation ». *Introduction à une Poétique du Divers*. Gallimard, 1996, pp. 105-107. Il faudrait citer de nombreux textes regroupés dans *Poétique de la Relation*, Gallimard, 1990 et *Introduction à une Poétique du Divers*.

aspirait alors à une « clarification politique de la situation » qu'il explicitait en ces termes :

> « (une communauté responsable, ayant renoué avec la mémoire historique, ayant reconquis des structures de production adaptées, ayant établi de nouveaux liens avec son milieu et entre les individualités qui la composent, et maîtresse de son avenir[9] ».

Nous ne prétendrons pas qu'Édouard Glissant estime aujourd'hui que ces objectifs soient caducs. Nous constatons qu'il n'en parle plus.

Si Édouard Glissant a théorisé la « Relation » depuis *L'Intention poétique*, c'est-à-dire dès 1969, il n'en a donc tiré toutes les conséquences politiques et idéologiques que dans les années quatre-vingt-dix. Il fallait sans doute pour cela que la faillite des régimes politiques basés sur le communisme et les doutes concernant les indépendances africaines et la décolonisation justifient la recherche de nouvelles voies idéologiques. Édouard Glissant récuse dès lors la pensée de la « racine unique » et des systèmes, pour s'en remettre à une pensée de la « trace », et du « rhizome » deleuzien. Il proposait, par conséquent, aux écrivains réunis à Strasbourg, « de changer par l'imaginaire des humanités : c'est par l'imaginaire que nous gagnerons à fond, ajoutait-il, sur ces dérélictions qui nous frappent ». Et plus loin, il argumentait en ces termes :

> « Là où les systèmes idéologiques ont défailli, et sans aucunement renoncer au refus ou au combat que tu dois mener dans ton lieu particulier, prolongeons au loin l'imaginaire, par un infini éclatement et une répétition à l'infini des thèmes du métissage, du multilinguisme, de la créolisation[10]. »

Le « lieu particulier » n'est donc pas gommé, certes, mais il apparaît comme un lieu ouvert à la « Relation », une « barque

---

9.   *Le Discours antillais*, p. 386.
10.   « Le cri du monde », discours prononcé au Parlement des écrivains à Strasbourg, à l'occasion du « Carrefour des littératures européennes ». *Traité du Tout-monde*, Éditions Gallimard, 1997, p. 18.

ouverte », un point du « chaos-monde » où tous les mondes s'entremêlent. La créolisation qui s'empare du « tout-monde » signifie « cet imprévisible de résultantes inouïes, qui nous gardent d'être persuadés d'une essence ou d'être raidis dans des exclusives[11] ».

Par conséquent, il nous semble que la pensée du mal-être antillais, de l'« aliénation » analysée en termes fanonniens, entre marxisme, sociologie et psychanalyse, est datée, dans une perspective historique qui met encore au centre l'indépendance nationale, l'identité d'un peuple, sa réappropriation du territoire et du discours. La revendication d'une identité collective qui se reconnaîtrait dans une expérience et un discours historiques communs est donc à l'ordre du jour dans *Le Discours antillais* et *La Case du commandeur*. Cette identité sera dépassée ou cette quête mise en suspens à partir des années *Mahagony*. Non peutêtre que soient totalement abandonnées les analyses du « délire verbal » et du malaise antillais. Mais on peut faire l'hypothèse que le « tout-monde » constitue aujourd'hui pour Édouard Glissant le détour qu'il faut faire pour retrouver son « lieu vrai ». L'indépendance ou l'autonomie étaient sans doute plus directement en jeu dans les questionnements des années *Malemort*.

Une société névrosée et son psychanalyste

Le discours antillais et le discours de l'écrivain

Si le mal être et le « délire verbal coutumier » sont déjà au cœur de *Malemort*, l'analyse en est reprise dans *Le Discours antillais* élaboré entre les années 70 et 1981, date de la publication. Dans les programmes de l'Institut martiniquais d'études, créé en 1967, dans la revue *Acoma*, à travers les nombreux débats dont *Le Discours antillais* rend compte, ne cesse d'être décrite une Martinique de la départementalisation, plongée dans une situation morbide qui est

---

11.   *Traité du Tout-monde*, p. 26.

en elle-même perverse et qui ne peut engendrer que « délire verbal » et folie. Édouard Glissant écrit par conséquent, dans *Le Discours antillais*, avançant une formule qui deviendra célèbre :

> « L'hypothèse que je ne cesserai de proposer, s'agissant de la situation martiniquaise, est que nous nous trouvons en présence d'une société à tel point aliénée que : *(a)* nous voici peut-être face à la seule colonisation extrême (ou réussie ?) de l'histoire moderne ; *(b)* la menace se précise d'une disparition pure et simple de la collectivité martiniquaise en tant que complexe original – ne laissant en place qu'une collection d'individus dominés[12]. »

La recherche d'une « mémoire vraie », la quête des histoires antillaises est la seule thérapie contre l'aliénation, c'est-à-dire le plaquage artificiel et mécanique de discours convenus sur une réalité sociale totalement autre. Le déni de l'altérité fondamentale des Antilles est à l'origine, dans cette perspective, d'une dérive ou « drive » mortelle ou d'une folie qui est peut-être la seule réponse sage à la folie collective.

> « [En effet,] ce serait d'être allée (ou d'avoir été menée) si loin dans l'acceptation passive de modèles et de normes importés, et qui ne coïncident pas avec sa réalité socio-historique que cette société se heurterait à une double impossibilité : celle d'intégrer ces normes et modèles au niveau des individus, celle de développer de manière collective une mise en question de ces modèles imposés. »

En d'autres termes, le délire verbal coutumier « est le signe manifeste d'une non-histoire[13] ». Non seulement les Antillais ne font pas leur histoire et ne sont qu'objets de celle des Autres, mais l'identité antillaise est masquée, recouverte par un discours délirant, imperceptible, car il est général, comme une hallucination collective. Les histoires antillaises déniées, enfouies dans l'histo-

---

12.   Édouard Glissant, *Le Discours antillais*, p. 364.
13.   *Ibid.*, pp. 366-67.

riographie française, ressurgissent donc par violents « éclats » dans des discours apparemment délirants, parce qu'ils sont en contradiction avec le discours courant, mais qui sont les seuls témoignages perceptibles d'une parole vraie.

Car la folie dit vrai. Le « déparlant », à l'instar du fou shakespearien est un personnage tragi-comique dont les sentences obscures, loufoques, « opaques » dans le lexique glissantien, révèlent la vérité d'une situation. Elles sont, en quelque sorte, le symptôme d'une société malade. Toute société a ses fous et ses symptômes. La société élizabéthaine en témoigne, la névrose n'est pas née en 1905, même si l'analyse en a été faite par Freud au début de notre siècle. L'analyse sociopolitique d'Édouard Glissant, empruntant son vocabulaire et ses concepts à la psychanalyse, nous autorise donc, à notre tour, à mettre en résonance lectures psychanalytiques et lectures d'Édouard Glissant, et à nous demander quelle est la position de l'écrivain et du discours, dans une telle rencontre.

L'écrivain, en une telle situation, est celui qui, à l'instar de l'analyste, entend quelque chose des lapsus, des actes manqués, des failles du discours, qui révèlent la tension entre le discours manifeste, manifestement en porte-à-faux, et le désir vrai, éthique autant que libidinal, qui soutiendrait le sujet, si celui-ci pouvait le reconnaître à son tour[14]. L'écrivain est celui qui donne à entendre le discours délirant, et qui même parle, pour une part, ce discours. En effet, il n'est pas Autre, il n'est pas au-dessus de la mêlée, il n'emprunte pas le discours et la rhétorique du maître pour décrire le délire des autres. Nous ferons en effet l'hypothèse que le discours littéraire, chez Édouard Glissant, cherche une position singulière, extrêmement périlleuse, subtile, entre le discours du maître et le discours de l'hystérique, toujours plus près du fou que de l'écrit colonialiste[15].

---

14. Il lui faudrait être là où ça était – « Wo Es war, soll Ich werden », en termes freudiens – non pour balayer le ça mais pour rejoindre ce que le ça exprime, non dans la coïncidence avec l'inconscient, par définition inconnaissable, non maîtrisable, mais dans la relation vivante avec un obscur que nous devinons, sans le connaître (*cf.* Jacques Lacan, « Ordre de la chose », *in* « La chose freudienne », *Écrits I*, Points Essais, Éditions du Seuil, 1966, pp. 223-228).

15. *Cf.* Dominique Chancé, *L'Auteur en souffrance*, PUF, 2000.

Le discours glissantien est pris dans le « discours antillais », avec tous les manques et toutes les dérives que cela implique. Édouard Glissant écrit ainsi, en prélude à son analyse du délire verbal :

> « Combien dénombrons-nous de ces errants, qui aux carrefours moulinent ainsi le tragique de nos déracinements. Leurs bras taillent l'air, leurs cris plantent dans le chaud du temps. Ils sont saouls de leur propre vitesse.
>
> Nous faisons semblant de les ignorer : nous ne savons pas que nous parlons le même langage qu'eux : le même impossible lancinement d'une production vraie[16]. »

C'est pourquoi le narrateur-scripteur de *La Case du commandeur* se met véritablement à la place des « déparleurs » qui, tels Pythagore, « aux carrefours moulinent ainsi le tragique de nos déracinements ». Il se demande : « Pourrions-nous tranquilles nous asseoir au pied d'une Croix-Mission et commenter : "Les habitants de ce pays[17]" »...

Toutefois, l'écrivain est, en même temps, celui qui entend quelque chose de ce délire et le donne à entendre comme par réverbération. Ne serait-il pas en cela bien proche de l'analyste qui, de la névrose, partage quelque chose, et n'est analyste que parce qu'il fut – et demeure peut-être – analysant ? La parole est, ici, porteuse d'une vérité que celui qui parle ignore. L'œuvre est, par conséquent, la toile d'araignée dans laquelle se révèle cette vérité « opaque », ignorée peut-être autant de l'auteur que de ses personnages. Le texte en dit toujours plus que ceux qui parlent. L'auteur laisse donc se déposer dans le creuset de son œuvre un secret, des réseaux de sens à délivrer ou à dénouer.

Édouard Glissant a décrit ce travail de l'œuvre, à propos de William Faulkner, dans son essai, *Faulkner, Mississipi* où il suit celui qui « ayant parcouru ce pays (...) se retrouve non pas au bout mais à la ratification de son projet d'écriture, à ce moment où il commence de soupçonner que c'est son œuvre qui l'a créé lui,

---

16.   Édouard Glissant, *Le Discours antillais*, p. 362.
17.   *La Case du commandeur*, p. 18.

Faulkner[18] ». L'œuvre n'est pas ce qui dévoile une vérité connue d'avance par l'auteur, elle est trace d'un « processus continu d'une écriture diffractée, qui projette vers des réponses sans cesse différées[19] ». Le texte porte, comme la parole incohérente de l'analysant, libérée des contraintes du sens et du fil syntaxique, un sens à la limite « ineffable », une signifiance dont il faut reconnaître l'insoupçonnée présence.

Le projet est presque intenable, il frôle l'impossible. Édouard Glissant, se demande ainsi :

> « Que serait pour Faulkner que de réaliser l'impossible, en littérature ? Hasardons que ce serait peut-être ceci : de dire l'impossible du Sud sans avoir à le dire, d'en donner une écriture qui remonte patiemment à tout l'inexprimé de cet impossible, et s'il se trouve d'y changer quelque chose par la seule force de cette écriture[20]. »

Si dans l'œuvre se produit un tel changement, il est bien de l'ordre du transfert qui fait que, pour sa part, la parole de l'analysant transforme le sujet du fait simplement d'être dite, dans un certain lieu et une certaine situation, et que l'analysant y reconnaisse les blancs, les lignes de fuite, les inévitables oublis et failles qui tissent / défont son discours et sa vie. Glissant, lecteur de Faulkner, révèle l'impossible caché dans le texte, ce « dévoilement sans cesse différé » d'un sens opaque. Il est l'analyste de l'écriture de William Faulkner et à l'instar de celui-ci, dit « l'impossible de la [Martinique] sans avoir à le dire ».

Son écriture appelle donc également un lecteur qui entende et se prête à son tour au « dévoilement différé ». La lecture devient transfert infini de signifiance d'un lecteur / auteur vers d'autres lecteurs. Lecteur ou analyste de la situation antillaise, l'auteur appelle un lecteur / analyste de son propre texte qui ne se laisse pas « comprendre », on le verra, mais bien plutôt entendre. La réalité martiniquaise n'est pas racontée en effet, elle apparaît dans une

---

18. Édouard Glissant, *Faulkner, Mississipi*, Éditions Stock, 1996, p. 71.
19. *Ibid.*, p. 141.
20. *Ibid.*, pp. 207-208.

« révélation différée (...) qui engendre sa technique, non pas d'élucidation (...) mais, en fin de compte d'amassement d'un mystère et d'enroulement d'un vertige – accélérés plutôt que résolus par cette folle vertu du différement et du dévoilement –, autour d'un lieu qu'il lui faut signifier[21] ».

Le diagnostic d'une société névrosée transforme donc la vision et la méthode de lecture. Il appelle nécessairement une écoute et un travail dont les démarches sont définies par Freud ou Lacan, plus que par un traité de poétique. Cependant, s'il est vrai qu'il faut « opérer "une cure en profondeur" qui consisterait à réinsérer les Antillais francophones dans les Antilles », le travail de l'analyste Édouard Glissant, à l'écoute de Marie Celat, n'est autre que l'analyse de son discours. Dès lors, l'analyste doit se faire également poéticien.

La folie de Mycéa et le délire verbal coutumier

La Case du commandeur raconte l'histoire d'une femme, Marie Celat, que l'on va enfermer à l'hôpital psychiatrique car elle est devenue « pintingting ». « Les voisines comment[ent] : "Madame Celat est ravagée, on ne comprend rien à ce qu'elle dit"[22]. » Le journal Le Quotidien des Antilles se fait l'écho de cette « fatalité », de ce cas « douloureux » qui devient prétexte à un discours sur « l'organisation de l'Institution psychiatrique » à la Martinique. Ces deux discours, celui auquel on ne comprend rien, car Marie Celat répète obstinément : « Rodono, ou peut-être Dorono », et celui qui se comprend un peu trop bien, à force de « bon sens » et de formules toutes faites, ces deux discours se font face, noués par la même situation. Ils en sont l'expression différente, mais convergente. Pour comprendre la folie de Marie Celat, décrite en des termes relativement traditionnels, qui n'éludent pas les aspects les plus déconcertants d'un délire, d'une errance, il faut à la fois lire le roman qui en donne la clé et remonter au Discours antillais qui en

---

21. *Faulkner, Mississipi*, p. 20.
22. *La Case du commandeur*, p. 206.

fait la théorie. Marie Celat incarne en effet ce qu'Édouard Glissant a appelé dans son essai le « délire verbal de théâtralisation ». C'est en quelque sorte le discours traditionnel du fou, de celui qui ouvertement déparle, au carrefour des villes, à « la Croix-Mission ».

Le délire théâtralisé libère la folie collective, il la fait éclater, lui donne toute sa violence et sa gestuelle, il est le paroxysme du délire verbal coutumier. Édouard Glissant le décrit ainsi :

> « le délire de théâtralisation : j'ai appelé ainsi une forme "mise en scène" de pratique verbale, qui a la caractéristique d'intéresser un individu (...) et qui est cependant significative d'une pulsion commune. Cet individu est alors un acteur en scène, pour toute la communauté qui se trouve à la fois spectatrice (elle essaie de déchiffrer le jeu de cet acteur) et participante (elle essaie de se réaliser dans cet acteur). »

Ce discours plus démonstratif et plus choquant que les autres formes de délire qu'analyse Édouard Glissant

> « est aussi et avant tout, et lui seul parmi les autres formes du délire coutumier, tentative de ré-appropriation (...) il présente ce caractère d'être ressenti et admis par "les autres" comme signe manifeste d'une folie, mais d'une folie qu'on ne peut qu'accepter[23] ».

Si Marie Celat est bien ressentie comme folle par ses voisines et son entourage familial, si même elle fait « l'unanimité contre elle », c'est que « chacun redoutait de se voir dénudé, peu à peu dépouillé de la forcenée pelure sous laquelle nous renoncions à nos vérités enfouies. (...) Marie Celat nous maintenait éveillés, elle rejetait la pelure[24] ».

Ce dont souffre l'héroïne de *La Case du commandeur*, c'est de ce que *Le Discours antillais* nomme « tourment d'histoire ». Si les « autres » se sentent menacés c'est qu'ils dénient cette vérité, non

---

23.   Édouard Glissant, *Le Discours antillais*, pp. 377-378.
24.   Édouard Glissant, *La Case du commandeur*, p. 226.

sans la pressentir et s'y reconnaître. Ainsi Édouard Glissant conclut son analyse du « délire verbal coutumier » en ces termes :

> « c'est que le délire de théâtralisation est tourment d'histoire, là où les autres délires coutumiers signalent l'absence de l'histoire ou son refus. Le délirant de théâtralisation essaie dramatiquement de réapproprier par le verbe (de renouer avec une histoire qui accomplirait la virtualité non réalisable). C'est pourquoi la communauté le ressent comme fou (il l'oblige à se regarder vraiment), mais comme un fou spectaculaire et important (car elle a besoin de ce regard)[25]. »

Si la communauté, dans un premier temps fait chorus contre la folle, on s'apercevra, en effet, que l'une ne fait que mettre en scène et en crise, une folie sous-jacente dans le discours de l'autre. Il apparaîtra très vite que la norme capable de mesurer la folie, la référence qui permet de la repérer est elle-même trouble : la collectivité n'est pas moins délirante que Marie Celat. Son délire ne se voit pas, car il est collectif, légitimé par un accord tacite, un consensus social, mais il n'en est pas moins latent. C'est ce que le roman va démontrer en renvoyant dos à dos les deux discours, faisant entendre au lecteur, par son dispositif, l'absurdité d'un prétendu « bon sens ».

En effet, enveloppant le discours du fou de sa « pelure » rassurante, le discours du journal *Le Quotidien des Antilles* exhibe un « délire verbal coutumier ». Ce qu'on pourrait prendre à première lecture pour l'expression de l'objectivité normative est bien l'exemple le plus clair du « délire verbal de persuasion », forme parfaite de « l'idéologie de la représentation ». Le lecteur ne percevra sans doute pas *immédiatement* le discours du journal comme délire. Au contraire, il y verra le discours de la raison, un discours logique, organisé et d'emblée compréhensible. Cependant qu'on y prenne garde, cette clarté est celle du lieu commun, de l'opinion, comme cette obscurité est celle de la vérité difficile. Le roman est la *médiation* qui permettra de saisir cette vérité et de retourner le point de vue.

---

25. Édouard Glissant, *Le Discours antillais*, p. 378.

Le Quotidien des Antilles, est une parodie très ressemblante de maint journal d'opinion ou du journal quasi unique en Martinique, *France-Antilles*. Le journal cite les témoignages d'un « aimable commerçant local », d'« une mère de cinq enfants », d'une femme encore « dont l'amabilité bien connue (...) interdit de mettre en doute [le] témoignage ». L'opinion commune s'exprime largement : « les voisins », « personne », « on », « tout le monde », « la majorité des gens ». La réprobation générale se justifie par un sentiment partagé, même par les plus innocents : « les enfants avaient peur de passer devant cette maison », « croyez-vous que c'est normal, en plein vingtième siècle ? », « la société doit pouvoir se protéger ». Le discours, qu'en d'autres temps on aurait appelé « idéologique », est un tissu de bons sentiments et de préjugés. Sous couvert de bon sens, il permet aux locuteurs de désigner la « malade », et la « malheureuse », la plaignant et l'accusant de malséance, d'un seul geste. En effet, la victime est bien coupable : « tout le monde était d'accord pour l'aider, (...) on a fait tout ce qui était humainement possible », mais la femme fait peur, même aux enfants, cités comme témoins irrécusables, puisque selon le cliché, la vérité sort de leur bouche.

Dans son deuxième volet, le journal développe une analyse plus générale de « l'organisation de l'institution psychiatrique » aux Antilles, ou plus exactement « dans notre Département ». La nuance est de taille, car l'article, dans son ensemble, a pour but de nier toute spécificité antillaise : « Les problèmes qui se posent sont ni plus ni moins ceux qu'on rencontre en Métropole. La maladie mentale (...) frappe partout, de la même façon ». Il n'est nullement question d'un « tourment d'histoire » ou d'un malaise spécifique à la société antillaise. Au contraire, le langage alambiqué et figé du journal rappelle que les équipements, l'organisation, tendent à rejoindre une norme, un modèle pris ailleurs : « c'est là une nouvelle organisation du service des soins, déjà mise en pratique en Métropole, avec des résultats très encourageants. » « Experts », « commissions », « professeurs venus de l'Hexagone », « chargés de mission », attestent d'un savoir et d'une maîtrise qui permettent d'espérer que la situation est normale.

Cette parodie concentre, ironiquement, les poncifs du discours technocratique le plus vide. Tel « chargé de mission déclare :

"Soyez persuadés que tout sera fait dans le sens d'une amélioration radicale. Nos malades mentaux ont droit, tout comme les autres catégories de la population, à la réalité de la solidarité nationale". » Les sigles, les expressions toutes faites, la multiplication des titres officiels visent à impressionner le lecteur et à entretenir l'illusion d'un discours qui dirait ce qu'est « la vie réelle » et rendrait le plus française possible la situation martiniquaise.

En effet, le gommage de toute antillanité caractérise un discours qui masque la réalité martiniquaise et néocoloniale sous diverses appellations. « Département », « métropole », « Hexagone », « DOM », « Paris », soulignent un embarras et cherchent à éluder le terme « France », qui trop brutalement rappellerait que la Martinique n'est pas la France. Tous les termes sont possibles, sauf ceux de Martinique et de France qui sont résolument absents. À partir de ces deux ellipses, il est possible de croire à « une solidarité nationale ». Le tour de passe-passe consiste à faire apparaître comme évident le contenu de ce terme « national » qui pourtant est loin d'être clair pour un Martiniquais. La Caraïbe n'est envisagée que comme environnement démuni, qui nécessairement envie un « département » français aussi opulent et développé techniquement : « notre hôpital psychiatrique nous est envié dans toute la Caraïbe ». Il n'est bon de rappeler l'environnement géographique caribéen que pour immédiatement affirmer que le département n'en fait pas vraiment partie. Le « nous » mystérieux renvoie à un autre contexte, celui évoqué par les institutions françaises : « Conseil général », « crédits débloqués », « Santé publique », « solidarité nationale[26] ».

Le lecteur qui n'aurait pas perçu l'ironie, dans les deux extraits du *Quotidien des Antilles*, pourra les rapprocher des analyses du « délire de persuasion » qui « se présente comme l'idéologie de la représentation. Il fleurit dans les déclarations politiques, dans les journaux, et a pour objet de persuader le Martiniquais qu'il est bien ce qu'on lui dit qu'il est[27] ». Édouard Glissant en détaille le fonctionnement :

---

26. *La Case du commandeur*. pp. 11-12, puis 243-244.
27. *Le Discours antillais*. p. 376.

« outre le bon sens et l'évidence, un des trucs du délire de persuasion sera la "science des faits" : les chiffres seront souvent cités, de manière spectaculaire. (...) Le futur persuasif est riche de promesses ; c'est le changement pour demain, tel qu'il est résumé dans la formule : "jusqu'ici tout n'a pas été pour le mieux, mais on s'y met, et vous verrez que demain ça changera"[28]. »

Le moins qu'on puisse dire c'est que *Le Discours antillais* est le manuel pratique permettant de lire sans se tromper *La Case du commandeur*. L'essai livre les clés d'un discours que le roman fait entendre.

Le « délire verbal coutumier », qu'on pourrait également appeler discours idéologique pervers ou discours social convenu, n'est que l'envers d'un discours fou. Il est folie masquée comme toutes les perversions ou les hystéries collectives que Freud débusquait en son temps, sous les discours et rites religieux ou les élans des foules. C'est une folie invisible parce qu'elle est partagée par la majorité, elle est vécue comme la norme. À l'inverse de ce discours rationnel (en apparence et totalement brouillé en réalité) qui s'exprime dans le discours du journal et de l'opinion courante, les propos de Marie Celat, évidemment déconcertent. Ils sont, en effet, singuliers. La majorité qui parle, au nom de « la société », ne peut tolérer cette parole différente qu'elle perçoit comme folle. Le mot « Odono », répété de génération en génération par la famille Celat, comme la trace d'un passé, d'une mémoire perdue n'a guère de sens *a priori*. Les voisins d'ailleurs le déforment. Il devient « Rodono » ou « Dorono », altérations qui symbolisent un malentendu fondamental entre le fou et la société qui l'entoure. Ce que dit le fou est trop difficile, on l'entend mal. Marie Celat est de ces « tourmentés » qui sont traversés par un éclair de mémoire que les autres, précisément, ne veulent pas voir. C'est pourquoi elle est dangereuse. « Et un jour elle cria que nous avions depuis toujours tué nos enfants, que les mères les étouffaient à la naissance, que les frères trafiquaient les frères. C'était plus que le voisinage pouvait supporter[29]. »

---

28. *Le Discours antillais, ibid.*
29. *Ibid.,* p. 224.

Pourtant le discours de Marie Celat n'est pas totalement délirant. En fait, l'auteur l'entoure d'une certaine opacité, sans pour autant que les fragments cités soient sans écho. La signification du discours sera soutenue par les autres chapitres du roman dans lesquels une remontée historique, de génération en génération, permettra de dévoiler une partie de l'histoire d'Odono, ou de faire des hypothèses quant au sens de ce qui deviendra un prénom.

> « Quand elle restait ainsi prostrée, rapporte le narrateur, demandant à chacun : As-tu vu Odono ? – nous étions quelques-uns à deviner qu'elle ne cherchait pas là son premier-né, mais le premier d'une lignée sans déroulement, venu tout adulte depuis combien de temps dans le pays, et dont la trace s'était perdue hormis pour quelques tourmentés, dont elle était. »

Le roman est donc constitué de spirales qui retracent l'histoire à partir de la folie de Marie Celat, exposant, en quelque sorte, une méthode : impossible de comprendre le discours de l'héroïne sans relater son histoire. Le roman part de son père Pythagore pour remonter vers ses ancêtres les plus éloignés, de chapitre en chapitre, jusqu'au nom Celat, et plus loin encore vers les « premiers débarqués » ; puis, il redescend en un ultime cercle vers le présent de Marie Celat, et éclaire ainsi son « tourment d'histoire ». Le discours totalement mystérieux se met à résonner. Le lecteur y entend des signifiants et des bribes de ce qu'il a découvert, dans l'évocation antérieure des ancêtres du personnage.

Par conséquent, Édouard Glissant installe bien l'interrogation sur le sens, et sur le sens des mots, au cœur de l'œuvre. Mais plutôt que de les enjoliver de poésie ou de lyrisme, à la façon des chants d'Ophélie, il en fait pressentir la lisibilité[30]. Il faut en quelque sorte remettre le discours dans son contexte, saisir les signifiants majeurs qui apparaissent comme résidus morcelés, et les réintroduire dans la chaîne signifiante largement inconsciente dans laquelle ils seront compréhensibles. Il faudra en quelque sorte disloquer la chaîne syntagmatique toute faite du discours idéo-

---

30.   Encore que Marie Celat soit également poétesse et pythie.

logique et journalistique, pour restituer à leur éclat originel ces mots ou signifiants. C'est pourquoi le roman casse, dans un premier mouvement, le discours convenu et la chaîne chronologique : « Nous sommes les casseurs de roche du temps », déclare le narrateur.

Le morcellement dans *La Case du commandeur*

Le morcellement de la collectivité

La folie, le délire initial de Pythagore est d'abord une parole étrange à propos du « nous ». La narration proprement dite, après la citation parodique du *Quotidien des Antilles*, commence donc en ces termes : « Pythagore Celat claironnait tout un bruit à propos de "nous", sans qu'un quelconque devine ce que cela voulait dire[31] ». La parole réduite à un « bruit », à la limite une musique « claironnée », est absolument opaque. En effet, le « nous » est précisément défini par son inexistence. Si le narrateur s'inclut dans ce « nous », c'est pour le décrire comme « *[n]ous* qui ne devions jamais former, final de compte, ce corps unique par quoi nous commencerions d'entrer dans notre empan de terre ou dans la mer violette alentour ». La collectivité capable de se dire dans un pronom « nous » qui la définirait et lui permettrait non seulement d'avoir une identité, mais de s'approprier son environnement géographique, n'est pas née. La collectivité n'est « nous » qu'en italiques, comme si le mot devait être nuancé, reconnu comme approximatif, inexact, biaisé. Le « nous » est réduit à « de si folles manières de paraître disséminés » voire à une masse informe qui aspire à naître, à se polir et à se lier : « nous éprouvions pourtant que de ce nous le tas déborderait, qu'une énergie sans fond le limerait, que les moi se noueraient comme des cordes ».

Le chaos originel de ce « nous » comme « tas » attend donc le geste créateur qui ne peut être ici que liaison, « nœuds », tissage.

---

31.   *La Case du commandeur*, p. 15.

Au commencement, « chaque moi, devenant je ou il sur l'humide éclat du jour, s'emprisonnait dans un opaque mal assuré, comme d'une île qui se serait enfoncée en des lointains évasifs[32] ». L'indistinct est la figure qui domine ici. Tout est « opaque », « mal assuré », « enfoncé », « évasif ». Le narrateur réécrirait en quelque sorte une genèse[33]. Comme au premier jour du monde, la nuit et le jour, le firmament du haut et le firmament du bas se confondent et c'est là que la main créatrice doit œuvrer, en séparant les éléments. Le narrateur se demande par conséquent :

> « Quelle nuit et quelle lumière se sont-elles nouées pour cacher le sens et nous donner l'ardeur de ce temps ? (...) nous revivons dans un remuement indistinct ces douleurs et cocasseries qui nous acassèrent dans notre transbord. »

L'homme cassé (« acassé »), revenu à « l'indistinct », défait dans la traite et le « transbord » s'est mêlé, comme la lumière et la nuit sont revenues à une confusion d'avant la création. Il faut dès lors casser de nouveau cette compacte indétermination. L'homme qui se souvient, celui qui crie, a cette posture : « À la croisée cet homme, frappé d'un songe de vent, se souvient. il saute sur un pied, il casse la tête en arrière, il crie : Odono ! Odono ! » La croisée, symbolique du lieu où les chemins se séparent, la cassure de la nuque que d'autres lecteurs ont rapprochée de l'attitude d'un homme en transe, font de cette gestuelle le symbole même d'une séparation. L'homme inspiré, par le vaudou ou par quelque révélation, par la folie ou par « le vent », rompt avec « le remuement indistinct ». Son corps est « disloqué », il est également séparé des autres qui le prennent pour un fou : « nous n'accompagnons pas son geste ni ne déchiffrons ce cri. Nous feignons qu'il se moque, ou que la folie du cyclone a détourné sur lui son œil fixe[34] ».

Et ce qu'il entrevoit est également disloqué : « L'homme, sorcier de midi, entrevoit par pans. » Il faudrait entendre peut-être

---

32. *La Case du commandeur*, p. 16.
33. Nous verrons plus tard pourquoi il ne peut s'agir que d'une « digenèse », selon les termes d'Édouard Glissant.
34. *Ibid.*, p. 17.

que la dislocation est l'image et la condition d'une dislocution. Et
c'est au prix de cette brisure dans le glacis du bon sens, « le boucan
de jours, d'années, de nuits sans cri où nous avons chaviré », que
l'homme retrouve, non « le clair dessin du passé, ni les lieux ni les
dates ni les filiations en ordre sec et visible », mais un « débouler
de feu, le linge de piments à même la peau (...) il réentend la lourde
portée de sons qui convoyait naguère sur les cannes et les cases
l'annonce de la mort[35] ». Par conséquent, le morcellement qui est à
l'origine du récit et de la collectivité doit être rejoint, redoublé par
une cassure violente qui met en péril le tissu indistinct que l'oubli a
formé, ce mouvement insensé de ceux « qui roul[ent leurs] moi
l'un contre l'autre » sans jamais atteindre à une véritable unité. Il
faut sans doute déchirer les apparences du discours raisonnable
pour retrouver les parts vraies, les traces de ce qui « flambe comme
une apparition » « dans la tête de l'homme » ou de Marie Celat,
afin de remettre en relation les morceaux. Il ne faut donc pas
attendre du récit qu'il suive un fil continu car il ne ferait en cela
qu'imiter le discours rassurant du « Quotidien des Antilles ». Il
réécrirait cette « chronique coloniale » qui défigure l'Histoire,
imposant son point de vue comme valant universellement et
occultant le point de vue des colonisés. À l'inverse, l'homme en
transe refait une « traversée du milieu », il renoue, dans sa vision,
avec l'abjection, le chaos initial. Le « discours antillais » ne peut
que suivre cette voie, retraverser l'Atlantique, s'engouffrer à
nouveau dans ce linceul pour y retrouver sa vérité enfouie, c'est
pourquoi il devra passer par cette sorte d'œuvre au noir qu'est la
destruction, l'émiettement du récit, la « mémoire des brûlis ». Si le
roman cherche à nouer et à recoudre, ce ne peut être que dans un
deuxième temps. Le premier temps invite à reconnaître les
cassures et à en suivre les bords.

Les cassures du récit

Il ne fait guère de doute que le lecteur de *La Case du commandeur* est déconcerté par la structure du récit et les nombreuses

---

35. *La Case du commandeur*, p. 19.

ruptures qu'elle propose. L'impression d'étrangeté et, à la limite, d'inintelligilité du roman, est en grande partie imputable à sa composition.

Une première rupture radicale se manifeste ainsi entre le prologue, parodie de journal et le début du récit. Entre « M.C. » évoquée dans le prologue et « Pythagore Celat », personnage qui est immédiatement projeté au centre de la narration, la coupure est brutale. De la même façon, chaque chapitre se sépare du précédent, sans transition. La fin du premier chapitre abandonne Pythagore assis « devant la page blanche, la tête en feu, les yeux écarquillés » tandis que le second chapitre commence avec le nom d'un personnage inconnu du lecteur « Ozonzo Celat ». Mais si le personnage est inattendu, le nom patronymique ne nous est plus inconnu, le lecteur y reconnaît le fil conducteur de cette partie du roman qui le mène jusqu'au « Mitan du temps » et qui s'intitule « la tête en feu ».

En spirales successives, le récit remonte, de génération en géné-ration, jusqu'à l'origine du nom Celat. Le premier personnage, Pythagore est le père de l'héroïne Marie Celat, le premier chapitre est centré sur son histoire. Le second remonte à Ozonzo, père de Pythagore, et redescend le cours du temps jusqu'à la naissance de celui-ci et à la mort d'Ozonzo. Le troisième chapitre commence aussi abruptement par le nom d'Augustus Celat dont le lecteur comprendra qu'il s'agit du père d'Ozonzo. Le dernier chapitre de cette partie remontera à Anatolie Celat, père d'Augustus et qui « fut peut-être le premier de notre sorte à gagner, si c'est gagner, un nom de famille[36] ». Ce sont donc cinq générations que le texte remonte à partir de Marie Celat, sans suivre linéairement le cours du temps. À l'inverse du roman traditionnel qui déroule sa chrono-logie, des ancêtres vers le présent, de l'enfance d'un personnage à sa mort, par exemple, la méthode glissantienne consiste à enrouler, autour du personnage son cocon de temps, d'ancêtres, d'histoires, qui constitueront peu à peu une enveloppe signifiante. On pourrait évoquer les peaux successives d'un oignon qui se recouvrent et se touchent, sans s'enchaîner tout à fait, ignorant toute continuité. Le scripteur ne lie pas véritablement l'histoire des uns à l'histoire des

---

36.   *La Case du commandeur*, p. 109.

autres. Ce sont plutôt des fragments de vies, des fragments de familles toujours assez mal reliés, juxtaposés, dont le nom seul fait l'unité.

D'importantes lacunes demeurent en effet, dans ce récit spiralique. Car si l'histoire ne peut se raconter que par de constants retours en arrière qui projettent, à l'inverse, le personnage vers son avenir, l'historiographe, ou le narrateur, découvre en même temps, que le commencement fait défaut et que l'histoire est également fragmentaire. Les personnages font donc irruption à un moment du récit, sans que la narration ne reconstitue leur biographie ou les rencontres. « Dans la tête de l'homme (...) [le] souvenir de Marie Celat (...) flambe comme une apparition ». Le plus souvent, les personnages n'ont pas d'origine connue, ils surgissent. Le narrateur évoque, ainsi, la naissance de Marie, enfantée par Cinna Chimène que le lecteur ne connaît pas encore et qui naît donc dans le récit en même temps que sa fille[37]. Au chapitre suivant, on apprendra comment Cinna Chimène a fait irruption dans l'histoire :

> « ils devinèrent près du gros pied de quénettes ce renflement grisâtre de l'ombre qu'ils crurent d'abord être un chien errant (...) et qui était une petite fille. La petite fille dont ils ne surent jamais d'où elle leur était tombée[38]. »

Nombre de personnages n'ont pas de nom, pas de naissance, pas d'origine connus. Ils apparaissent, images parfaites de sujets sans histoires, d'êtres errants dont la conception renvoie à un autre temps, et à un autre lieu, inaccessibles. Les Antillais, à travers ces personnages, apparaissent comme coupés de leur préhistoire, orphelins par essence.

De la sorte, la fragmentation du récit se justifie par ce manque d'origine assignable. L'ellipse est en quelque sorte initiatrice, inaugurale. Mais elle se rejoue à plusieurs reprises. La non-origine se répète ainsi, trouant le récit. Le personnage de Pythagore, fils d'Ozonzo et d'Éphraïse, quant à lui presque oublié par le récit,

---

37. *La Case du commandeur*, p. 19.
38. *Ibid.*, p. 55.

resurgit brusquement à la fin du chapitre : « À la fin Cinna Chimène se mit avec Pythagore[39]. » Le récit procède ainsi par bribes, saisissant des instants significatifs sans les intégrer dans la continuité. La fiction ne retisse donc pas l'ensemble des éléments, ni ne justifie la présence de tel ou tel personnage. Ainsi, le lecteur découvre que Raphaël Targin a « tué ses chiens » avant de disparaître « sans avertir ». « On apprit plus tard qu'il était employé à Chateaudun en France[40]. » Seul le lecteur qui a lu le roman *La Lézarde*, publié en 1958, et distant de plus de vingt ans de *La Case du commandeur*, peut comprendre de telles allusions à des personnages dont le narrateur ne rappelle pas l'histoire ici, renvoyant implicitement à son roman antérieur, sans toutefois signaler au lecteur cette référence, par une note ou une indication, dans le texte ou le péritexte. Le lecteur pressent donc que tout texte, toute histoire, a sa préhistoire plus ou moins accessible, comme une origine lointaine qui donnerait sens et dont il faudrait se mettre en quête, pour comprendre.

Si le personnage de Marie Celat, confère une forte cohérence à la dernière partie, les ellipses et les irruptions y sont cependant tout aussi flagrantes. On ne saura presque rien du père des deux garçons de Marie Celat, leur rencontre n'est pas racontée. Abruptement, la narration nous apprend qu'« elle se trouva ainsi un jour respirer en compagnie d'un homme, le temps dévala, elle eut deux enfants, des garçons. Plus tard, elle ne se souvint plus du regard, ni de quoi que ce soit, de cet homme ». Le narrateur se rappelle quant à lui qu'il « était employé de banque, rentrait en pleine nuit, n'était visible que le dimanche où il allait au stade » et qu'il « s'en fut, peut-être agacé de ces indifférences qui le censuraient mieux que des cris[41] ». D'autres blancs apparaissent : de Mathieu, on ne saurait deviner s'il est le compagnon ou le mari de Marie Celat, car « nous n'avons jamais su au juste, commente le narrateur, si Marie Celat et Mathieu Béluse, pour respecter l'idée de Papa Longoué, se sont mariés[42] ».

---

39.   *La Case du commandeur*. p. 81.
40.   *Ibid.*, pp. 189-190.
41.   *Ibid.*, p. 199.
42.   *Ibid.*, p. 196.

Les sujets d'une non-histoire semblent errer, sans projet, incapables de donner forme et sens à une existence qu'ils paraissent subir plutôt qu'ils ne la vivent (à l'instar de Marie Celat, ils « se trouv[ent] un jour respirer »). Les alliances se défont sans avoir jamais été attestées, « l'indifférence » et l'oubli recouvrent un temps qui « dévale » sans apporter d'événements ou être l'occasion d'actes véritables. Le temps est décousu, dépourvu de cohérence. Car seule une signification politique ordonne le temps. Ainsi, dans *La Lézarde*, dont l'action se déroule en 1945, temps de la dernière chance, de la Libération et des projets d'indépendance, le temps est encore porteur de sens et d'actes. La mort de Garin est projetée comme un geste sacré (une geste), dont la mer serait complice et la terre témoin. Mais, précisément, à partir de 1946 et de la départementalisation, la Martinique, selon Glissant, a manqué cette occasion historique et retombe dans la non-histoire, l'assimilation, le temps informe. Il faudra, dès lors, briser cette logique pour retrouver un projet. Si *La Lézarde* constitue l'archive de l'œuvre, la première trace des personnages, *La Case du commandeur*, à l'instar du *Quatrième siècle*, fait pressentir la nécessité de remonter beaucoup plus loin, au temps des « premiers débarqués ».

Ne trouvera-t-on pas cette origine, cette préhistoire qui donne cohérence à l'histoire, au milieu du roman, dans cette partie pivot qui s'intitule précisément « mitan du temps » ? On pourrait, en effet, penser que la seconde partie du roman, mitoyenne entre l'évocation de la famille Celat et le récit contemporain de la quête de Marie Celat, donne l'explication, atteint un nœud, le cœur du récit et de l'histoire. Ce serait dans cette partie centrale qu'on trouverait l'unité, la clé des significations. Or, il n'en est rien, ou du moins, ce centre, plutôt qu'unité est centre de diffraction, ce noyau explose et fragmente encore plus le récit.

La traversée du milieu

En effet, au centre du roman, à la fin de la remontée des générations de Celat, se tient le « Mitan du temps ». On pourrait croire avoir atteint là le centre géométrique, le noyau du texte, en fait, l'origine de l'histoire. Or, les personnages qui surgissent alors sont d'un autre monde. Ils ne s'intègrent pas à la fiction commencée. Ils sont à peine incarnés, le nom devient un indice aussi abstrait qu'un repère géométrique : « Aa », « Bb ». Le lecteur de plus en plus égaré, avance dans ce désordre de fragments dont certains passages se font écho, sans véritable lien apparent, parfois reliés, par un coup de force du narrateur, à la fiction originelle. Des personnages comme « Chinois », ou « Saint-Assez » font une apparition très passagère, tandis que « Dlan Silacier Medellus », personnages du roman *Malemort* surgissent ici comme par effraction[43]. Au paroxysme de la non-liaison, le chapitre « Registre des tourments » fait allusion à un personnage, « la femme », qui demeure anonyme. Elle devient archétype, totalement isolée de l'ensemble des autres personnages et de la fiction.

Par conséquent, ce récit particulièrement décousu, au centre du roman, désigné comme « mitan du temps », c'est-à-dire comme « milieu », n'est en fait qu'un chaos de morceaux disjoints et hétérogènes. La structure en boucle, qui enserre le récit dans ses anneaux, puis dans la gangue des extraits de journal, ne renferme qu'un noyau explosif. Le centre n'est pas unité mais, à l'inverse, paroxysme de l'éclatement. C'est pourquoi nous entendons le « mitan » comme « milieu » et reprenons l'expression qui, dans la littérature anglophone, évoque fréquemment la traite, le « transbord » de l'Afrique aux Antilles, la « traversée du milieu ». Le texte, évoquant souvent des images du bateau négrier, ce « poisson-chambre » dans lequel on meurt et duquel on naît, jeté sur la rive, doit refaire le voyage en sens inverse, replonger au gouffre pour y retrouver la trace. Le roman, en sa partie centrale, nous mène à ce « mitan du temps », à ce passage où tout s'est défait. Il rejoint donc, au plus profond, le chaos, l'informe de la traite, c'est ce qui le rend tragiquement baroque.

Si le « mitan du temps », au centre de cette histoire, est bien un milieu géométrique qui permettrait de relier deux pôles, c'est précisément parce qu'il met en relation le sujet avec le plus enfoui de son histoire, l'abjection, la violence dans laquelle il fut conçu. C'est effectivement la partie centrale du roman qui tient sur ses

---

43.   *La Case du commandeur*. p. 151.

deux bords le récit de l'origine de Marie Celat d'une part, l'histoire présente de Marie Celat d'autre part. Le « mitan du temps » est un trait d'union entre deux temps, celui de la remontée vers le passé, « la trace du temps d'avant », et celui de la marche de Marie Celat vers la folie et la révélation, vers « la roche de l'opacité ». Cependant, il ne fait pas de doute que c'est également dans cette partie centrale que le récit éclate le plus radicalement, mêlant des personnages de plusieurs horizons et de plusieurs romans, désarticulant absolument les récits divers qui naissent et s'arrêtent presque aussitôt, comme des éclats. Il faut donc faire l'hypothèse que le temps qui rassemble est également le temps qui casse, que le « mitan », le lieu de « relation », est également le lieu d'une fragmentation maximale, comme s'il fallait faire exploser ce récit bien enserré dans ses anneaux pour parvenir à renouer les histoires. Atteindre le noyau du récit ou de l'histoire est, en quelque sorte, mettre en état de fission l'atome originel. C'est dire, plus exactement, que l'origine, dans cette histoire, et dans ce lieu, ne fut pas création, mais destruction, éclatement.

Ainsi le récit de l'origine du nom passe par une œuvre au noir dans laquelle tout se défait. C'est le « mitan du temps », moment de « mémoires des brûlis », où tout est réduit en cendres comme dans une opération alchimique. Les personnages ne sont pas reliés par la progression chronologique et les liens diégétiques. Aa, le guerrier traqué, Calciné, celui qui fuit devant les « débroussailleurs », le garçon qui, premier dans sa famille, passe le certificat d'études, l'homme qui se réserve ses filles pour résister, voulant les « garantir contre tous les colons possibles », tous ces personnages sont des archétypes d'une histoire oubliée. D'autres prennent la suite, comme Ceci Celat, Alivon, Dlan Silacier Medellus dont les histoires sont consignées ailleurs, d'autres encore surgissent, dont ne sera racontée que la fin tragique, double supplice de la mère ayant étouffé son enfant, mort atroce d'Aa qui clôt la partie.

Ces chapitres et ces personnages ne sont pas en continuité, ils sont les fragments juxtaposés d'une non-histoire. Ils permettent d'entrevoir, par éclats, ce que fut cette histoire des premiers débarqués, des premiers marrons, des femmes violées dans le bateau négrier. Ce sont de multiples moments exemplaires de la condition d'esclave et de Noir. Le récit se déplace d'un fragment à l'autre, par métaphore, en quelque sorte, chacun étant le témoin d'une même souffrance. Toutes ces histoires se ressemblent parce qu'elles sont archétypiques et douloureuses. Le récit passe d'une bribe à l'autre, dans un mouvement dont le chapitre « Mémoires des brûlis » donne la clé et la structure.

En effet, ce chapitre se présente comme une dérive au fil de la mémoire, ou plutôt l'aboutissement de cette dérive : « "la foule des mémoires et des oublis" nous déporte, le charivari précipite, nous voilà débarqués grotesques effarés de ces deux barrières[44] ». Le narrateur ayant atteint le point limite que représente la naissance du nom Celat, au chapitre précédent, se rend compte qu'il ne peut continuer du même mouvement : « Voici le moment venu de connaître que nous ne continuerons pas à descendre en mélodie la ravine ; qu'arrivés au bord de ce trou du temps nous dévalons plus vite en sautant de roche en roche[45]. » C'est pourquoi, cessant de remonter le fil des générations de Marie à Anatolie Celat, il saute soudain d'un personnage à l'autre ou d'épisode en épisode, sans plus construire le récit. Entre les moments distincts se répète la phrase en italiques : « *Nous sautons cette roche !* qui aboutit à cette dernière occurrence : *Nous sautons nous ravageons la roche nous sommes les casseurs de roches du temps*[46]. » Nous pourrions rapprocher cette phrase d'une remarque plus ancienne d'Édouard Glissant, dans *L'Intention poétique* : « Je bâtis à roches mon langage[47] ». L'idée d'une poétique du morcellement, de la roche brisée, s'impose par conséquent, à l'opposé d'une esthétique de la fluidité, de la transparence, du cours ininterrompu d'une rivière ou d'un récit.

L'écriture ne peut plus se contenter de dérouler ou de « dériver », il lui faut casser la continuité pour « sauter de roche en roche », d'une figure ou d'un instant à l'autre. Entre les morceaux, on devine « le trou du temps », les bribes d'histoires se manifestant comme des « traces ». « Nous béons là, dit le narrateur, devant la

---

44. *La Case du commandeur*, p. 137.
45. *Ibid.*, pp. 137-138.
46. *Ibid.*, p. 143.
47. *L'Intention poétique*, Éditions du Seuil, 1969, p. 50.

muraille de lianes, cherchant le trou par où passer[48].» La métaphore des « lianes » s'est substituée à celle des nœuds, comme s'il était nécessaire désormais de se frayer un chemin dans un étouffant tissu de végétation, une jungle opaque. Le « trou du temps » demeure inaccessible. C'est pourquoi il faut d'abord couper, élaguer, défaire, avant de relier. Le temps cassé est réduit en « poudre », en « poussière », comme des étoiles, tandis que la nuit de l'oubli permet de circuler entre les bribes, tout en maintenant un mystère et une limite. L'histoire, comme celle d'Odono ou d'Aa, est

> « un tourment qui "se répan[d] alentour, s'alentit et dor[t] pendant des temps, rejaillit avec des éclaboussures de lumière et d'ardeur, dispar[aît] encore pour flamber à nouveau dans une poitrine ou une tête ou une foule exaspérée"[49] ».

La métaphore est filée à plusieurs reprises de ces deux mouvements de « la légende » qui dans un premier temps « éclate dans la branche où la nuit monte » puis « descend en lumière » et « tombe en éclats ». Le parcours de ces éclats, aux deux sens du mot, à la fois morceaux de ce qui a éclaté et éclairs d'une lumière ou d'un feu éblouissant, trouve son aboutissement dans le « tourment d'histoire » qui atteindra le fou, le déparlant ; c'est le « trou dans la tête » ou la « tête en feu » qui caractérisent Marie Celat, Pythagore et tous ceux qui, de temps en temps, retrouvent en eux le souvenir fugace d'Odono, dans la nuit de l'histoire.

« Marie Celat », reprend le narrateur au début de la dernière partie du roman, « s'était donc arrêtée au bord de ce gouffre où nous avons jeté tant de roches, dessouchées du temps. Peut-être regarda-t-elle plus loin qu'aucun de nous dans le gouffre[50] ». Le récit mène toujours au bord d'un gouffre. Dans un vertige, celui qui « entrevoit cet antan (...) réentend ce gémi », est « torturé du besoin de ce savoir[51] » tel Pythagore au début du roman, puis Mycéa. On pourrait faire l'hypothèse qu'à partir de cette extrême

---

48. *La Case du commandeur*, p. 138.
49. *Ibid.*, p. 167.
50. *Ibid.*, p. 171.
51. *Ibid.*, p. 42.

proximité avec le gouffre, le personnage peut recoudre le récit et le temps.

Recoudre le tissu du temps

La machine à coudre et à écrire

À la figure fondamentale du morcellement, répondent les nombreuses métaphores de la couture, associées aux deux figures féminines, Mycéa et Adoline Alfonsine, la femme qui coud, précisément dans la case du commandeur. En effet, Euloge, le commandeur, dont la case est à la fois au centre de l'« habitation » et au centre du récit, a pour compagne « la femme sans nom », mère d'Adoline Alfonsine. C'est autour de ce dernier personnage que se développent plus particulièrement les métaphores de la couture et du tissu. Ainsi, elle « enroul[e] ses paroles », elle « lac[e] un plein de mots[52] ». Le narrateur évoque « le madras de mots » qu'elle « tisse ». Lorsque Adoline Alfonsine rencontre Augustus, fils d'Anatolie Celat et ancêtre de Mycéa, elle achète une « des premières machines à pédale » qui devient « le monument de sa case[53] ». De sorte que si la case du commandeur est au centre du roman, la machine à coudre est au centre de la case.

Adoline Alfonsine, « pédaleuse », parle au rythme de la machine et du conteur,

> « la voix brisée roulant aussi vite que la grande roue de la machine et rythmée par le clic infini de l'aiguille sur les toiles rèches, dans cette cadence, tellement précipitée qu'elle en semblait une mélodie sans reprise, où nous reconnaissions la manière des vieux conteurs ».

---

52. *La Case du commandeur*, p. 89.
53. *Ibid.*, p. 106.

« Cousant ses mots à grands balans de la pédale », elle a retrouvé la trace du mot « Odono » et se demande, comme tous ceux qui sont tourmentés par la vision de l'histoire : « Odono, ki Odono[54] ? »

La métaphore qui unit le rythme de la parole, de la machine et du conteur, suggère très logiquement une similitude entre l'écriture du romancier dont le débit, les longues phrases sinueuses rappellent la scansion et l'essoufflement du conteur et la parole de ces couturières. La machine à écrire devient machine à coudre, à renouer le fil cassé. À l'origine, est l'absence d'origine, l'irruption dans le récit de « la femme sans nom » ou de Cinna Chimène, enfant également sans nom, trouvée dans la forêt. La fille de Cinna Chimène, comme la fille d'Adoline Alfonsine, seront donc les couturières d'un tissu sans commencement. Le roman s'inscrit dans cette tension entre l'absence d'origine et la couture qui permet de tisser, sans toutefois retrouver l'origine.

Il n'est pas étonnant, par conséquent, que Marie Celat, au bout de son périple ou de son errance, après s'être évadée de l'hôpital psychiatrique avec Chérubin, se retrouve dans la case du commandeur à demi ruinée. « Les deux errants éclairés de cette lumière du ciel entrèrent dans la case ». Le narrateur décrit avec solennité une véritable épiphanie : « Le temps alors descendit et les porta. Ils explorèrent le grand silence. » Dans un aoriste et de courtes propositions, presque des vers, s'exprime un moment dont la gravité évoque le mythe. Les deux personnages ont la révélation du temps, « Marie Celat remonta dans la voix de Chérubin, vers tout ce qu'elle n'avait pas connu mais qui résonnait pour elle plus clair que la parole du premier jour[55] ». Elle retrouve ses ancêtres Eudoxie, Anatolie, Liberté, Euloge, et c'est tout naturellement qu'elle commence « machinale de pédaler cette roue et de piquer l'aiguille ».

On peut lire comme un aboutissement symbolique le commentaire du narrateur :

---

54.   *La Case du commandeur*, p. 108.
55.   *Ibid.*, p. 233.

« Dehors la musique éclairait le tamarin (...) La musique venue de si loin (non pas seulement dans le temps mais aussi dans le linge d'espace, cousu de tant de pays, qui s'ajustait là sur nos corps avec des replis si compliqués) qu'il était impossible de l'entendre, sauf si on arrêtait le corps et que repartant on traversait la Trace primordiale guettée des bêtes innombrables[56]. »

La couture imaginaire de Marie Celat retisse donc un « linge d'espace » et de temps qui n'est pas sans rappeler les révélations de Pythagore au début du roman, lorsqu'il « voit par saccades ; ça fourmille dans sa gorge. Ni ouvrage tranquille ni enquête minutieuse, mais un débouler de feu, le linge de piments à même la peau[57] ». On peut supposer cependant que Mycéa, la couturière, ne connaît plus cette incandescence, la violence de la brûlure et du supplice, le « feu dans la tête ». Marie Celat a une révélation sereine, « elle rit doucement dans l'épais de la case, sentant grandir, comme une explosion dans son corps, la lumière qui pointait là-bas au fond de la nuit[58] ». Elle a retrouvé la « Trace du temps d'avant », bouclant la spirale du roman qui commençait par un chapitre intitulé ainsi. Elle a achevé la vision éclatée et sporadique de son père Pythagore et lui a donné sens. Il n'est sans doute pas indifférent qu'entre l'homme et la femme, le père et la fille se joue ainsi une rivalité, celle même qui réunit et sépare à la fois Mathieu Béluse et Mycéa, le narrateur et son héroïne. Nous y reviendrons ultérieurement[59].

Pourtant, il ne faudrait peut-être pas accorder au thème de la couture une signification symbolique sans nuances, en l'interprétant tout uniment comme le geste réparateur qui redonne

---

56. *La Case du commandeur*, p. 234.
57. *Ibid.*, p. 18.
58. *Ibid.*, p. 235.
59. En revanche, on peut découvrir là une structure qui associe l'homme et la femme sur deux générations. Adoline Alfonsine, la couseuse et le commandeur Euloge sont tout à fait similaires à Mycéa, celle qui recoud « le linge d'espace et de temps », en pédalant à la même machine, et à Mathieu, descendant des-Béluse, travailleurs des plantations. Lié par son histoire, au monde des commandeurs, il est celui qui tente de réordonner l'histoire par ses recherches historiques. Comme Euloge, il a un discours et une action politique. Édouard Glissant, lui-même fils de géreur de plantation est lié au commandeur et aux écritures de Mathieu.

continuité et sens à la vision. En effet, si l'acte de coudre a son temps, il ne doit pas être forcené, il ne peut occulter, recouvrir les arêtes. L'histoire d'Anatolie qui clôt la première partie du récit, « La tête en feu », atteste en effet d'une profonde tension entre coudre et couper. Anatolie Celat est l'ancêtre de la lignée des Celat, il « fut peut-être le premier de notre sorte à gagner, si c'est gagner, un nom de famille », déclare le narrateur. La remontée spiralique des générations s'arrête sur son histoire, comme si le nom faisait butée, donnant un repère ultime au récit. On pourrait croire, par conséquent, que se refondent en lui les différents individus dont il est le patriarche, et que se cousent, à ce point, les bribes d'histoires abordées par le roman. On verra qu'il s'en faut de beaucoup qu'une telle suturation s'empare du texte et de ses fragments. La tapisserie dont il va être question reste bien déchirée, dans l'ambiguïté et la jubilation baroques.

La tapisserie de la colonne et l'histoire d'Anatolie

Anatolie, l'ancêtre du nom, symbolise le destin antillais. Il cherche « la terre nouvelle », jusqu'aux « frontières de l'Habitation ». En attendant, il profit[e] de toutes les femmes rassemblées là. » C'est-à-dire qu'il a substitué à la possession de la terre, la possession des femmes. Or, s'il essaime sa semence, il n'engendre pas des enfants mais des histoires. En effet, il « racont[e] à chacune de ses relations une partie d'une histoire dont il prév[ient] que la fin n'interviendr[a] qu'au jour où il ne ser[a] plus capable de satisfaire à ses obligations[60] ». Étrange défi qui fait de la parole et du récit l'équivalent d'une puissance virile, mais qui ne peut aller au-delà et symboliser l'acte d'un père dans une filiation assumée. En projetant une fin biologique, Anatolie laisse en suspens la limite symbolique, la césure d'un choix. D'ailleurs, les hommes avertissent : « par-ci par-là n'a pas de fin » ; c'est en vain. Sans trop savoir où cela mène, « les femmes voulurent connaître le début et le développement de ce chant anatolien ». Elles se mettent à collecter les bouts de conte d'Anatolie. « Quand

60. *La Case du commandeur*, pp. 109-110.

elles se rencontraient, rapporte le narrateur, (...) elles débitaient tour à tour leur part du conte[61]. » Elles tentent de « rapiécer » les « morceaux de romance ». « La compagnie, reprend le narrateur, s'efforçait de débiter ou de rabouter cette histoire éclatée d'Anatolie[62] ». L'anecdote, on le voit, est symptomatique, elle rejoue sur le plan de la fiction une structure familière au lecteur, cette tension entre fragment et reconstitution.

Si hommes et femmes de l'habitation essaient vainement de réunir les morceaux de contes, le colon et sa femme s'y efforcent également et symétriquement. En effet, Anatolie n'est pas le seul homme à « profiter » des femmes, sur l'habitation. Le colon est à l'autre bout de la chaîne. Il course les femmes « par-ci par-là », sorte d'envers d'Anatolie. Les femmes vont donc rapporter au colon leur part de conte, dans une telle fragmentation que le narrateur emploie l'expression métaphorique « un hachis de nouvelles ». Le colon, « frappé de cette succession de morceaux d'histoire dont les femmes l'accablaient (...) ne put se retenir de confier à son épouse ces étranges débris de contes[63] ».

Le dispositif de cette histoire a quelque chose de réellement baroque. Le récit « éclaté », absurde, est également jubilatoire, parce qu'il relie facétieusement le maître et l'esclave dans une nouvelle dialectique, parce qu'il invente une écriture entre parodie et jeux de mots, créations verbales, montage invraisemblable d'images et de paroles proliférantes. On pourrait citer de nombreux passages déconcertants, poétiques, troués pour la vraisemblance – car la colonne ne dispose que de témoignages lacunaires – et pour la beauté, le rythme, le mystère. Que l'on prenne au hasard :

> « Il tourna la tête en un rond sans ripes. L'épais du matin tourbillonnait dans sa peau. L'inquiétait la route par-delà les monts, où les grands singes se réfugiaient après leurs razzias sur des légumes à point. Il entra dans l'eau glacée de la ?, où ses pieds se chaussèrent de la terre du fond[64]. »

---

61. *La Case du commandeur, ibid.*
62. *Ibid.,* p. 111.
63. *Ibid.,* p. 113.
64. *Ibid.,* p. 114.

Les jeux sonores (« rond sans ripes »), les associations entre le concret et l'abstrait (« l'épais du matin tourbillonnait »), l'étrangeté de la situation (« les grands singes », l'irruption du personnage qui vient « chaque matin interroger le silence ») et les enchevêtrements thématiques (la route, l'eau, les singes), les ruptures de ton et les variations de registres (raffinement, préciosité des métaphores, trivialité des « légumes »), le travail extraordinaire sur une syntaxe véritablement sculptée, font de tels passages un témoignage d'invention baroque, de création rythmique, sonore et poétique.

La tirade d'Hermancia, un peu plus loin, emporte le texte dans sa dérive, violente comme une coulée de lave, à la fois obscène, poétique, comique et rugueuse. Qu'on en juge :

> « Elle se roula dans la poussière comme un taureau effréné, se frappa pendant des heures, arracha sa gaule de nuit, et même une touffe de crin de maïs qui lui servait à éponger ses affaires de femme. (...) Provoquant Liberté en combat mort pour mort. Qu'elle avait collé Anatolie avec la bave de Satan. (...) Que toutes les sangsues du marécage dansaient en collier autour du cou de Liberté. Que qu'est-ce que c'était que cette avortée qui n'avait même pas l'âge d'écarter les cuisses à l'équerre et qui prétendait se faire monter par un étalon. Que sa mère avait coqué avec combien de mulets à trois pattes pendant que son prétendu père balançait là suspendu par ce qui aurait dû lui servir à autre chose. Que la patate de sa mère sentait tellement fort que le rejeton avait bouché son nez pour passer à la naissance. »

Cette diatribe rabelaisienne, qui dévale sur deux pages, est un véritable hommage à une parole populaire et féminine, certes hystérique, sans mesure ni raison, mais non sans rythme ni invention langagière, tant métaphorique que syntaxique. Le rythme se moulant sur un oral déchaîné se précipite, la ponctuation ne correspond plus à la phrase grammaticale mais suit les pauses du discours. Les propositions nominales, les subordonnées isolées par des points se ruent, s'arrangeant d'une ponctuation moins logique que rythmique, comme un soupir qui permet de reprendre haleine. Là encore, le texte se libère des contraintes du récit, la fragmentation et le non-sens de cette histoire permettent d'explorer un imaginaire et une liberté baroques[65].

Il est bien évident qu'un auteur ne peut éprouver que fascination pour un tel langage. De même qu'il déclarait son amour pour les « tarabiscotés » de *Malemort*, Édouard Glissant ne peut se priver d'un désordre linguistique aussi fertile, aussi heureux. D'où l'ambiguïté de sa position, son désir de découvrir une « loi d'expression » n'a d'égal que son plaisir à inventer une langue qui s'inspire du délire (de Pythagore, d'Hermancia, d'Anatolie, de Mycéa), et des formes populaires de l'oral. Le « dérèglement des sens » et du sens, on le sait n'est pas pour déplaire à l'écrivain. C'est pourquoi le narrateur-scripteur ne cherche pas à remettre directement en ordre un discours « éclaté » ou délirant. Il lui importe d'en mesurer plutôt la justesse, d'en entendre la vérité, tout en cherchant cependant une perspective qui l'éclaire, en facilite l'écoute. Par conséquent, le narrateur ne peut qu'ironiser sur les efforts de la « colonne » à mettre en ordre, à recoller, à organiser les morceaux de ce discours. Le vrai délirant n'est pas celui qu'on croit. Sous le baroque des discours délirants et poétiques se dit une vérité à décrypter, sous l'ordre et la logique de la colonne, on aperçoit très vite, à l'inverse, la folie et la perversité.

Ainsi, celle qu'on nomme ironiquement la « colonne » se met à « tenir registre des pans incohérents du récit ». C'est l'origine d'un extraordinaire travail qui allie écriture et couture : « chaque épisode était orthographié sur une bande de papier qu'elle collait ensuite à l'amidon dans un registre de toile écrue[66] ». Si le narrateur se complaît à retranscrire des bribes de ce récit assez incohérent, dans un style finalement très glissantien, la « colonne » est, pour sa part, exaspérée. Elle s'emporte contre l'absence de sens, « cherchant l'ordre et la clé », elle rêve de « faire fouetter les

---

65. *La Case du commandeur*, p. 122. Le narrateur emploie un certain nombre de termes créoles. La « gaule » est une robe blanche, « coquer » c'est faire le coq et la poule, donc faire l'amour, et la « patate », désigne le sexe féminin. L'accumulation des « que », « qu'est-ce », « que qu'est-ce que » crée un effet comique et sonore, donne une énergie à cette articulation colérique. L'allitération en [k] semble marteler une profération guerrière. L'imagination, quant à elle, merveilleuse et truculente, rappelle la verve des fabliaux du Moyen Age, ou les trouvailles d'un Panurge.

66. *Ibid.*, p. 114.

Négresses pour leur arracher leur secret[67] ». Les histoires ainsi
« débitées pan par pan », émiettées, sont l'objet de tentatives
multiples dont le dessein est de retrouver des « continuités ». Or,
d'un côté, les femmes ne réussiront pas à finir l'histoire, de l'autre,
le travail de collage de la « colonne » a quelque chose d'absurde
qui la conduira à la folie.

La femme du colon, au début du récit, « faisait mine de tenir
des écritures (...) à propos de "l'histoire" de sa nouvelle famille et
des bruits qu'on en disait : que la lignée avait dynastiquement
résisté[68] ». Elle s'inscrit donc dans une écriture historienne qui se
soucie essentiellement de continuité, de filiation. Elle écrit une
histoire « dont on parlait peu dans les cases », car elle consigne les
faits concernant les « impôts », les « démêlés avec la marine
anglaise », s'inspirant de « grimoires et pamphlets arrivés de
France ». Cette « histoire » entre guillemets, exogène et officielle,
est aux antipodes des « contes » d'Anatolie, elle constitue la vision
coloniale dans son souci de cohérence. Les contes d'Anatolie
introduisent, à l'inverse, le trouble du fragmentaire et du lacunaire,
ils vont « casser » ce discours, et balayer la représentation
historique des colons. C'est pourquoi le narrateur conclut la
parabole de la « colonne » en ces termes : « ainsi ces histoires
cassées avaient-elles chassé l'Histoire de son pupitre. »

Édouard Glissant illustre par là sa propre poétique : « là où se
joignent les histoires des peuples, hier réputés sans histoire, finit
l'Histoire » (avec un grand H)[69] ». Toutefois, les histoires,
plurielles, ne se joignent qu'en déchirant d'abord le glacis du
discours officiel. Pour finir « l'Histoire » et commencer « les
histoires des peuples », il est nécessaire de disloquer la version
officielle que la colonne, précisément mettait en place.

Le premier temps d'une historiographie antillaise conduit donc
à « casser » la continuité fallacieuse d'une Histoire officielle
conçue comme unique, et qui exclut les Histoires non occidentales,
les peuples sans État, les événements de l'histoire personnelle ou
quotidienne. C'est le processus opéré par l'irruption des récits

---

67.   *La Case du commandeur*, p. 115.
68.   *Ibid.*, p. 113.
69.   Édouard Glissant, *Le Discours antillais*, p. 132.

d'Anatolie, qui subvertit la continuité du sens, substitue au récit unique de l'Histoire officielle les fragments désarticulés de ses contes. Le rapprochement phonétique entre « chassé » et « cassé », indique bien que le mouvement de révolte, de libération exprimé dans le premier terme, appelle le travail de fragmentation manifesté dans le second.

Toutefois, un second temps de la dialectique consiste en une aspiration à trouver l'unité, le sens qui permettrait de « joindre », de recomposer ce qui apparaît d'abord comme fragments incohérents des « Histoires des peuples ». C'est à quoi s'efforce la « colonne », recollant les morceaux, tel un historien scrupuleux et soucieux de cohérence qui collecte et collationne les témoignages. La « colonne » a bien du mérite : abandonnant ses propres archives, elle recueille cette parole autre qui émane des esclaves, et tente d'en redonner le sens. En fait, elle s'empare de l'histoire des autres pour la transcrire. Elle prétend écrire ce qui fut conté oralement, unifier ce qui fut multiple. Mais elle ignore que cette parole différente a besoin d'un autre type de discours, d'une autre méthode de « relation ». La fièvre de coller les bouts l'emportera dans la folie, le « délire verbal » et la mort.

Ainsi, l'échec de la « colonne » démontre que l'unité ne vient pas d'un collage mécanique. La « colonne » est prise par « la fièvre de coller bout à bout ses bandes de gros papier, défaisant chaque nuit l'ordre de la veille[70] ». Finalement, elle mourra « sur un tas de vieux papiers de toutes les couleurs qu'elle s'était effrénée à découper au moyen de délicieux et minuscules ciseaux[71] ». L'erreur des colons, dans la parabole d'Anatolie, réside précisément, dans leur désir de recoller les bribes du récit d'Anatolie. Le narrateur tourne en farce cet échec historique des maîtres blancs. Par un rapprochement burlesque, en effet, le narrateur donne une signification nouvelle aux noms. Dans la phrase « le colon, abandonnant la colonne à ses collages exaspérés », le narrateur suggère, que le colon et la « colonne » sont ceux qui collent, et non plus ceux qui colonisent.

---

70. *La Case du commandeur*, p. 115.
71. *Ibid.*, p. 129.

On pourrait entendre, dans ce jeu de mots, que coloniser consiste à rassembler selon sa propre logique ou sa propre folie, les histoires des autres. Cette plaisanterie burlesque suggère donc la part dérisoire et démesurée en même temps, que les maîtres prennent à l'histoire / Histoire des Antilles. Ils collent des morceaux d'un récit fabriqué par des esclaves, et dont ils ne comprennent pas le sens. La vengeance du narrateur et d'Anatolie consiste sans doute dans cette dérision, représentant la « colon-colonne-colonelle », sous les traits d'une femme qu'une jalousie effrénée rend folle, et qui perd absolument la maîtrise de l'Histoire et de soi-même. La mort des colons ne fera que confirmer cette impression de dérive. La parabole fustige ainsi tous ceux qui prétendent trop recoller, réassembler, au risque de sombrer dans la violence et le délire. Elle permet de mesurer l'écart entre un discours logique trop dogmatique, qui n'est que du « délire verbal », et un narrateur qui a renoncé à recoller les morceaux de l'histoire, préférant « bâti[r] à roches [s]on langage ».

Il va de soi, en effet, que le narrateur-scripteur ne peut prendre le relais d'une telle posture / imposture, en prétendant recoller lui-même les morceaux d'histoires. Il ne peut se poster face à Anatolie, tel le maître qui est « à l'autre bout », de telle sorte qu'on ne sait pas si les enfants à naître sont ceux du maître ou ceux de l'esclave. Le face à face ne permet ni à l'un ni à l'autre de trouver un repère, ni d'être à l'origine assurée d'une descendance sym-bolique. Ils sont dans la même errance, et si le maître « frétill[e] d'avoir telle puissance », il n'en a que l'apparence incertaine, la puissance imaginaire. Dans une telle conjonction le maître et l'esclave se tendent un miroir dans lequel ils apparaissent également incapables de maîtriser quoi que ce soit, et particu-lièrement d'assumer leur descendance qui devient « cheptel ». Ils sont complémentaires et symétriques. Le narrateur doit donc faire un détour pour trouver sa position symbolique et non plus seulement imaginaire et délirante, il lui faut s'abstenir de recoller trop vite les bribes de récits. Pourtant la fragmentation n'est pas une fin en soi et les histoires demandent à se « rejoindre ». Quelle couture ou quelle parole pourrait les rassembler ? En fait la méthode préconisée, à travers le personnage de Liberté Longoué, est radicalement différente de celle du maître ou de la colonne, elle passe par une véritable symbolisation.

Reconstruire un ordre symbolique

Une césure : « un point c'est tout »

Le récit et l'Histoire ne peuvent se contenter d'un déroulement anarchique et infini, de contes sans queue ni tête[72]. L'Histoire des Antillais ne peut pas se constituer uniquement de pièces éparpillées. Dès lors, comment arrêter la logorrhée d'Anatolie, cette grande dispersion de contes, d'amours et d'enfants qui semble sans fin et sans début, sans césure symbolique ? On se souvient qu'Anatolie avait décidé de n'arrêter son conte que lorsque sa puissance virile serait épuisée. C'était s'en remettre à une fin biologique, réelle, non symbolisée. Il y avait là du « délire verbal », une sorte de parole morbide et comique à la fois, qui faisait dériver le sens. Or, Liberté Longoué, la fille de Melchior Longoué, « marron presque officiel de l'Habitation *L'Acajou* », met un terme à l'histoire d'Anatolie. La filiation de Liberté dit assez qu'en elle se manifeste le Nom-du-Père, c'est-à-dire la loi et le lien sym-

---

72.   Il se pourrait que les notions de « chaos-monde » et de « tout-monde » qui ont pris le relais des analyses du « délire verbal » dans l'œuvre d'Édouard Glissant tentent de faire l'économie d'une loi. Dans *Poétique de la Relation*, Édouard Glissant notait : « Nous tournions autour de la pensée du Chaos, pressentant qu'elle circule elle-même à contresens de l'acceptation ordinaire du « chaotique » et qu'elle ouvre sur un donné inédit : la Relation, ou totalité en mouvement, dont l'ordre flue sans cesse et dont le désordre est à jamais inimaginable. » Il s'en remettait donc à l'hypothétique pour découvrir des lois ou des constantes dans « la matière fluide, turbulente et obstinée, et peut-être ordonnée, de notre commun devenir » (« Le Relatif et le Chaos », in *Poétique de la Relation*, Éditions Gallimard, 1990, pp. 147-154). De même, la pensée deleuzienne du rhizome, qui est devenue une référence constante dans le discours de Glissant, a-t-elle tendance à refuser toute césure, dans un monde de passages et de fuites incessants. Cette tendance continue la pensée de la relation tout en l'infléchissant. Il nous semble qu'en 1981, l'œuvre, sinon l'auteur, croit encore à un principe ordonnateur, à une position symbolique à venir qui organiserait le chaos.

bolique[73]. Forte de sa double identité, à la fois « liberté » et fille de Longoué le premier marron, elle a le pouvoir de mettre un terme aux contes d'Anatolie, à la dispersion de sa progéniture et par elle une unité, un nom, et une famille, vont naître. On peut faire l'hypothèse que Liberté Longoué apporte une solution radicale à la fragmentation et à la prolifération parallèle des récits, non en essayant de recoudre ou de recoller mais en faisant reconnaître à Anatolie une césure symbolique.

Liberté Longoué apparaît « soudain comme un point c'est tout[74] ». Paradoxalement, elle fait cesser le déroulement de l'histoire, non en la menant vers sa fin mais en la rapportant à sa source. On pourrait suggérer que les contes s'arrêtent là où l'Histoire / les histoires se joignent, dans le moment d'une « castration » symbolique. Celle-ci oblige Anatolie à abandonner la toute-puissance de l'imagination, et de l'engendrement en série, et lui donne accès à son Histoire, et à la paternité. Liberté Longoué situe Anatolie dans l'ordre symbolique et historique, dans la succession de ses ascendants, qui se continuera, non en une prolifique semence, mais en un fils reconnu, Augustus. Ainsi, Anatolie, s'il est le premier du nom, incarne vraiment le Nom-du-Père. La loi qui lui interdit la totalité des femmes et des contes viendra donc ordonner le chaos des récits et de la succession.

Liberté exerce une césure non parce qu'elle donne le mot de la fin, mais parce qu'elle ramène l'histoire à l'origine, et d'abord à l'enfance. Anatolie retourne ainsi « dans un état d'enfance qu'il n'avait jamais connu. [Elle] le ramena entre les cuisses de la femme pour le laisser là béant d'une innocence écarquillée[75] ». Puis l'initiatrice, la sage-femme, lui demande « d'où il tenait ses morceaux de fait accompli ». Devant son ignorance, Liberté Longoué lui montre « le début et l'enchaînement de l'histoire rapiécée qu'il avait débitée avec tant de profit ». Liberté Longoué révèle à Anatolie l'origine de son histoire, elle le « convoi[e] à

---

73.   Nous renvoyons aux études de Jacques André sur le nègre marron comme père symbolique, dans « Les lambeaux du territoire », *Caraïbales*, Éditions caribéennes, 1981, pp. 117-149. Jacques André rappelle que selon Jacques Lacan « Le Nom-du-Père (...) identifie sa personne à la figure de la Loi. »

74.   *La Case du commandeur*, p. 121.

75.   *Ibid.*

l'histoire du premier Négateur, à Odono, aux premières rivalités entre les deux frères dont l'un vendit l'autre, au « poisson naviguant sur les hautes eaux », ce négrier qui a emporté les premiers débarqués. C'est presque d'une relation analytique qu'il s'agit ici. Le terme « convoyer » peut évoquer l'idée d'un transfert, comme si au « transbord » de la traite devait répondre le déplacement d'un sujet qui commence à découvrir le point d'où ses fragments existentiels (ou les fragments de son mythe personnel) peuvent prendre sens[76].

Si les contes cessent, c'est que savoir l'Histoire comme histoire de la traite, de l'abjection, de l'esclavage, met un terme aux récits innombrables et fragmentaires d'Anatolie. Anatolie peut reconnaître ce que le lecteur avait peut-être déjà perçu dans les fragments cités de ses contes, à savoir les bribes du conte du poisson-chambre raconté par Ozonzo dans « Chemin des engagés », et repris par Liberté, puis, dans la troisième partie, par Aa. Les fragments trouvent leur sens comme résurgences de l'histoire d'Odono. Le lecteur identifie celle-ci grâce à quelques indices telle la figure des frères rivaux : « Il y avait deux frères pour un seul jardin[77] », dit Ozonzo, « les deux frères s'approchaient », rapporte un fragment de l'histoire d'Anatolie recopié par

---

76.   On pourrait également suggérer que le dévoilement consiste en un retour à la mère, à la femme qui donne naissance et savoir, à la fois parce qu'elle est sage-femme et parce qu'un mystère apparaît « entre ses cuisses ». L'image de la « béance » originelle deviendrait la clé des différents moments de la révélation, renvoyant à la fois au « trou noir du temps passé » où le mène Liberté Longoué et au trou noir de la femme. Si le bateau-négrier est un « ventre », il se pourrait que réciproquement la femme ait quelque chose à voir avec le bateau-négrier. Deux mystères se répondraient dans le fantasme et le réel non symbolisable à l'origine de l'homme en tant qu'il est Antillais : la femme et le bateau-négrier. De deux côtés, le vertige et la difficulté à symboliser devant deux « gouffres » qui donnent la vie et la mort. En reconnaître la puissance sur l'inconscient fait sans doute partie de l'analyse, dans le sens où la parole ne peut s'aventurer plus loin que sur la lisière de ces mystères. La parole laisse toujours un reste, c'est ce qui n'est pas symbolisable et que Jacques Lacan appelle le « réel ». Le récit de Liberté Longoué, comme le roman d'Édouard Glissant, font approcher le lecteur le plus près possible de cet indicible, de ce réel qu'une « vision prophétique » seule peut permettre d'imaginer.

77.   *La Case du commandeur*, p. 65.

la « colonne »[78], tandis que Liberté Longoué apprend à Anatolie
« la rivalité d'amour et le combat des deux frères » et fait allusion
au « poisson naviguant sur les hautes eaux[79] ». On retrouvera dans
le récit d'Aa « les deux jeunes hommes qui s'étaient donné
secrètement le même nom : Odono ; et [qui] avaient publiquement
reconnu qu'ils étaient frères ». On saura qu'auprès d'une mare est
né leur amour pour la même jeune fille, puis « qu'un frère trafiqua
son frère pour le déportage : il ne fut lui-même épargné. Que les
trois se retrouvèrent sur le même bateau[80] ».

Le lecteur à la fin comprend que la même histoire a été
racontée par bribes, et que chaque génération en a connu un
fragment, de même que chaque partie du roman en évoque le
thème comme un leitmotiv. Il ne faudrait pas se représenter
cependant cette structure comme celle du puzzle. En effet, ce qui
frappe est davantage la répétition, l'insistance des mêmes
moments, ou des mêmes motifs, non la complémentarité des
fragments. Le lecteur n'en saura pas davantage en mettant bout à
bout les morceaux. Encore une fois, ils ne s'ajustent pas, ne se
recollent pas. Ils s'emboîtent quelquefois, les uns étant plus longs
que d'autres, restituant davantage de contexte et de sens. Mais ce
qui caractérise les bribes de récit est bien plutôt que tout est déjà dit
dès la première occurrence, celle du conte qu'Ozonzo fait à Cinna
Chimène au début du roman. Simplement, l'histoire n'avait pas été
entendue. Il faut beaucoup de répétitions avant que le signifiant,
dans sa littéralité, enfin parvienne à l'oreille de l'analysant, et il
faudra que le roman déroule (ou enroule ?) toutes ses spirales pour

---

78. *La Case du commandeur*, p. 114.
79. *Ibid.*, p. 125.
80. *Ibid.*, p. 166. C'est là un des « trous noirs » de l'histoire à reconnaître.
     Édouard Glissant place, au commencement de la traite, la rivalité entre deux
     frères pour une seule femme, « un même jardin ». C'est réécrire une Genèse
     dans laquelle le péché originel, lié au désir, est une trahison. Ce n'est pas le
     complexe d'Œdipe, mais le mythe d'Osiris trahi par Seth qui fonde ainsi
     l'histoire antillaise. Il serait intéressant de le relier à la récurrence d'une
     malédiction du mulâtre, véritable traître, dans la littérature antillaise, et à
     l'importance du mythe de la gémellité chez Maximin. La gémellité restaure
     la fraternité, répare la trahison. Dans *L'Isolé soleil*, il est manifeste que les
     hommes ne sont pas rivaux, Adrien et Antoine aiment également Marie-
     Gabriel, sans jalousie ni trahison. L'amour à trois guérit de la trahison
     originelle.

qu'Anatolie et le lecteur entendent le cri « Odono » et y entendent quelque chose, en découvrent la signifiance inconsciente[81].

Liberté Longoué révèle donc à Anatolie l'unité et l'origine de ses contes qui sont, en réalité, des fragments d'une histoire de la traite. Elle lui demande ainsi d'affronter l'origine traumatisante, comme une lettre en souffrance. Alors cessent les habitudes folâtres d'Anatolie. Il n'essaime plus, mais devient véritablement le père d'Augustus, et prend un nom : Celat. Liberté, la femme-qui-se-souvient, semble représenter pour lui l'acceptation d'une paternité doublement symbolique. En effet, il sera dit de son fils Augustus qu'« il était né dans plus qu'un bois, dans un trou du passé[82] ». Il semble donc que la limite symbolique que reçoit la parole d'Anatolie, dispersée entre les femmes, comme sa semence, représente l'acceptation de ce trou noir du passé, où s'enfouit l'Histoire des déportés africains (et peut-être l'histoire obscure des hommes en tant qu'ils désirent toujours là où gît l'interdit). Alors seulement, la paternité est fondée, et la terre retrouvée, dans un acte qui va au-delà du marronnage, car l'exploration de la mémoire dans le « trou du passé » est plus profonde que « le bois », associé par métonymie au marronnage.

Le texte ne commente pas la portée psychanalytique de ses propres jeux sur les noms, mais il est évident que le patronyme Celat, qui est donné en référence à « cela que faisait Anatolie avec les femmes », pourrait s'appeler ailleurs, le « ça ». Anatolie a rejoint, à travers son histoire, les deux lieux inconscients de son « devenir sujet » : le désir d'une part et, d'autre part, l'origine inaccessible, trou béant du réel le plus difficile à symboliser, celui de la traite. C'est la rencontre de ces deux parts obscures qui met un terme au « délire verbal ». Entre les deux réels non symbolisables, de la pulsion et de la mort, l'Histoire cherche son espace symbolique, dicible, une « loi d'expression » et une liberté. De la

---

81.   De la même manière, tout était déjà dit dans *Le Quatrième siècle*, roman publié en 1964. La parole transmise par le quimboiseur Papa Longoué n'a fait que s'opacifier depuis. Le récit doit donc être repris, car il est sans cesse recouvert par le déni, le silence. L'œuvre n'est certes pas vérité dévoilée une fois pour toute, mais répétition insistante, recherche tâtonnante sans cesse reprise, pour lutter contre un oubli toujours plus vaste.

82.   *La Case du commandeur*, p. 128.

sorte, Anatolie, père reconnu d'un grand nombre d'enfants, « assis
devant sa case et recevant les visiteurs (...) donne le détail de ses
trente-cinq (...) descendantes et descendants ». Il est en somme
devenu conteur et patriarche.

Si nous voyons dans ce mythe l'acte d'une symbolisation, au
sens lacanien, comme reconnaissance d'une loi qui nomme et
interdit (tout en étant « liberté »), situe le sujet dans la filiation, le
texte de ce mythe évoque également le symbole dans un sens plus
traditionnel. En effet, Liberté Longoué « recompose », elle
redonne l'unité disparue. Cependant, qu'on y prenne garde, il ne
s'agit pas ici de recomposer l'histoire, mais la collectivité :
« L'histoire arrêta net. Liberté Longoué recomposa pour un long
temps ce qui avait été séparé ; nous donna un nous dont nous
désespérions sans le savoir[83]. » La parole est véritablement
symbole en ce qu'elle unit deux moitiés tout comme les moitiés du
poisson qu'assemblaient les premiers chrétiens pour se reconnaître.

Les contes d'Anatolie avaient en effet séparé la collectivité :
« nous étions séparés en deux. Une part qui reconstituait le conte,
une part qui essayait de deviner. Une parole toute en femmes, une
oreille toute en hommes[84]. » Or, au moment où liberté Longoué
fait irruption dans le texte, elle symbolise. Comme le poisson à
assembler (en grec, *sumballein*, qui a donné le français « symboliser »), sa parole est rassembleuse. Le narrateur commente ainsi
ce moment épique :

> « En vérité que faisaient-ils, les deux, (...) sinon retrouver avec
> des mots, (...) les débris de la beauté à quoi chacun peut prétendre
> et que nous ravinions dans le pays avec nos corps et nos cris,
> espérant sans le savoir que la beauté, par delà toute misère et toute
> épreuve, nous unirait[85] ? »

La parole de Liberté Longoué symbolise donc car elle unit
l'homme et la femme dans un dialogue, rassemble « les débris de
la beauté » et les morceaux du « nous ». L'histoire n'est donc pas

---

83. *La Case du commandeur*, p. 119.
84. *Ibid.*, p. 111.
85. *Ibid.*, p. 124.

un fil à dérouler mais un signe échangé qui rassemble, une situation de parole et d'écoute qui permet à chacun d'être et de se situer.

La parole, toutefois, n'est pas à l'origine d'une fusion, d'un « nous » unifié. Comme signe à décrypter, parole à entendre, elle réunit, dans l'intersubjectivité, les parties distinctes du « nous ». Les contes, comme unité narrative, laissent place ici au symbole, comme parole qui donne identité à la collectivité.

Le lecteur sent bien que le récit se pose, comme dans un acte cérémoniel, le narrateur ayant recours à un lyrisme inhabituel. Le roman pourrait s'arrêter sur ce tableau dans lequel il peint son mythe fondateur. Pourtant, le récit n'en est qu'à sa première spirale. D'autres temps solennels rythment les textes d'Édouard Glissant, tels les rencontres d'un personnage avec Papa Longoué, l'initiation de Cinna Chimène, la révélation de Mycéa dans la case du commandeur. On pourrait s'étonner que de tels instants de transfiguration ou de dévoilement ne soient pas les termes ultimes du roman. Ne représentent-ils pas la fin de la quête ? En réalité, la parole symbolique n'est pas dernière, elle se perd sitôt dite, et les patriarches qui ont ainsi fondé une sorte de tribu, les personnages qui ont découvert la trace du temps, éprouvent, peu après, l'usure du symbole, la durée qui opacifie, la perversion de la loi extérieure qui se substitue à la loi qui leur était propre. C'est le sens de ce qu'on pourrait appeler la « fable du commandeur », redoublement à bien des égards, de celle d'Anatolie. Deux pères possibles sont institués, prennent des positions symboliques significatives, avant d'être l'un et l'autre laminés par le temps, l'oubli ou l'Histoire de France.

Le commandeur et la case

Si Anatolie, grâce à l'irruption de Liberté Longoué peut incarner une figure de père fondateur, un autre personnage pourrait en effet, représenter la position symbolique du père : Euloge. Curieusement, il est plutôt discret dans l'ensemble du récit, alors qu'il donne son titre au livre, puisqu'il est le « commandeur ». Il est décrit comme « le premier commandeur nègre », c'est-à-dire qu'il fonde lui aussi une lignée. Le narrateur estime qu'il « était marqué pour mettre de l'ordre, à grands coups de bras et rage sans parole ». Ce personnage, « né esclave » s'est mis à « mépriser ses semblables », « aussi l'habitude lui vint-elle de commander, pour le compte des Blancs[86] ».

En fait, le personnage demeure profondément ambigu. Il représente « les nègres qui s'étaient ou plutôt qui avaient été libérés de l'esclavage, les hommes de couleur libres », et récuse toute légitimité à l'Abolition de l'esclavage par la France : il dénonce un leurre, « un bruit de libération [qui] était félon ». Par conséquent, il s'enfuit dans les bois. Son geste de refus lui confère la dignité du nègre marron. Le narrateur suggère même que « ce refus l'avait rejeté pire qu'un Nègre marron ». Pourtant, il commande « pour le compte des Blancs » et à la mort du béké, il « se traîn[e] jusqu'au corps exposé, il salu[e] gravement » et « chuchot[e] face au cercueil ouvert : Aprézan i mô man pé mô san rigré[87] ». Le sens de ce geste et de ces mots est du reste assez obscur. Manifestant un mélange de respect et de haine, il semble que le commandeur soit rassuré de voir le béké mort, comme s'il s'agissait d'une victoire. En effet, le narrateur commente son salut en ces termes : « comme si nous avions besoin de voir là le corps mort pour nous persuader que nous pouvions brûler avec des mots la chair faillie du colon[88]. »

On pourrait faire l'hypothèse qu'Euloge, l'un des seuls personnages qui ait avec le béké une relation directe et qui ose lui faire une réplique mémorable manifestant sa dignité, symbolise la synthèse entre deux figures jusqu'alors inconciliables, le marron et le travailleur de l'« habitation »[89]. Échappant à la servilité et cependant homme de l'« habitation », il pourrait fonder un ordre inédit dans le monde de la plantation. Il ne commande pas seulement au nom du béké, mais il est également animé par sa propre haine. Son refus de l'abolition et de ses ambiguités l'amène à « commander » selon sa propre logique.

---

86. *La Case du commandeur*, p. 86.
87. *Ibid.*, pp. 131-132. On peut traduire ainsi la phrase créole : « Maintenant qu'il est mort, je puis mourir sans regrets. »
88. *Ibid.*
89. *Cf.* l'anecdote racontée au chapitre « Contes de la foi qui sauve », p. 98.

De la même façon, le lecteur apprend qu'au moment de mourir, sa femme, « la femme sans nom »,

> « interrompant sa parole sans fin, avait dit à Euloge que la fille était sa fille, non pas celle de l'autre. Et ils s'étaient vieillards tragiques et bienheureux, couchés côte à côte dans le grand lit qu'Euloge avait jadis commandé[90] ».

Ainsi, le personnage est confirmé dans sa paternité, réelle et symbolique et il peut, en quelque sorte, mourir tranquille. Faut-il voir un trait d'ironie dans l'ultime emploi du mot « commander » dans l'expression « le lit qu'il avait commandé » ? Ou bien ce mot insiste-t-il sur la capacité du commandeur à commander librement et pour son propre compte cette fois-ci ? La mort des deux personnages leur confère une réelle dignité, magnifiée à la fois par les paroles symboliques qui font d'Euloge un père et par le mobilier qui orne la case. Elle est encore consacrée par les commentaires du narrateur qui en soulignent la beauté et la valeur. Euloge représente donc bien un père fondateur, une première incarnation d'une autorité « nègre ».

Cependant, Euloge demeure dans la contradiction entre l'ordre du béké et son autonomie personnelle. Son expérience reste sans lendemain puisque, des autres personnages masculins, aucun n'aura sa stature ni ses fonctions ou sa relation au pouvoir des békés. Le récit aurait pu montrer comment une autorité non béké naît sur l'« habitation », résolvant ainsi la contradiction entre les Béluse et les Longoué par une figure inédite. En effet, si les Longoué illustrent la fonction de pères symboliques, ils se tiennent à l'écart de la plantation, tandis que les Béluse, au cœur de l'« habitation », s'avèrent soumis à l'ordre colonial. Le commandeur Euloge semble dès lors le seul à même de relier les deux pôles et de fonder une autorité nouvelle. Encore eût-il fallu qu'une

---

90.   *La Case du commandeur*, p. 234. On remarque à nouveau que la femme met un point, par une parole fondamentale, à un discours sans fin. La femme nomme le commandeur comme père et fait cesser la logorrhée. L'histoire d'Anatolie se répète ainsi. Ce thème n'est pas sans rappeler l'idée que l'arrimage à un signifiant essentiel, le Nom-du-père, permet seule, selon la théorie de Lacan, d'échapper au discours obsessionnel et délirant.

telle synthèse imaginaire ait eu quelque vraisemblance. Or, la réalité sociale et politique confirme plutôt l'ambiguïté de tout pouvoir nègre ou mulâtre, elle n'a jamais permis qu'une autorité nègre se développe[91]. La littérature en est restée, pour sa part, d'Étienne Léro à Raphaël Confiant et à Patrick Chamoiseau, à jeter presque systématiquement l'anathème sur les mulâtres et autres « traîtres » qui tentaient de prendre une part de pouvoir et de s'élever socialement.

Si le personnage lui-même demeure donc dans un effacement qui laisse en suspens la signification de sa position, la case du commandeur n'en est pas moins le centre du récit et le lieu des révélations. Faisant face à la grand-case, elle met en relation les parcours des personnages, et toutes les générations s'y succèdent. Du commandeur, elle maintient l'image d'autorité, sans plus rien devoir au béké. Presque en ruine, elle continue à suggérer la magnificence du mobilier acheté par le commandeur et la gravité de sa mort. C'est d'elle que Marie Celat recevra le secret de la « Trace du Temps d'Avant ».

On pourrait, dès lors, suggérer que, dans le système du texte, ce n'est pas le Nom-du-Père qui est transmis, mais le Lieu-du-Père, et que ce lieu permet la symbolisation au-delà des dispersions familiales et de la perte du nom. L'autorité que ne peut durablement saisir Euloge demeure comme disponible, dans un lieu, à la fois magique et ruiné. Le roman devient une invitation à habiter la case du commandeur, et glisse vers une autre révélation. La case du commandeur est un témoin de l'histoire, un lieu de rassemblement, on y placarde les avis, on s'y retrouvait pour la paye. Elle communiquera à Marie Celat son secret, sa mémoire, de telle sorte que l'héroïne sera davantage habitée, hantée par la case qu'elle ne

---

91. Ne faudra-t-il pas faire le deuil d'une liberté, d'une autonomie sans ambiguïté ? Dans sa quête d'indépendance, le sujet découvrira aussi qu'il est déterminé par le signifiant, par le grand autre, par le langage. Il n'existe pas de Père qui ne soit commandeur pour le compte d'un Autre, et particulièrement pour le compte d'une loi qu'il ne fait que représenter. Le nom-du-père passe par le père réel, sans coïncider avec celui-ci totalement. Mathieu, dans son dialogue avec son auteur, dans *Mahagony*, est peut-être aux prises avec cette contradiction entre sa neuve liberté de sujet et la détermination qui lui vient d'avoir nécessairement un auteur au-dessus de lui.

l'habitera. Le pouvoir laisse place à une parole, à une mémoire, premier temps d'une prise de possession de soi, d'une autorité à fonder.

On pourrait comprendre dès lors l'insistance des romans d'Édouard Glissant à conduire le lecteur et les personnages vers un certain lieu à découvrir et à arpenter, que ce soit celui des « trois ébéniers » ou de « la case du commandeur », voire d'un « cachot », afin de retrouver la parole, le secret qu'il recèle. Le lieu, à la fois plus fragile et plus solide que le nom donne unité au récit et aux générations, il est la matérialisation de la trace, sur la terre. En ce sens, il est à mi-chemin de la symbolisation, car il exige que soit retrouvé le lieu, la terre, il invite à s'enraciner[92]. Il exige la présence « ici » et la permanence de la terre, du pays. Il est sans doute indissociablement parole et terre. C'est pourquoi dès les premières lignes du roman, le mot est moins un nom qu'une clé pour posséder la terre. Dans les tout premiers mots du texte : « Pythagore claironnait tout un bruit à propos de "nous", le "nous" est ce "corps unique par quoi nous commencerions d'entrer dans notre empan de terre" », dit le narrateur.

---

92.   On retrouve là le mouvement qui enracine l'identité dans le cyclone et la Soufrière chez Daniel Maximin, après que les symboles historiques ont été éprouvés dans leur fragilité. Le lieu Antilles aurait valeur de repère en l'absence de Noms-du-Père. Pourtant ces auteurs sont en même temps amenés à poser la question de l'identité des Antillais hors des Antilles, la réalité de l'immigration étant de plus en plus incontournable. Qu'est-ce dès lors qu'être identifié à un lieu qu'on n'habite pas ? Il deviendra lieu / mémoire, trace. Il s'agira pour Mathieu dans *Mahagony*, de « trouver en soi, non pas, prétentieux, le sens de cela qu'on fréquente, mais le lieu disponible où le toucher » (218). Ce sera un lieu du « tout-monde », errant, sans repères fixes. Ne serait-ce pas revenir à une Histoire qui dès lors fonderait l'identité, histoire de ceux qui ont un lien aux Antilles, à un lieu perdu ? Les écrivains haïtiens, à l'instar d'Edwige Danticat sont bien de ces auteurs qui font la navette. L'identité est de plus en plus une question, elle n'est plus une origine mais l'histoire de déplacements. Elle est de plus en plus individuelle et singulière, chacun ayant des trajectoires originales à partir de lieux multiples. C'est pourquoi être Antillais, être créole est devenu la manière exemplaire de vivre une question, une perte, sous la forme de l'errance. Sont créoles ou Antillais ceux qui n'ont aucune certitude concernant l'origine tant paternelle que territoriale et qui n'étant pas assignés à un lieu dont ils ont cependant la nostalgie aspirent à trouver des repères dans une dérive assumée.

Une digenèse

Euloge ne réussit donc pas à incarner jusqu'au bout le père symbolique, sa filiation se fige, la fonction qu'il occupait se perd avec l'ordre du béké qui s'éteint également. Seule demeure la case, « reliquaire », pourrait-on dire de la « trace » d'une histoire possible, d'une autorité désirée. De la même manière, dans l'apologue d'Anatolie, l'histoire ne s'arrête pas sur un point d'orgue, ce moment solennel de l'alliance et de la symbolisation. À l'inverse, le récit se défait, comme si le moment qui semblait marquer un véritable commencement ne pouvait qu'avorter. « L'existence », la durée, effacent peu à peu le symbole, et plus encore, l'intrusion d'un autre principe, l'Abolition de l'esclavage par la France, met en péril le symbole et l'annihile. En fait, la dissolution des moments fondateurs est, dans l'œuvre d'Édouard Glissant, la manifestation d'une esthétique de la « digenèse ».

Le récit, comme l'histoire antillaise, ne trouverait ni terme fondateur, ou « résolution », ni, à l'autre pôle, d'origine[93]. En quelque sorte, un temps sans commencement symbolique ni fin, s'étirerait dans l'indéterminé. En effet, un peuple qui n'a pas eu d'origine mythique ou ontologique, mais qui a été formé violemment, entre l'extermination des uns et l'esclavage des autres, ne peut être sujet d'une épopée, il n'a qu'une digenèse. C'est ainsi qu'Édouard Glissant analyse l'absence de récit des origines dans la culture antillaise, dans son essai *Faulkner, Mississipi* :

> « La parole du conte ne peut pas faire semblant de ne pas savoir qu'aux origines de l'Antillais ou Caribéen il y a non une Genèse, mais un fait historique combien de fois établi, et combien de fois raturé de la mémoire publique, qui est la traite négrière.

---

93.   À la fin du *Siècle des Lumières*, Carlos essaie de « reconstituer le "Jour sans Terme" : celui où deux existences avaient semblé se dissoudre dans un tout tumultueux et sanglant ». Il recueille une histoire qui se constitue « par lambeaux, pleine de lacunes et de coupures, à la façon d'une ancienne chronique qui eût resurgi partiellement d'un assemblage de fragments dispersés... » (pp. 454-459). Le roman d'Alejo Carpentier est déjà une « digenèse ».

L'holocauste de la traite et le ventre du bateau négrier (...) sont une genèse d'autant plus impérative, quand même elle procède d'une démarche du composite. Cette "origine" d'une nouvelle sorte, qui n'est pas une création du monde, je l'appelle une digenèse[94]. »

Ce terme, apparu bien après *La Case du commandeur*, à propos de William Faulkner, désigne une structure de récit qui était déjà à l'œuvre, nous semble-t-il, dans les romans d'Édouard Glissant. La digenèse serait le type de récit propre aux peuples sans mythe de création du monde, et caractériserait également une nouvelle sorte d'épique « dont on ne concevrait pas la "résolution" : Qui laisserait épars le dissolu. Qui conduirait à travers les grands Bois vers des humanités erratiques, dont la valeur serait d'errer[95] ». Il n'y aurait dans ces poétiques ni création du monde à l'origine, ni fondation ou refondation. C'est à partir de telles approches que nous pouvons analyser *La Case du commandeur* comme roman de la digenèse.

Il semble en effet que le mythe fondateur proposé à travers l'alliance de Liberté Longoué et d'Anatolie, devenant l'origine d'un « nous », se défasse dans l'incertain et le compromis : « Liberté céda sur toute la ligne de l'existence[96]. » La suite de la narration est difficile à interpréter. Sans reprendre le récit « d'une histoire qui en vérité s'était arrêtée net », Anatolie fréquente de nouveau les femmes de l'« habitation ». Liberté se comporte en femme antillaise, elle accueille « dans sa case les enfants de son homme, les soign[e], les nourrit[97] ». Les personnages perdent leur éclat à tel point que le narrateur se demande à propos de Liberté : « Pouvait-il être que cette femme renoncée fût la même qui avait fait descendre Anatolie dans le trou brûlant ? C'était la même[98]. » En réalité, le récit assume à la fois son apogée et sa décrue, de même qu'« Anatolie (...) aujourd'hui se cachait pour avaler ses décoctions de bois bandé, soutien à ses forces déclinantes », selon le narrateur. N'est-ce pas une manière de démystifier ce qui doit

94.   *Cf.* « Le différé, la parole », in *Faulkner, Mississipi*, Éditions Stock, 1997, pp. 265-268.
95.   *Ibid.*, p. 139.
96.   *La Case du commandeur*, p. 127.
97.   *Ibid.*
98.   *Ibid.*, pp. 128-129.

demeurer l'instant fragile d'un geste symbolique, et non une mystification, un mythe qui croirait trop à sa propre plénitude ?

Il semble qu'Édouard Glissant se défie des récits claironnants et des histoires trop bien reconstituées. La vérité est que le temps d'avant est nécessairement oublié, même par ceux qui ont fait le difficile chemin vers le « trou du passé ». Le récit se dégonfle en quelque sorte, pour faire face à une vérité moins glorieuse, celle du temps qui passe, du vieillissement sans achèvement ni « résolution », dans une démystification qui n'est pas sans rappeler l'entreprise de Marie-Gabriel, dans *L'Isolé soleil*. Tâchant de reconstituer l'autre « Jour sans Terme » que fut le 28 mai 1802, elle déclare finalement : « L'héroïsme de Delgrès m'embête. » Le récit épuise ses personnages au lieu de mener à son terme la quête entreprise. Le symbole est en suspens, il ne peut valoir à jamais. Chaque génération devra retrouver la trace pour elle-même. C'est pourquoi, loin d'être la fin du roman, le chapitre « Reliquaire des amoureux », n'en est que le centre. Il termine la première partie sur des retrouvailles avec les traces de l'histoire, retrouvailles entre hommes et femmes. Cependant, chaque spirale du récit doit également parcourir une partie de la trace – au sens de sentier et de reste – à partir d'un oubli et d'un manque d'origine. À chaque génération sa « femme sans nom », son « enfant trouvée » qui, à l'instar de Cinna Chimène, « ne dit pas mot de ce qu'on aurait pu, si quelqu'un s'en était inquiété, appeler son origine[99] ». L'origine (même s'il s'agit d'une anti-origine) ne saurait être découverte une fois pour toutes. À l'inverse, les vérités n'ont de cesse d'être enfouies à l'instar de l'histoire de la femme qui étouffe son enfant :

> « une vérité telle qu'elle s'enfuit bientôt de la mémoire de tous, et qu'il ne s'en trouva pas un assez mauvais ni dénaturé pour oser rappeler, chantant à mots détournés dans les cannes ou chuchotant la nuit dans les cases, ce qu'elle avait supposé[100]. »

Si le symbole reste en attente c'est, au demeurant, parce que la loi qui s'y fraie un chemin a été immédiatement pervertie. En effet,

---

99. *La Case du commandeur*, p. 60.
100. *Ibid.*, p. 159.

Édouard Glissant situe le moment paroxystique de son récit en 1847, un an avant l'Abolition de l'esclavage par la France. Comme dans l'histoire d'Euloge, la loi endogène, apportée, en l'occurrence, par la descendante de « marrons » Liberté Longoué, s'oppose à la loi extérieure, française, qui ne fera que maintenir le pouvoir des békés, entretenir l'illusion d'une Histoire unique et engendrer la confusion entre Abolition et liberté. Liberté-du-marronnage, fille des Longoué s'oppose donc à liberté-fille-de-l'abolition, faux symbole venu de métropole, « liberté donnée » qui vient occulter l'histoire autochtone d'une liberté marronne[101]. Le symbole instauré par Anatolie et Liberté demeure sans lendemain du fait même de sa coïncidence avec le moment de l'Abolition dans lequel il se fond et se défait. Les lendemains de l'abolition seront temps de confusion, de violence anarchique et de déréliction.

Le colon devenu vieux n'en est pas moins violent et puissant. Il a « rassemblé pour presque rien les terres qu'on lui a payées à profusion », lui seul semble avoir profité de l'Abolition. Il ne peut plus supporter « les vantardises tranquilles d'Anatolie à propos du nombre de sa descendance ». La loi de France ne fait qu'exacerber le besoin de maîtrise du colon : « le vieux qui ne l'avait jamais soupçonné du temps qu'il était un esclave à merci, décréta que cet Anatolie-là était le plus insupportable résidu de l'abominable Abolition[102] ». Si Anatolie en perd l'autorité de patriarche qu'il avait gagnée grâce à Liberté Longoué, le béké devient un autocrate capricieux qui ne connaît plus de la loi que sa dérive paranoïaque.

Le récit accéléré d'une décadence précipite chacun vers sa mort tragique et dérisoire. Le colon décide « d'en finir » et « convoqu[e] sa troupe de chiens » qui se rue sur Anatolie. Lui-même meurt peu après empoisonné, tandis que Liberté tombe « malcadi » : « elle avait choisi de chavirer du côté de cette mare où Odono s'était

---

101. C'est l'expression qu'emploie Patrick Chamoiseau, dans son roman *Texaco*. L'Abolition de 1848 y est évoquée dans les mêmes termes que chez Glissant, comme un avatar de l'aliénation, un symbole venu d'ailleurs et occultant pour longtemps les luttes des esclaves (marronnages, émeutes de Saint-Pierre), pour gagner leur liberté par eux-mêmes.

102. *La Case du commandeur*, p. 130.

baigné[103] ». Le « nous », privé d'un véritable commencement, se morcelle à nouveau. C'est pourquoi la fin du roman loin d'affirmer la constitution d'une collectivité rejoint la première page, en évoquant ce « nous qui avec tant d'impatience rassemblons ces moi disjoints (...) acharnés à contenir la part inquiète de chaque corps dans cette obscurité difficile de nous[104] ». Le symbole s'étiole, la collectivité demeure en instance, morcelée, l'histoire, véritable digenèse, demeure orpheline, et par conséquent, dépourvue de projet.

De la même manière, la fin du roman laisse en suspens une nouvelle relation possible entre la voyance de Mycéa et les rumeurs qui « dans le pays » se répandent à propos « des partisans de l'indépendance ». Mais le narrateur ajoute : « Tout de l'ouvrage restait à faire[105] ». Par conséquent, la fondation de la filiation, la nomination originelle restent comme inabouties, parodiques, comme un moment théâtral où l'on n'a fait qu'exécuter, ou « répéter », « en semblant », l'acte solennel de l'alliance. « Tout reste à faire », parce que rien n'a été accompli et reconnu comme fondement. Dans ce sens, La Case du commandeur ne se laisse pas fasciner par ses propres symboles. Le roman marque un repère et un oubli, il inscrit la perte de la trace au moment même où la trace est retrouvée, il assume tout ce qui demeure inachevé dans cette histoire.

La digenèse est donc le paradigme du récit propre à une culture qui ne peut pas à instaurer ses propres mythes fondateurs, ses propres commencements symboliques, parce que le moment inaugural n'est pas confirmé dans une réalité historique et politique qui, à l'inverse, pervertit et obscurcit la loi. Ainsi Euloge, le commandeur, qui aurait pu devenir un père fondateur, interprète l'Abolition comme une félonie. Il « refus[e] ces simagrées » et « dispar[ai]t dans les bois ». Euloge représente « ces Nègres qui s'étaient ou plutôt avaient été libérés de l'esclavage, les hommes de couleur libres » qui ne doivent rien à l'Abolition et méprisent ceux qui ne voient pas que la « proclamation qui appelait à la

---

103. La Case du commandeur, p. 132.
104. Ibid., p. 239.
105. Ibid.

liberté » appelle en réalité « à la patience, à l'amour de la famille et à la vénération des maîtres[106] ». Euloge, quant à lui, « s'échin[e] à la conquête de choses » presque inconcevables comme « l'égalité des droits », la « représentation politique[107] ». Préférant le marronnage à la liberté donnée par décret, Euloge devient « pire qu'un marron » et « redescen[d] des bois avec la femme sans nom sa compagne et Adoline Alfonsine sa descendante[108] ». De la sorte, il entreprend un nouveau cycle, renouant avec l'opacité de l'origine.

Ne rejoint-il pas ces « humanités errantes » qu'Édouard Glissant opposera aux « peuples ataviques » ? À la liberté fausse, il préfère « la femme sans nom », celle qui parle et coud. D'elle, le narrateur affirme : « l'absence de nom (l'absence pour nous) ne l'enfonçait pas dans un néant impersonnel mais au contraire l'emplissait (à nos yeux) d'une densité pleine de nuit[109]. » Le lecteur reconnaît par là le lien privilégié qui existe entre cette femme et le passé, la vérité originelle et mystérieuse de la trace. À l'épopée et au mythe de création, le récit préfère donc systématiquement l'inaccomplissement, l'opacité de questionnements têtus, le marronnage, les durées dans lesquelles le sens s'enroule plus qu'il ne se dévoile. Le mythe fondateur reste donc un geste en suspens, une ligne symbolique qui se perd dans le miroir, masquée par l'imaginaire d'une « Abolition » fallacieuse ou d'un discours convenu qui recouvre très vite la véritable « Liberté » marronne. C'est dans ce sens que le roman d'Édouard Glissant nous semble davantage exprimer la quête d'une position symbolique et non la reconstitution d'un monde imaginaire. L'appel de la « relation » vers une origine, vers une trace est sans cesse brouillé, de sorte que les visionnaires se succèdent le long de la trace, sans se faire réellement entendre. Ils doivent donc, à chaque génération, guetter les traces au fond du « trou noir du temps ».

La digenèse, en effet, n'a pas d'origine ultime, mais tombe dans un « trou sans fond », d'où l'on peut deviner quelque chose de la traite négrière, c'est-à-dire d'une histoire commencée nécessai-

---

106. *La Case du commandeur*, pp. 86-87.
107. *Ibid.*, entre guillemets dans le texte.
108. *Ibid.*, p. 87.
109. *Ibid.*, p. 89.

rement ailleurs. En effet, l'histoire antillaise a une origine nécessairement « composite », elle est toujours déjà commencée avant,
ailleurs, indissociablement double dès les premières traces qui la
lient à l'Europe et à l'Afrique, les autres extrémités du triangle. Par
conséquent, une histoire des Antilles est nécessairement histoire de
relation, histoires multiples qui se nouent dans cet espace
géographique.

Une poétique de la relation

À la quête d'une origine créatrice ou fondatrice se substitue, par
conséquent, une mise en « relation ».

En effet, les histoires n'aboutissent pas à une trame unique.
« Nos histoires sautent dans le temps, dit le narrateur (...) nos mots
se mêlent. » L'histoire est toujours au moins double. Par
conséquent, l'histoire ne sera pas définitivement raccommodée, ne
parviendra pas à renouer avec son origine. « Le début tombait dans
un trou sans fond où plus personne n'était visible », tranche le
narrateur[110]. Ainsi, le geste requis pour saisir le sens est bien
différent de celui qui consisterait à recoller ou à dérouler à partir du
début une histoire enfin cohérente. Le symbole de Liberté est
d'une autre teneur.

Liberté guide Anatolie vers la complication de deux histoires
mêlées, celle d'« ici », qui continue celle commencée « là-bas », et
révèle que « nous n'en finissons pas de ne pas savoir reconnaître
une histoire d'une autre ». C'est ce lien entre les histoires, cette
relation inextricable qui doivent être assumés : « quand on criait
Odono, Odono, on ne devinait pas auquel des deux le nom
s'adressait. (...) il valait mieux contempler ainsi le passé dans un
fond de nuit, sans préciser les noms ni les moments[111]. » Le lecteur
reconnaît sans doute les caractéristiques du récit glissantien, qui
tente de retrouver des noms et des pans de temps, certes, mais sur
« un fond de nuit », un mystère, une opacité irréductibles.
Anatolie, « soupire », parce qu'il n'aime pas cette histoire « sur un

---

110. *La Case du commandeur*, p. 123.
111. *Ibid.*, p. 125.

fond de nuit », il préférerait « oublier ». Mais « Liberté dit que les femmes n'oubliaient pas ». Liberté Longoué invite donc à renoncer à l'illusion de l'origine absolue et de la continuité. Elle institue une origine « composite », « indémêlable[112] ».

---

112. Liberté propose à Anatolie un renoncement difficile auquel il résiste : « Anatolie se fâcha, cria qu'il préférait son manège auprès des femmes ». En ceci, le geste de Liberté ressemble à un geste de symbolisation et de castration. Il ne propose pas tant de recomposer l'histoire que de cesser de disperser les histoires et les amours. Abandonnant la puissance de l'imaginaire, Anatolie trouve une limite à son désir et à sa parole. Il dépasse en quelque sorte le moment purement spéculaire dans lequel il se disperse narcissiquement, se complaisant dans une prolifération qui s'avère en fait morcellement. Il trouve en Liberté Longoué une interlocutrice qui le nomme et le situe.

Si l'on se réfère au schéma « L » proposé par Jacques Lacan à propos du « stade du miroir », on peut faire l'hypothèse que l'enfant qu'est redevenu Anatolie, contemplant, fasciné, le corps de récits qui lui a tenu lieu d'être jusqu'alors, s'entend attribuer par la femme / mère qui lui tend le miroir une position nouvelle qui fait de lui un sujet entrant dans une filiation. Comme l'enfant qui, au stade du miroir, anticipe sa forme future alors qu'il se percevait jusqu'alors comme un corps morcelé, Anatolie peut imaginer ce que serait l'unité de son histoire, et de son identité. Il dit, à ce moment précis « je », pronom mis en valeur dans le texte, presque centré dans la page, surgissant comme un événement dans un texte qui ne connaît guère ce pronom auquel il préfère le pronom « nous ». « Je cherche une terre » déclare Anatolie. Le sujet est lié à une quête dans laquelle il s'anticipe, de même qu'au stade du miroir l'enfant anticipe son image et son moi. Cette projection imaginaire est à la fois ce qui fait écran au symbolique et en même temps le permet. En effet, l'axe imaginaire joue, dans le schéma de Lacan, le double rôle d'un écran qui sépare et médiatise (l'écran empêche de voir ce qu'il y a derrière certes, mais il permet également de projeter une image). Il fait obstacle à une véritable symbolisation, mais il est en même temps nécessaire comme phase d'anticipation et de formation. Le schéma, qui ne correspond pas à des étapes chronologiques, mais à un fonctionnement toujours présent, montre en fait que l'axe imaginaire ne peut pas être séparé de l'axe symbolique, et que si l'imaginaire seul est leurrant et erratique, il est cependant la condition d'une symbolisation.

Ainsi le symbole n'est pas supérieur à l'image, il en est la lisière, il l'organise, il en est presque l'envers indissociable. Sans l'imaginaire, le symbole n'est pas concevable, il n'y aurait même pas de sujet, Anatolie ne serait que l'un de ces esclaves sans histoires, sans enfants, qui, obscurs, participent au chœur informe qui assiste en arrière-plan au drame, désignés parfois par « on ». Inversement, sans symbole, l'image n'a plus de consistance ni de repères. Ce sont les récits multiples, bribes interminables et décousues, dépourvues de sens. Ce sont les séductions immédiates et interchangeables, les relations sans suite et sans valeur (cf. « Stade du miroir », « symbolisation », in *Dictionnaire de la psychanalyse*, sous la direction de

Liberté Longoué, mère et femme à la fois, au-delà de l'image tendue, offre une parole qui situe, dans un lieu qui fait repère, « le vieux cachot » qui deviendra « trou du temps ». La désignation d'une position symbolique permet alors au sujet de ne plus seulement s'identifier à des images mais de se situer et d'être nommé. Il n'est plus seulement imago et fiction, il devient sujet d'une parole, symbole vivant. Liberté Longoué retrace la lignée des récits depuis le premier Négateur, puis Melchior Longoué, de même qu'elle situe la terre par rapport « à toute la terre ». Elle réorganise par conséquent le monde à partir d'un point : « le passé et l'avenir étaient tout entiers dans ce rond de cachot », dit-elle. L'image trouve sa limite, au bord d'un vertigineux précipice.

Cette position qu'assigne Liberté à Anatolie lui permet d'entrevoir la perspective quasi optique selon laquelle l'histoire prend sens. C'est en cela que nous pouvons appeler ce moment « point de la relation ». La mise en relation se substitue, en fait, à la narration, puisque, aussi bien, faire la relation, selon Édouard Glissant, est toujours à prendre dans le double sens de relier et de relater. Il s'agit de raconter sans dérouler, sans atteindre ni genèse, nous l'avons vu, ni unité arbitrairement recollée. Faire la relation est la méthode appropriée à une digenèse, non-histoire sans origine ni unité, dont les fragments ne peuvent être que mis en rapport, dans une perspective juste, et par conséquent dans un lieu singulier qui permet d'apercevoir les traces enfouies.

Ainsi, Liberté « emmèn[e] Anatolie », elle lui fait reconnaître un certain nombre de traces du temps d'avant : « une position fortifiée où naguère on avait parqué les Africains nouvellement débarqués », elle le fait entrer « dans un de ces vieux cachots à demi enterrés qui avaient servi à mater les récalcitrants ; ils plongèrent à quatre pattes dans son abîme ». Ce lieu, ce cachot « à l'écart de toute vie » devient le « trou du temps », ou « le trou du passé ». C'est dans ce lieu qu'ils reviendront « pour engendrer leur descendance[113] ».

Roland Chemama. *Cf.* également Jacques Lacan, « Le stade du miroir comme formateur de la fonction du je », in *Écrits I*, Éditions du Seuil, 1966, pp. 90-97).

113. *La Case du commandeur*, p. 124.

C'est donc le lieu symbolique qui les relie à toute l'histoire de la traite et de l'esclavage, à tout l'obscur de l'abjection, de la perte de soi, et de son histoire propre. Le narrateur en fait une véritable origine ou anti-origine puisqu'il s'agit d'un trou et qu'il révèle l'absence d'origine ontologique :

> « C'est à partir de ce trou débondé que déferla sur nous la foule des mémoires et des oublis tressés, sous quoi nous peinons à recomposer nous ne savons quelle histoire débitée en morceaux[114]. »

Les histoires antillaises sont bien à l'image de celles d'Anatolie, c'est au bord du trou noir du cachot qu'elles se brisent, c'est au bord de ce même « trou du passé » qu'elles reprennent sens. Si l'historiographie officielle gomme les exactions qui sont au fondement de la colonisation (entreprise de civilisation de non-sujets, de sauvages sans idéal), l'histoire du sujet, à l'inverse, reconnaît son origine abjecte. Dans son geste symbolique, Liberté Longoué amène Anatolie à retrouver, en quelque sorte le « lieu où ça était », le lieu psychique et matériel où l'inconscient de la traite et de l'origine abjecte se tapit[115].

---

114. *La Case du commandeur*, p. 126.
115. On pourrait encore une fois évoquer la psychanalyse et voir Liberté Longoué sous les traits d'une psychanalyste qui mène l'analysant au plus obscur de l'oubli et lui fait reconnaître à travers des réminiscences les traces de son passé refoulé. En ce sens, le moment ainsi dramatisé par Édouard Glissant, comme un mythe, pourrait être rapproché de la phrase par laquelle Freud assignait son but à la cure analytique : « Wo Es war, soll Ich werden ». Jacques Lacan a proposé de cette phrase une traduction. Il récuse la traduction « le moi doit déloger le ça » (qui serait un geste colonisateur de l'inconscient) et propose : « Là où c'était, peut-on dire, là où s'était, voudrions-nous faire qu'on entendît, c'est mon devoir que je vienne à être. » D'autres formulations apparaissent dans le cours du texte qui montrent en quelque sorte que le moi triomphant n'est pas appelé à prendre la place du ça, au cours de l'analyse. Une telle interprétation que Jacques Lacan impute à la psychanalyse américaine laquelle tend à rechercher comme but de l'analyse le renforcement d'un moi en position de maîtrise (comme si la cure devait conforter et réparer le moi) est ici réfutée. À l'inverse, c'est dans la reconnaissance de l'inconscient que le sujet est appelé à être, c'est là que je dois « venir au jour de ce lieu même en tant qu'il est lieu d'être ». Ainsi pourrions-nous interpréter le geste de Liberté Longoué qui amène Anatolie, non vers la maîtrise de l'histoire ou le déni, mais au lieu où il reconnaît ce

Nous pouvons comprendre, par conséquent, le moment de la révélation non comme celui d'un terme ultime, mais comme celui d'un « détour », dans le langage de Glissant. Le personnage se tourne en quelque sorte vers le lieu d'où lui viendra une certaine vérité. Ce lieu obscur oriente les histoires, les met en relation avec des traces plus anciennes que les histoires n'ont fait jusqu'alors que répéter par bribes. Il n'est pas question, en fait, de finir l'histoire – ce serait comme tenter de vider l'inconscient ou achever de vivre – mais de relier les bribes à la figure qui les fait signifier. On pourrait supposer que le personnage, dans un lieu déterminé, est mis en relation avec les signifiants maîtres de son histoire. À l'instar d'un analysant, Anatolie découvrira que les termes « Odono », « mare » ou « frère », sont les signifiants jusqu'alors opaques d'une histoire inconsciente de la traite.

Ainsi, à travers cet épisode central que l'on peut lire comme un apologue, la poétique du récit apparaît fondamentalement comme « poétique de la relation » entre des fragments qui demeurent dissociés. Deux démarches sont opposées, celle de la colonne qui follement colle puis redécoupe, celle de Liberté qui arrête le déroulé des contes, les reprend, les mène à leur source, faisant reconnaître par là même le trou béant qui les fonde, les borne. La démarche du narrateur est la seconde, évidemment. À son exemple, il n'est donc pas question pour le lecteur, de recoudre, de recoller, comme il pourrait être tenté de le faire. L'horizon de cette narration n'est pas la reconstitution du puzzle, la couture du tissu. Il s'agit au contraire, de reconnaître le puits d'ombre, le trou originel qui fait naître l'Histoire. À partir de ce trou noir, une Histoire plurielle peut se dire, dans sa duplicité, reconnue comme l'histoire d'« ici », inextricablement liée à celle du « Temps d'Avant ». C'est en ce sens que la poétique d'Édouard Glissant peut être dite « poétique de la relation », parce que la mise en relation des éléments fragmentaires n'appelle pas une complétude, mais éclaire, selon une certaine perspective, un point de vue – ou de vision – qui soudain rapproche les bribes des signifiants maîtres

qui a été, comme obscur, comme inconscient, comme ce qui ne peut cesser d'être interrogé : « was ist das ? das ist », « c'est », pour reprendre les termes de Lacan (Jacques Lacan, « La chose freudienne », *Écrits I*, Éditions du Seuil, 1966, pp. 225-228).

qui en organisent le sens. Loin de constituer une nouvelle genèse, la mise en relation, au bord du « trou noir du passé » est une ligne de fuite, une perspective qui organise le chaos.

Si l'imaginaire (illustré richement par les contes d'Anatolie) demeure, comme tentation à la fois créatrice, dynamique et comme risque de délire, la recherche d'une loi, qui organise la multiplicité des contes et des descendants, constitue un horizon, à la fois désirable et inaccessible. Les illuminés comme Marie Celat, Pythagore, Cinna Chimène ou Adoline Alfonsine s'en approchent et se perdent parfois, dans la solitude de leur vision. Ils ne retrouvent pas le symbole mais un signifiant, un cri. « Ne dites pas que vous comprenez, dit Marie Celat à Chérubin, dans la case du commandeur, dites que vous avez crié tout au long de la Trace. » Il s'agit moins d'une vision ou d'une reconstitution que d'un signe entendu. Nulle intellection, pas même une représentation. La *mimesis* liée à l'imaginaire qui est à l'œuvre dans la construction réaliste d'un roman, voire dans la scène fantastique des « contemplations » hugoliennes, le cède, pourrait-on dire, à la *catharsis* qui se produit au moment où l'acteur rejoint un point de sympathie chez le spectateur, ou le lecteur. Le point de relation est donc également point de transfert. Le lecteur n'est pas « éclairé », il n'a pas l'impression d'y voir grand chose ou de comprendre, il est cependant touché. Il nous semble que c'est en effet une des caractéristiques des romans d'Édouard Glissant que l'aspect visuel y soit si peu développé. Si la terre est présente, c'est rarement comme paysage, si les personnages existent, ils n'ont pas de visage. Les villages, les bois, les champs, l'habitation, la case du béké, les nègres marrons sont génériques, à peine esquissés, jamais pittoresques. Le voir est ici moins important que l'entendre, c'est de langage et de mots qu'il s'agit. Marie Celat a « entendu ce Bruit de l'Ailleurs, feuilleté (...) l'Inventaire le Reliquaire. (...) Il reste à épeler le Traité du Déparler[116] ».

C'est pourquoi nous avons fait l'hypothèse que l'esthétique d'Édouard Glissant, à ce moment de son œuvre, n'était pas du côté de l'imaginaire qui tend son miroir à la fois anticipateur et leurrant au moi, voire à la collectivité qui s'y reconnaîtrait, mais du côté

---

116. *La Case du commandeur*, p. 235.

d'un signe adressé. Le roman devient parole à entendre, comme le cri « Odono ». Échanger, assembler ce symbole serait pour la collectivité devenir elle-même, trouver son nom, assumer une position.

Dans la même perspective, il faut rappeler que le dernier mot du *Discours antillais* est « entendu ». En effet, l'écrivain s'adresse au lecteur en ces termes :

> « Si le lecteur a suivi cet ouvrage jusqu'à ce point, je souhaiterais qu'à travers l'enchevêtrement de mes approches du réel antillais il ait surpris ce ton qui monte de tant de lieux inaperçus : oui, qu'il l'ait entendu[117]. »

La symbolisation dans l'essai, comme dans le roman, est une tentative de s'inscrire dans un dialogue qui institue la reconnaissance d'une intersubjectivité, d'une loi commune d'expression (« le Traité du Déparler ») qui permettrait de s'entendre. Ainsi le cri « Odono » est à entendre, à symboliser dans une formule qui soit sinon comprise du moins reconnue comme signifiante. Mycéa entend ce cri et « le Bruit de l'Ailleurs », mais inversement, son propre cri n'est pas entendu, il demeure signe de folie pour ceux qui l'ont « mal entendu » et déformé. Il manque une « loi d'expression » qui permette de rendre le signifiant intelligible. Édouard Glissant se proposait ainsi, dès *L'Intention poétique*, de « faire un tri systématique, afin de dégager peut-être ce qu'il a manqué au cri pour devenir parole. De la pulsion passionnelle ou diffuse qui baratte nos vies, dégager la conscience une et opérante de notre être[118]. » Le discours flamboyant d'un Anatolie, d'une Hermancia ou d'un Pythagore, reste par conséquent en attente d'une véritable écoute du lecteur et de la collectivité qui ne décryptent pas le cri, le laissent se perdre, disparaître sous « la muraille de lianes » qui masque le trou du passé. Il faut donc sans cesse reprendre la quête, tenter à nouveau le récit du poisson-chambre, enrouler une nouvelle spirale en guettant une chance d'être entendu.

---

117. *Le Discours antillais*, p. 467.
118. *L'Intention poétique*, p. 192.

Si Marie Celat déclare à la fin du récit : « il n'y a pas de fin, ne dites pas que vous comprenez, dites que vous avez crié tout au long de la Trace », ce cri, cet « Odono » n'est pas entendu par la collectivité qui s'étonne : « Qu'est-ce qu'elle raconte, mais vraiment qu'est-ce qu'elle raconte ? »

> « De la sentir si véhémentement atteinte de cela que nous supposions ne pas être la seule disparition de ses fils, de la voir ainsi déréglée, affolait les uns, emportait les autres de rage, secouait quelques extravagants d'un rire trop mécanique pour ne pas révéler leur angoisse[119]. »

C'est ce déni, cette difficulté à « entendre » le « Bruit de l'Ailleurs » qui font de la collectivité un « nous disjoint », un « Nous qui ne devions jamais former, final de compte, ce corps unique par quoi nous commencerions d'entrer dans notre empan de terre ou dans la mer violette[120] ». C'est pourquoi l'œuvre d'Édouard Glissant revient toujours sur ses propres traces, de livre en livre, explorant derechef le même carré de terre, les mêmes années de l'histoire d'une île, les mêmes signifiants. Les spirales baroques de l'œuvre ne cessent, en d'autres termes, de répéter un cri inouï, de tourner autour d'une trace (entre les ébéniers ou les acajous) que le « nous » ne peut / ne veut pas reconnaître, en l'absence d'un symbole clair.

Des pères incertains

Une dégénérescence du père

Entre le cri entendu et la parole non encore advenue, faute d'une « loi d'expression », l'œuvre approche des symboles, tente de fonder une paternité, sans y parvenir jamais tout à fait. Les

---

119. *La Case du commandeur*, p. 226.
120. *Ibid.*, p. 15.

moments paroxystiques et solennels où se ferait un « tri », un élagage du discours ne peuvent être que les instants exemplaires d'une démarche inachevée. Si donc *La Case du commandeur* n'est pas cet ouvrage désespéré qu'est *Malemort* ou ce roman du doute qu'est *Mahagony*, c'est que, pour reprendre les termes de Jacques André, dans *Caraïbales*,

> « le projet qui sous-tend [la problématique de l'œuvre] (la réconciliation de soi avec soi) (...) est (...) une fois "encore tenté : le Marron, le pays, le Nom sont tour à tour les piliers d'un ultime effort de fondation"[121]. »

Toutefois, pas plus que *Malemort* le roman *La Case du commandeur* n'achève la quête.

On pourrait penser, par conséquent, que l'œuvre d'Édouard Glissant s'est continuée selon des alternances qui relient *Le Quatrième siècle* et *La Case du commandeur* sur le versant de la fondation, et *Malemort* et *Mahagony*, sur un pôle de déconstruction. On entend d'ailleurs, dans les titres, la prédominance des sons [k] dans les romans de l'affirmation et celle des sons [m] dans les romans de la destructuration, indiquant une alternance et des dominantes dans l'œuvre. Toutefois l'accentuation d'un pôle n'est pas seulement perceptible d'un roman à l'autre, elle constitue une tension formatrice dans chaque roman, avec des dominantes qui correspondent sans doute à des périodes d'écriture, des moments biographiques, et des phases de l'histoire martiniquaise. L'œuvre remet la question au travail à chaque roman, d'une part, parce que nulle solution à la situation « morbide » ne s'est trouvée, dans la réalité sociale, d'autre part, parce que ces interrogations sont de celles qui, pour le sujet, n'ont pas de fin. On pourrait interpréter ces répétitions comme mouvement obsessionnel, ce qu'est toujours, plus ou moins, l'avancée spiralique. Mais il faut également observer les déplacements qui offrent un « bougé », un glissement, une ouverture. Le monde change, le sujet change. *Tout-Monde* ne pose plus les problèmes à la manière de *La Case*

---

121. Jacques André, « Les lambeaux du territoire », *Caraïbales*, Éditions caribéennes, 1981, p. 112.

du commandeur, bien que la situation martiniquaise n'ait guère changé. En revanche, le contexte politique, théorique, n'est plus le même. De ce fait, ce qui pouvait apparaître comme un manque, l'absence de « territoire », devient un exemple « d'identité errante » se fondant dans un lieu ouvert, à l'abri des totalitarismes et des nationalismes intransigeants.

Il n'en reste pas moins que l'œuvre a tenté de refonder une figure symbolique, une paternité qu'elle approche au plus près dans *Le Quatrième siècle* et *La Case du commandeur*, pour la voir se défaire dans *Malemort* et *Mahagony*. Dans une certaine mesure, le moment qui nous intéresse est bien celui où l'œuvre fait cet effort de penser la césure et le « Nom-du-Père ». Qu'elle renonce à cette tentative par la suite s'explique et cependant déçoit, car Édouard Glissant indiquait une ligne de crête, un passage subtil qu'il fallait emprunter pour commencer à dessiner un ordre, entre la trace et la perte de la trace, autour de la figure fragile du fondateur, à partir d'un manque lancinant et cependant stimulant pour retracer un « territoire », dans le chaos.

Dans *La Case du commandeur*, nous l'avons vu, Anatolie incarne une figure du père, du fondateur, de même que le commandeur Euloge. En revanche, on pourrait s'aviser que les fondateurs ne laissent guère de succession, les branches semblant se tarir. Dans l'arbre généalogique dressé par le scripteur de *La Case du commandeur*, il n'y a plus d'héritier Longoué, le dernier héritier du nom Béluse est une femme, Ida, de même que Marie Celat est la dernière personne à porter le nom Celat. Le système de la paternité et des noms paternels semble s'épuiser, malgré l'effort à fonder et à engendrer des noms dont le texte fait preuve. Désigner des pères réels, imaginaires, symboliques, le texte semble s'y consacrer avec constance et résolution, mais encore faut-il que des fils héritent du nom et de la position.

Or, il est assez évident que si Marie Celat rejoue le rôle de Liberté Longoué, explorant à son tour le « trou sans fond », découvrant la trace d'un cri, dans la case du commandeur, elle est seule. Elle reprend, là où elles s'étaient arrêtées, l'histoire d'Euloge et celle d'Anatolie. Mais à quel homme s'adresse-t-elle ? Quel père se profile derrière Marie Celat, en 1978 ? Ce n'est sans doute pas Chérubin, autre fou, rencontre passagère et témoin plus qu'acteur, dans la dérive et la révélation de Marie. Sa présence est plutôt fraternelle ou enfantine. Un vide est peut-être ici indiqué par le roman. Dans cette case, on peut se demander où est le commandeur, qui peut en prendre la place. Ce pourrait être Mathieu Béluse, mais ce compagnon de Marie Celat est absent. Mathieu est un père assez évanescent, en effet, du moins dans *La Case du commandeur*. Il est parti en France, laissant Marie Celat « poursuivre en combien d'hommes qu'elle fréquenta l'image de quelqu'un, Mathieu Béluse ou Raphaël Targin, qu'elle s'était faite elle ne savait comment[122] ».

Le père serait-il l'auteur lui-même, autre absent du texte et qui, d'une certaine manière, est le seul qui entende Marie Celat ? Ce pourrait être encore la collectivité tout entière, ce « nous » qui n'entend pas, qui déclare que Marie est folle et qui, cependant, serait le premier intéressé à reconnaître la vérité que profère obscurément Marie et qui lui conférerait sa véritable liberté. Ainsi, à la parole des femmes, de plus en plus opaque, depuis Liberté Longoué à Marie Celat, répond un silence, de plus en plus évident, des résistances d'Anatolie aux fuites de Mathieu et aux dérobades de l'auteur, dans *Mahagony*, en passant par les dénégations du « nous ». Qui peut entendre alors la parole proférée par le fou ? À côté des « pédaleuses », des couturières inspirées, quel homme sera le « commandeur » du texte ?

L'homme et la femme

Cette discrétion des pères, cet épuisement des symboles paternels, avaient conduit Jacques André, presque dix ans avant la publication de *La Case du commandeur*, à repérer dans les romans d'Édouard Glissant le retour de la puissance féminine, lié à l'échec de la fondation paternelle. Il analysait la perte des repères paternels en ces termes : « le morne arasé, le Marron disparu, il ne reste rien. Un néant d'où peut surgir la voix gracile du chantre (...) L'attitude féminine, si âprement combattue, seule demeure. » Jacques André voyait triompher « la loi féminine », alors que le Nom du père

---

122. *La Case du commandeur*, p. 198.

cédait la place aux prénoms de la mère[123]. Il est certain que les romans d'Édouard Glissant mettent en concurrence les puissances viriles et féminines. L'alternance entre Mycéa et Mathieu d'un roman à l'autre, la rivalité entre Ephraïse Anathème et Ozonzo, dans *La Case du commandeur*, vont dans ce sens. De même remarquera-t-on que si Anatolie Celat devient le fondateur d'une famille, ce n'est que par l'entremise de Liberté Longoué, femme marronne qui a hérité de la puissance et du nom de ses ancêtres virils. Il est symptomatique que la castration symbolique soit prononcée par une femme, au lieu d'être transmise par le père. Est-ce le signe d'une dégénérescence, l'annonce d'un leurre ? Il est difficile d'interpréter ce qui n'est peut-être qu'une interrogation, une contradiction.

Jacques André voit dans *Malemort* une fin, alors que l'œuvre ne s'en tient pas à ce roman, ni à ses défaites. Les romans ultérieurs s'inscrivent à nouveau, de plus en plus peut-être, dans une tension entre l'homme et la femme, entre Mathieu et Mycéa, en particulier. On pourrait, à ce titre, tenir *La Case du commandeur* pour le roman de Marie Celat, tandis que *Mahagony*, en 1987, sera le roman de Mathieu. L'une n'exclut donc pas l'autre, mais ils se répondent, en contrepoint, manifestant des caractères et des discours bien différenciés. En effet, Marie Celat, la dernière descendante des Longoué, a hérité de leur don de vision, même si ses contemporains n'y voient que folie. Elle communique avec la terre, elle sait ce que Mathieu Béluse, l'historien, le chercheur, ne réussit pas à découvrir. L'auteur, certes, en fait un personnage exemplaire : « Peut-être regarda-t-elle plus loin qu'aucun de nous dans le gouffre », dit le narrateur de *La Case du commandeur*. « Il est certain qu'elle éprouvait ce trou au-delà duquel nul n'étendait sa pensée ». Elle rivalise avec Mathieu, ayant, comme lui, recueilli la parole de Papa Longoué, cherchant de son côté la trace. Pourtant leur séparation est de plus en plus manifeste : « Marie Celat et Mathieu Béluse, sans se le dire, allaient ensemble au fond de cet oubli. Mais à mesure qu'ils avançaient ils s'écartaient l'un de

---

123. Jacques André, « Le marron déprimé », *in* « Les lambeaux du territoire », *Caraïbales*, p. 152.

l'autre[124]. » De la même manière, Adoline Alfonsine ne quitte pas son compagnon mais s'en écarte : « Nous chantions cette accordaille dans la séparation », dit le narrateur, explicitant le paradoxe[125]. L'homme et la femme, désunis par la même histoire, animés par la même quête, ne peuvent, en quelque sorte qu'être d'accord pour se séparer.

Mais il ne faut peut-être pas s'empresser de conclure que le père est forclos, la féminité toute-puissante, que l'espace est totalement « gynécocratique » ou féminisé. Jacques André fait ainsi le tableau d'un monde où le Marron, sorte de *vir* absolu, arbore un phallus fétiche (que représente ailleurs le coutelas), tandis que son impuissance réelle n'en est que plus manifeste. De là à penser que le « chantre » a la voix « gracile » « (entre le châtre et le chancre) », c'est un peu radical.

Ne faut-il pas assumer plutôt une contradiction, entre l'homme et la femme ? Loin de considérer le passage du Marron à Mathieu ou à Mycéa comme de purs échecs de celui-ci ou de celui-là, on pourrait, en effet, y découvrir des pôles complémentaires, en « relation » dans l'œuvre ? Le Père un peu rigide, décrit dans *Malemort* comme « le Marron primordial, non pas le premier peut-être mais à coup sûr le plus raide et rêche[126] », ne laisse-t-il pas la place, en la figure de Mathieu, à un père plus incertain, plus inquiet, mais qui, cependant, devient sujet d'une histoire et narrateur à son tour ?

Après l'échec des pères fondateurs, des patriarches tels Anatolie ou des « commandeurs », ne sommes-nous pas entrés dans un temps de paternité relative ? Mathieu y joue son rôle, entre Mycéa et l'auteur, voix parmi d'autres, qui contribue à la quête d'une identité. Aucun personnage ne peut, à lui seul, découvrir et dire le mystère. Si Marie Celat retrouve la trace, c'est dans un cri qu'elle ne saura dire, tandis que Mathieu et l'auteur, à l'autre pôle, cherchent à formuler ce cri, cherchant à ordonner ou à découvrir « sa loi d'expression ». C'est dire que le père ou le nom du père est sans doute devenu au moins double, partagé entre l'auteur et le

124. « Inventaire des outils », *La Case du commandeur*, p. 189.
125. *La Case du commandeur*, pp. 101-102.
126. *Malemort*, p. 189.

personnage, entre le scripteur et le narrateur. À ces deux absents, Marie montre le chemin, les laissant symboliser par l'écrit ou le dire ce qu'elle ne peut que crier. Il faudrait cependant qu'une rencontre soit possible entre Mycéa, la vision, et Mathieu ou le scripteur, afin que les deux morceaux du symbole s'assemblent. À défaut de relation entre les personnages féminins et masculins, le cri demeure séparé de la parole, la terre de l'écrit, et le discours demeure inintelligible, des deux côtés.

Or, Marie Celat montre quelque réticence à reconnaître la méthode de Mathieu, elle se méfie des mots. Il est certain, en effet, que Mathieu incarne l'intellectuel, l'historien, tandis que Marie Celat est la femme intuitive, « se rapprochant des arbres et des gens ». Celle-ci refuse de passer par les mots qui ne sont pour elle que farine, de cette « farine qu'on distribuait à l'hôpital, il fallait trier les mites avant de mettre à cuire[127] ». Le narrateur justifie en ces termes le conflit : « elle en voulait à Mathieu. De ce qu'elle avait par elle-même compris et dont elle n'acceptait pas qu'il le traduisît en mots ». Faut-il inférer de cette puissance visionnaire de la femme, quand l'homme, le chercheur, peine à retrouver des pans d'histoire, des dates, des traces, que l'œuvre soit toute du côté de la femme et de sa « loi » ? N'est-elle pas plutôt interrogation sur cet écart entre les deux, l'homme et la femme, qui n'ont pas les mêmes méthodes, ni le même langage ? Sans doute le narrateur envie-t-il Marie Celat qui, « à partir de tant de mots arrachés ou imposés, [a] sécrété un langage ». En cessera-t-il pour autant sa propre quête ?

On pourrait, à l'inverse, suggérer que la séparation de Marie et de Mathieu n'est pas tragique, qu'elle n'est pas un échec, ni ne se solde par la victoire de l'un des deux. En effet, elle permet la « Relation ». Les êtres disjoints n'entrent pas en fusion, ils peuvent pour cela même se tenir dans un écart dialectique. Si l'œuvre d'Édouard Glissant accorde beaucoup à la figure féminine et à ses « m-hystères », selon le mot de Jacques André, ce n'est pas pour abdiquer son propre dessein de trouver un langage. Que serait une œuvre qui abandonnerait son « intention poétique » à une femme sans mots, qui « gard[e] au plus intouchable d'elle-même » ce que

---

127. *La Case du commandeur*, p. 189.

« Mathieu produ[it] en idées ou en mots[128] » ? Le narrateur à venir de *Mahagony*, le scripteur ou l'auteur, sont des hommes qui, s'ils sont fascinés ou effrayés par la femme, ont affaire aux mots. Ils n'ont pas, précisément, accès direct à la vérité du « trou noir », il leur faut chercher des archives, des traces plus obscures, des dates incertaines. Si Mycéa a le langage des herbes, le narrateur et l'auteur ont le langage des « roches ». Ils sont ensemble un pays.

Aussi ne conclurons-nous pas à un triomphe de la féminité mais à une « relation » entre l'homme et la femme, entre l'intuition et le symbole par lequel l'homme doit passer. L'œuvre fraie donc son chemin entre toutes les voix possibles, entre les figures fondatrices, empruntant à la femme sa voyance, à l'homme son entêtement et sa logique, aux déparleurs la flamboyance, au marron ses formules lapidaires, au quimboiseur ses incantations, au conteur son souffle. L'auteur n'est pas du côté du marron ou du quimboiseur, il est l'amarreur de toutes les paroles. Il ne faut sans doute pas l'imaginer comme totalement fasciné par le marron primordial. Il est également amoureux des délirants, des déparlants de *Malemort*. Il s'identifie autant à Mycéa qu'à Mathieu ou à Papa Longoué. Au cœur de cette polyphonie, il a représenté les contra-dictions entre son propre effort à symboliser (nécessaire au travail de l'écriture et de la formalisation) et ses doutes, voire la jouissance d'un imaginaire qui se croit tout-puissant et n'aspire que modérément à se reconnaître limites et castrations.

Il n'en reste pas moins que l'alliance demeure problématique et que l'homme et la femme se tiennent à distance, maintenus en relation par le seul dispositif du texte. Il n'est sans doute pas possible d'éclaircir davantage leur « relation ». Ils sont parents d'une fille, Ida, qui établit la relation dans *Mahagony*, évoquant tour à tour son père et sa mère, procédant à des enquêtes histo-riques qui la font l'héritière de Mathieu, tandis qu'elle « dédie » sa parole à Mycéa. Le chapitre qui s'intitule « Ida » est symboli-quement placé entre les chapitres « Marie Celat » et « Mathieu », comme pour établir un lien. Certes, ce qui réunit l'homme et la femme est une chose presque indicible, presque sans nom : « id », le ça, peut-être, qui se féminise en « Ida ». L'*opacité* est à la

---

128. *La Case du commandeur*, p. 188.

jonction des êtres, c'est ce qu'on ne peut nommer qu'en en reconnaissant la part obscure.

Dans son discours au Parlement des écrivains, Édouard Glissant dira ainsi :

> « Je réclame pour tous le droit à l'opacité, qui n'est pas le renfermement. (...) Il ne m'est pas nécessaire de "comprendre" qui que ce soit, individu, communauté, peuple, de le "prendre avec moi" au prix de l'étouffer, de le perdre ainsi dans une totalité assommante que je gérerais, pour accepter de vivre avec lui, de bâtir avec lui, de risquer avec lui[129]. »

Marie Celat et Mathieu Béluse font l'expérience neuve d'une relation qui assume l'opacité, l'écart. Est-ce à dire qu'ils ne vivent pas ensemble ? Sont-ils séparés par une infinie solitude ?

On pourrait faire l'hypothèse qu'ils partagent le même lieu et les mêmes cris, le même oubli. Ceci étant, la question d'une relation différentielle et symbolique entre eux n'est pas résolue. Encore que le narrateur et le scripteur indiquent nettement que la femme est du côté de la nature et de l'intuition im-médiate tandis que l'homme a davantage besoin des mots et des constructions intellectuelles, pans d'histoire, repères spatiaux. Nous ne préten-drons pas trancher de telles ambiguïtés. Elles ne préjugent pas de la manière subtile dont la relation se noue entre individus et géné-rations successives, elles laissent ouvert un certain jeu. À l'inverse des personnages de Daniel Maximin ou d'Alejo Carpentier, Mycéa et Mathieu sont tout de même père et mère. Ils ne sont pas amants fusionnels ni jumeaux, mais se « fréquentent ». Le texte explore la coexistence de personnages représentant plusieurs générations. L'œuvre indique des manques, des décalages, elle n'élude ni les questions, ni ne s'en tient à des blancs.

C'est pourquoi il nous semble que, loin de n'être qu'un moment dépassé de l'œuvre, la question de la fondation de la paternité revient constamment. Le texte essaie de créer des repères paternels, cherche des figures fondatrices, au-delà du seul Marron du *Quatrième siècle*. Mathieu lui-même est tout de même un père,

---

129.   *Traité du Tout-monde*, Éditions Gallimard, 1997, p. 29.

même s'il n'a que peu de traits communs avec le marron. Le père incertain deviendra un fondateur à son tour, non dans le fétiche du nom et la gloire d'une descendance nombreuse, mais dans l'hésitation, la séparation, la fragilité d'un père plus humain et problématique que le marron devenu « père fouettard » et le quimboiseur dérisoire de *Mahagony*[130]. Par conséquent, nous n'envisagerons pas l'œuvre comme le champ où triompheraient les puissances féminines, après la dégénérescence des pères. Il nous semble plutôt que l'univers d'Édouard Glissant déplace les antagonismes sans résoudre les ambiguïtés, dans un univers du « relatif ». Le mot est à entendre à la fois comme désignant ce qui n'est pas absolu, définitif, et comme s'attachant à ce qui est nécessairement incomplet, en relation féconde avec l'autre. L'homme et la femme sont relatifs, aucun ne pouvant à lui seul constituer le symbole. Ils sont en relation, dans une œuvre qui les relie, passe de l'un à l'autre, met en résonance leurs manques et leurs paroles. Il va de soi que l'œuvre ne peut non plus à elle seule construire le symbole, elle n'en est que la part imaginaire. L'auteur comme père symbolique est tout aussi incertain que Mathieu, au sein de son œuvre.

De la symbolisation à la « Relation »

Entre Mathieu, Mycéa et le scripteur

Mathieu fut le prénom d'Édouard Glissant, on le sait par son propre témoignage, avant que le prénom de « voisinage » ne l'emporte. On sait également qu'il porta le nom de sa mère,

---

130. *Cf.* « Un coq à Esculape », *Mahagony*, pp. 134-138. Papa Longoué qui s'apprête à tuer un coq pour le repas, « saisit au vol le coutelas, d'un mouvement théâtral et rond », comme s'il s'agissait d'un « instrument du sacrifice ». « Mais le coq se dégag[e] » et Raphaël Targin dit en mélopée : « [v]ous pouvez annoncer que pour de bon quimbois est mort ». Dans la « clameur de rigolade », celui que le narrateur n'appelle plus Papa mais « Longoué » tout court reprend : « [r]egardez, (...) ce coq sans mission ni rémission a bien raison, il ne veut pas manquer de vivre. C'est nous tous ici qui serons bientôt morts. »

Godard, jusqu'à l'âge de dix ans environ, lorsqu'il fut reconnu par son père[131]. Mathieu est également devenu le nom d'un des fils d'Édouard Glissant. Par conséquent, de Mathieu Béluse à Mathieu Glissant, le Nom-du-Père a traversé l'État civil et la littérature, pour fonder une paternité. Faut-il se demander qui est Mathieu Béluse ou qui est Mathieu Glissant vis-à-vis d'Édouard Glissant ? Ne faut-il pas saisir dans ce jeu de prénoms et de noms une circulation entre l'imaginaire, le réel et le symbolique ? Mathieu et son auteur sont un seul être. Selon plusieurs points de vue, le narrateur, le scripteur, le personnage se divisent, non pour régner, mais pour mieux abandonner toute maîtrise sur la fiction et le roman à travers la polyphonie. « Mathieu, déparleur, chroniqueur, romancier, c'était quatre-en-un, sinon davantage », déclare ainsi le narrateur de *Tout-Monde*[132].

N'est-il pas, de même, tout à fait vain d'opposer Marie Celat à Mathieu Béluse ou à l'auteur ? Il est évident, à l'inverse, que Marie Celat est l'un des masques de l'auteur, de même qu'à certains moments, le scripteur ressemble à son personnage, Mathieu l'historien. À l'instar de Mathieu Béluse, en effet, le scripteur cherche des dates, des archives, dresse des arbres généalogiques, nous offre des glossaires. Il est homme de culture, « conscient, militant, savant » à l'image du narrateur de *Malemort*. Pourtant, il est fasciné par le langage de Marie Celat qu'il emprunte souvent pour évoquer paysages, personnages énigmatiques, délires individuels ou collectifs. Le narrateur-scripteur ne conçoit pas un monde de valeurs contrastées où tel personnage serait davantage le porte-parole de l'auteur. La polyphonie est la marque d'un sujet divisé, lui-même morcelé, qui tente de relier les fragments, les tendances de son être comme il tente de relier les débris de son pays. Ainsi, il

---

131. « Mathieu me fut consigné à baptême (à la Saint-Mathieu, le 21 septembre), abandonné ensuite dans la coutume et les affairements d'enfance, repris par moi (ou par un personnage exigeant, ce Béluse) dans l'imaginaire, et il s'est greffé, pour finir ou pour recommencer, en Mathieu Glissant. Celui-ci n'a pas conscience – après Barbara et Pascal et Jérôme et Olivier, et d'ailleurs, en cette année 1996, il a juste sept ans – de ce long charroi où son nom a erré », Édouard Glissant, *Traité du Tout-monde*, p. 77.
      Cf. également le film réalisé par Guy Deslauriers et Patrick Chamoiseau, « Édouard Glissant », *Un siècle d'écrivains*, 1996.
132. *Tout-Monde*, p. 345.

est très proche du jeune Mathieu, l'intellectuel qui part en France en 1947, et qui lui confie la tâche de témoigner. « On te confie l'écriture », lui dit Mathieu[133]. Mathieu, personnage, se rapproche encore du narrateur-scripteur car il devient écrivain lui aussi, dans *Mahagony*. Cependant, c'est en 1928 qu'est né Édouard Glissant, tout comme Mycéa, ainsi qu'il a pris soin de le préciser dans le tableau généalogique de *La Case du commandeur*.

De Mycéa, le narrateur dira dans *Tout-Monde* qu'elle « est comme pour dire le secret et la clé des mystères du pays. Elle a connu tous les malheurs et approché toutes les vérités, comme une Inspirée[134] ». Mathieu n'a pas les mêmes méthodes. Il se défend d'en « appeler à des forces primordiales » et mène une patiente enquête, inspecte les archives. Les deux personnages sont dans la « Relation », à la fois distants et « ensemble » : « ils allaient ensemble au fond de cet oubli. Mais à mesure qu'ils avançaient ils s'écartaient l'un de l'autre[135]. » La femme inspirée parle aux herbes, plus modestes que « les grands plants » qui d'abord ont absorbé l'attention de Mathieu. Elle les entend « chanter » et s'émeut : « ces herbes-là me font pleurer, tellement elles sont têtues pour vivre[136] ». Pourtant, l'historien reconnaît à son tour le langage des « lis sauvages » : « Leur langage soulevé par le vent, est une écriture durable, qu'il vaut de déchiffrer. » Les deux personnages s'opposent et s'accompagnent comme l'oral que défend Mycéa et l'écrit que représente Mathieu. Elle est « parole déshabillée », Mathieu est l'écrit qui ordonne, tout en essayant d'entrer dans « la voix de tous[137] ». Il conseille au lecteur : « maintenez-vous en état de veille, ou bien plutôt laissez-vous envahir de l'ombre d'alentour ». Même s'il ne veut pas en appeler à des « forces primordiales », « il sait pourtant qu'elles sont là enfouies, dans les plis indépliables du temps[138] ». Il préconise de s'abandonner, de lâcher prise afin de surprendre ce qu'il ne peut expliciter. Finalement, le scripteur qui prend la parole à son tour ne

133. *La Lézarde*, Éditions du Seuil, 1958, Points 65, p. 237.
134. *Tout-Monde*, p. 13.
135. *La Case du commandeur*, p. 189.
136. *Mahagony*, p. 185.
137. *Ibid.*, pp. 181-182.
138. *Ibid.*, p. 249.

fait qu'abonder dans ce sens : « une vérité gonfle dans la masse des événements, contés ou transcrits, sans qu'elle ait été sollicitée par déclamateur ni chroniqueur. Soit chanté ou scandé, le fonds du temps remonte[139]. »

« Celui qui commente » synthétise en réalité les deux tendances. Il reconnaît que « [à] la croisée des vents, le bruit des voix accompagne les signes écrits, disposés en procession pathétique sur la cosse ou le parchemin ; le dessin gagne encore. Mais ce qui parle, c'est l'écho infinissable de ces voix[140] ». Le projet de l'auteur est donc bien d'allier, de mettre en relation des tendances, celle de l'oral, qu'il entend dans la « respiration » de Mycéa et celle de l'écrit, du « dessin » et des signes graphiques, grattés, creusés que Mathieu recueille, « s'exerçant à une tranquillité d'écriture qui garantissait à [s]es yeux la seule liberté vraie par rapport à tout auteur possible[141] ». Il défend de la même façon ses dates : « N'accusez pas mes dates. Elles soulignent continuité, elles dessinent le passage[142]. » Celui qui recherchait une « objectivité » « dans ce tohu-bohu » sait faire la part de l'ombre et avoue que « l'ordonnance aussi, s'épuise et va[143] ». À l'inverse, Mycéa ne dénie nullement à Mathieu une part de vérité, et leur fille Ida dira de son père qu'il a un « langage soupiré », ce qui n'est pas sans évoquer le langage de Mycéa et l'esthétique recherchée par l'auteur[144]. Le mystère est donc approché parallèlement par l'intuition et pas l'analyse, de même que l'unité saisie par Mycéa dans des singuliers : « *la* musique », « *le* linge d'espace et de temps », « *la* rumeur de l'Ailleurs », « *le* Traité du Déparler », trouve une scansion dans les dates plurielles qui découpent le temps selon Mathieu et le narrateur, permettent de poser des repères[145]. C'est au niveau du texte que les deux mouvements se coordonnent, se croisent comme une abscisse et son ordonnée, dessinant la ligne plus ou moins oscillante de la parole véritable.

---

139. *Mahagony*, p. 229.
140. *Ibid.*, p. 230.
141. *Ibid.*, p. 76.
142. *Ibid.*, p. 250.
143. *Ibid.*
144. *Ibid.*, p. 190.
145. *La Case du commandeur*, pp. 234-235. Nous soulignons la marque du singulier.

La maîtrise du texte ou de la vérité n'appartiennent plus à personne. Dans cette sorte d'opéra où les arias se répondent, alternant avec des scènes de chœur ou des chants à plusieurs parties, les voix se mêlent et se relaient-relient : « nous méditons ensemble ce mahogani », conclut le narrateur, « multiplié en tant d'arbres dans tant de pays du monde[146] ». Dès lors, les dichotomies oral / écrit, Mycéa / Mathieu, ou Mathieu / son auteur, ne sont plus pertinentes que dans la mesure où les voix et les voies de la parole s'associent. En ce sens, le roman *Mahagony*, s'il a des accents désespérés (en particulier lorsqu'il évoque la Martinique sous sa verrière de protection, véritable musée de la colonisation offert en destination touristique) résout pourtant la question posée par *La Case du commandeur*.

En effet, d'une part il fait advenir un « je », celui de Mathieu qui se nomme *in fine*, d'autre part il assume un « nous » qui n'est plus accompagné de commentaires sceptiques ou interrogatifs à l'inverse du « nous » de *La Case*. Une telle évolution s'explique par une interprétation nouvelle du « nous ». Il n'est plus le nous de la collectivité à l'unisson rêvée dans *Malemort* ou *La Case du commandeur*, un « nous » que le narrateur-scripteur tentait de « rassembler ». Le « nous » de *Mahagony* est polyphonique, il assume le morcellement et l'écart, il entre plus pleinement dans la « Relation » et le relais[147]. Les narrateurs, conteurs, déparleurs, houeurs, commentateurs arpentent la trace tour à tour : « Gani confie son rêve à Tani qui le rapporte à Eudoxie qui le conte à la veillée. Le rêve est embelli de place en place, d'âge en âge[148]. »

---

146. *La Case du commandeur*, p. 252.
147. Nous dirions volontiers que se rejoignent, par conséquent, l'esthétique d'Édouard Glissant et celle de Daniel Maximin faisant se répondre « hommes et femmes qui s'écrivent d'île en île », avec leurs « quatre races, [leurs] sept langues et [leurs] dizaines de sangs » (*L'Isolé soleil*, incipit). Cependant, malgré cette déclaration d'intention, la fusion est davantage recherchée dans *L'Isolé soleil* ou *Soufrières* que la reconnaissance d'une véritable altérité, le dialogue et la polyphonie, nous l'avons souligné, se résolvent souvent dans un chant à l'unisson ou dans une parole jumelle. Édouard Glissant nous semble tenter une véritable polyphonie, parce qu'il reconnaît l'« opacité » de l'autre et l'impossibilité de la fusion. Séparation et relation prévalent, par conséquent, et les enjeux de ces deux écritures, sur ce point, diffèrent.
148. *Mahagony*, p. 213.

Les récits d'Anatolie demeuraient dispersés, le clivage était alors total : « nous étions séparés en deux. Une part qui reconstituait le conte, une part qui essayait de le deviner. Une parole toute en femmes, une oreille toute en hommes[149] », l'histoire n'était pas achevée et l'on pouvait rêver aux diverses façons de la mettre bout à bout. Le symbole, parole qui rassemble, était à venir. *Mahagony* propose un autre jeu. Les récits sont désormais pris dans « le relais infini des voix singulières ».

La relation comme glissement perpétuel

La relation est également relais, passage de témoin. La collectivité certes, n'est plus à l'unisson mais elle se « joint » dans cette continuité des passages, du déplacement qui est son essence : « le peuple des Plantations, s'il n'est pas hanté de la nécessité de la découverte, se trouve doué pour l'exercice de la relation », parce qu'il est le peuple qui a connu le gouffre, le transbord, la perte de l'origine[150]. Nous faisons par conséquent l'hypothèse que de *Malemort* à *La Case du commandeur* et à *Mahagony*, l'œuvre a dépassé la question du « Nous qui ne devions peut-être jamais former, final de compte, ce corps unique par quoi nous commencerions d'entrer dans notre empan de terre ou dans la mer violette alentour ». Le narrateur de *Mahagony* dira « je » et « nous », faisant la synthèse entre plusieurs voix, entre l'oral et l'écrit, entre la trace gravée sur l'écorce et le cri, entre la parole et le discours, entre la voix féminine et l'écriture de Mathieu ou du commentateur.

Le narrateur-Mathieu écrit, par conséquent : « Ainsi ai-je couru la courbe de ce récit à voix mêlées », ou encore : « Nous n'en avons jamais fini avec nos ancêtres démesurés. (...) Le présent s'accroît sans cesse de leurs paroles désamorcées. Votre tête est encombrée. Vous tombez au maelström[151]. » Mathieu découvre un continuel passage, la pluralité indémêlable des voix, des

---

149. *La Case du commandeur*, p. 111.
150. *Mahagony*, p. 216.
151. *Ibid.*, pp. 250-251.

expressions multiples et nouées. Il ne s'agit plus de remonter à l'origine d'Odono, de retrouver « la trace » du cri pour en comprendre le sens. Le dessein de l'œuvre est peut-être davantage de passer ce cri d'un locuteur à l'autre, d'un sujet à l'autre, à l'infini. Cette véritable « descente dans le maelström » que chacun à son tour devra entreprendre n'est pas simple descente aux enfers.

De même que la spirale n'est pas enfermement mais mouvement ondoyant dans lequel la circulation est possible, le maelström est promesse de profondeur. Il continue la métaphore du « trou noir du temps » en la dynamisant. La descente, la plongée sont en effet indispensables pour découvrir la trace. Mycéa a plongé dans le gouffre comme son fils Odono qui s'est noyé, Pythagore est pris « d'un vertige de connaissance », Cinna Chimène est « noyée vive au plus fond de cet entonnoir[152] » *(sic)*. Il faut tomber « dans le ventre de cette barque » pour atteindre la trace. Mais la trace en même temps « remonte » et s'enracine plus loin. « Plus nous descendions, jusqu'à ce premier bateau qui déversa dans Malendure le premier d'entre nous, plus nous apprenions à connaître le monde. Le tout-monde », écrit le narrateur de *Mahagony*. La trace conduit non seulement vers l'origine, vers les mahoganis autour desquels les personnages « tournent en rond », mais vers le monde, dans une relation infinie, ouverte. Car « en matière de voyage, le peuple des Plantations en connaît un bout[153] ».

Désormais, les personnages et narrateurs n'aspirent pas seulement à retrouver l'écorce, le mahogani, le cri originel, mais à voyager, « légitimer le voyage » : « le voyage est le préliminaire de la relation où les peuples désormais s'engagent[154] ». Le retour à la trace n'est que l'un des versants de la relation, l'autre mouvement conduit à dériver dans le « tout-monde ». Par conséquent, le lieu, jusqu'alors « case du commandeur », « ligne de terre rouge », « demeure des marrons » ou enceinte des trois ébéniers ou mahoganis, Lézarde ou Malendure, devient un lieu à la fois

---

152. *La Case du commandeur*, p. 73.
153. *Mahagony*, p. 215.
154. *Ibid.*, p. 218.

singulier et universel, lieu d'une relation en perpétuel mouvement entre le pays, le sujet et le monde.

> « Le lieu, écrit Édouard Glissant dans *Traité du Tout-monde*. Il est incontournable, pour ce qu'on ne peut le remplacer, ni d'ailleurs en faire le tour.
>
> Mais si vous désirez de profiter dans ce lieu qui vous a été donné, réfléchissez que désormais tous les lieux du monde se rencontrent, jusqu'aux espaces sidéraux[155]. »

Le narrateur se propose donc de

> « Rêver le tout-monde, dans ces successions de paysages qui, par leur unité, contrastée ou harmonique, constituent un pays. Descendre le contraste, ou le remonter, dans l'ordre des pierres, des arbres, des hommes qui participent, des routes qui s'efforcent. »

Telle est la quête nouvelle entreprise depuis *Mahagony*.

La relation entre le sujet et le monde

L'exploration de la trace lie le pays spécifique au monde, elle inscrit également le pays dans le sujet.

> « Trouver en soi, non pas prétentieux, le sens de cela qu'on fréquente, mais le lieu disponible où le toucher[156] »,

c'est en ces termes que s'explicite l'ultime quête. Le lieu devient donc intérieur, à la fois singulier et « lieu commun ». Marie Celat, parallèlement à Mathieu fait l'expérience de ce va-et-vient entre le lieu et le monde, entre l'infiniment petit à portée de main et l'infiniment grand vers lequel le sujet se laisse dériver. Dans un chapitre mystérieux et symbolique, où les gestes ont valeur

---

155. *Traité du Tout-monde*, p. 59.
156. *Mahagony*, p. 218.

d'allégorie, Marie Celat est minutieusement décrite par le narrateur complice, qui épouse son point de vue. Elle découvre une racine minuscule qu'elle arrache, commentant : « à la fin je vous déracine, (...) mais je sais bien que vous allez repousser n'importe où, vous allez voir ». Et elle jette « au loin la roche et la tige violacée ». La « remontée », puisque ainsi s'intitule le chapitre, est donc à la fois découverte d'un « gouffre » dans lequel le personnage creuse un trou, sentant « sa tête chavirer », dans un « vertige » ; puis un « clair étonnement » qui accompagne la plante et enfin un mouvement vers l'ailleurs.

L'œuvre atteint alors le point paroxystique de la « Relation », liant d'un même élan l'infiniment grand, le « tout-monde », à l'infiniment petit, « la minuscule » racine. Au plus près de la terre profonde du pays, le texte s'ouvre à la « dilatation » des histoires. À l'instar de Raphaël Targin, le roman a rejoint « ce moment où toute histoire dilate dans l'air du monde, s'y dilue peut-être, y conforte parfois une autre trame, parue loin dans l'ailleurs ». Le narrateur a désormais pour quête d'« établir corrélation[157] ». Entre le point singulier du monde où se déroule l'histoire et le tout-monde, même distance, et même dynamique. Les allers-retours fondent un texte qui exige le passage d'un roman à l'autre, d'un personnage à l'autre, d'une trace terrienne à la mer, d'une île à l'autre et jusqu'en Russie ou en Italie, où nous mènera le roman *Tout-Monde*. « Le peuple des Plantations » ne semble pas devoir s'arrêter dans sa dérive mais, à l'inverse, trouver dans le monde sa véritable patrie. De transbord en transfert et de métaphore en glissement, le signe se déplace, la trace conduit au bout du monde, « perdue retrouvée perdue ».

L'œuvre ne tranche donc pas dans le sens d'une vérité, celle de la femme ou celle de l'homme, celle du lieu singulier ou celle du monde, celle de l'oral populaire ou celle de l'écrit savant. Elle met en parallèle des démarches qui ont le même objet, des instances co-présentes et complémentaires, dans des tensions. Ni jumeaux ni amoureux fusionnels, l'homme et la femme ne se rejoignent pas, le lieu de la « trace », « l'écorce » et le monde ne sont pas identiques, ne se fondent pas dans un universel, l'oral et l'écrit ne fusionnent

---

157. *Mahagony*, p. 242.

pas davantage. Mathieu et Mycéa sont mis en relation par le texte, se font écho, bien différenciés par leur langage et leur méthode. Ils ont des solos parallèles plutôt que des duos, bien qu'ils puissent reprendre des thèmes similaires. C'est la structure et le langage du texte plus que la fiction qui assurent leur coexistence. Si des allers-retours, des tourbillons vertigineux font passer du lieu singulier, arpenté sans trêve, au monde rêvé, immense, de la même manière, il est parfaitement évident que le texte d'Édouard Glissant ne cherche pas à faire fusionner oral et écrit. Son langage est fait d'écarts abrupts entre des tournures familières, parfois créoles, et des structures syntaxiques extrêmement subtiles, des recherches lexicales et rythmiques rares.

La relation entre l'oral et l'écrit : une oralit-térature ?

Comment rendre compte d'une écriture qui emprunte à l'oral et à l'écrit, certes, mais dans laquelle le lecteur ne reconnaît pas les habituels procédés de fusion ou de partage entre les deux modes de langage ? Édouard Glissant n'oppose pas les dialogues à la narration ou le lexique à la syntaxe, les descriptions aux mono-logues intérieurs. Un personnage peut s'exprimer dans un dialogue avec un infini raffinement, le narrateur peut à l'occasion s'avérer plus brutal. Le narrateur écrit ainsi dans *La Case du commandeur* : « Le candidat chaussant les godillots coiffant le casque il monte à l'assaut. » Tandis qu'Ozonzo raconte à Cinna Chimène enfant le merveilleux conte du poisson-chambre, mêlant les formules incantatoires aux images les plus poétiques :

> « Nul ne l'a su nul ne le sé. Pendant ce temps le poisson-chambre est reparti dans les profonds. (...) Donc un jour je suis tombé dans la mer, je fascinais la lune pour déchiffrer son ramage, et mon pied a dérapé[158]. »

Les phrases où interviennent le créole et les tournures orales n'en sont pas moins sophistiquées, « tarabiscotées », dirait peut-

---

158. *La Case du commandeur*, pp. 142 et 67.

être l'auteur. Elles tiennent de l'oral par le lexique, ou par le ton mais manifestent une invention, un rythme tels que l'écriture seule a pu les concocter. La diatribe d'Hermancia, dans *La Case du commandeur*, est à cet égard fantastique, à la fois totalement créole, orale, populaire, par ses images et son registre, et cependant indicible, absolument impensable comme parole, d'autant plus qu'elle s'étend sur une page entière.

Les phrases développent nombre de métaphores, à l'instar de celle-ci : « Pythagore était passé du côté des songes errants, qui ne repèrent pas leur paysage et ne s'ancrent dans aucune argile[159]. » Ce sont également les jeux de sonorités et de rythmes qui s'insinuent dans la parole et en font un chant : « Marie Celat, remontant l'allée de ciment vers les bureaux, décomposait la parole de Chérubin en dorée, adorée, adolescente, caressante. » « Vous êtes une femme adoressante », lui a déclaré, en effet, son compagnon de drive[160].

Il faudrait encore citer de longues anaphores, des phrases en éventail ou en escalier, des énumérations où paradoxalement, c'est le ton de la voix, la scansion d'une déclamation qui seule peut rendre intelligible un flux de mots vertigineux. Dans *Malemort*, par exemple, certaines phrases sont caractéristiques de l'étonnant télescopage entre écrit et oral. Celle que nous citons ici présente une structure énumérative que l'on ne repère pas immédiatement, parce qu'elle est peu soulignée par la ponctuation ou la disposition typographique, c'est-à-dire les signes scripturaux par excellence.

« Un, papius qui a tué sa concubine après combien d'ans de misère et d'acceptation il a déraciné en ventre et deux, Focillon qui a dératé son frère d'un moulinet pour un morceau de mur de case et trois, Choucoune qui a fendu la tête de son papa pour la défense de sa génitrice d'un seul tranchant et six mille, Vinolo qui a coupé ras les deux bras de son voisin pour une poule qui avait volé trois mètres trop loin avec un rasoir pour un mot de juré au soir de Pentecôte et l'infini, Charlequint qui a passé sur son ami Bozambo

---

159. *La Case du commandeur*, pp. 28 puis 41.
160. *Ibid.*, p. 236.

avec une bâchée (...) il ne sait pas pourquoi il ne sait pas pourquoi[161]. »

Les membres de l'énumération ne sont pas séparés par des points ou des points-virgules, les termes introducteurs ne sont pas habituels, puisqu'on passe de « un », « deux », « trois » à « six mille », « dix millions », « l'infini ». La phrase se déploie, en outre, en anaphore, égrenant de nombreuses propositions relatives, tandis que les compléments de but s'enchaînent : « pour une poule », « pour un mot ». Faut-il voir dans cette phrase un témoignage du langage oral ? La complexité, la lourdeur des relatives ou des enchâssements sont bien souvent le propre d'un oral maladroit, bien que la complexité puisse paraître le signe de l'écrit lorsqu'elle se déplie sur de si longues séquences. Les éléments référentiels sont populaires et le vocabulaire courant : « ventre », « case », « poule », « rasoir », « bâchée ». Mais on ne peut en dire autant des mots « ans » pour années, plus courant, de « génitrice », ou des expressions inventées comme « déraciné en ventre », « dessiné son compère ». Le langage joue avec les assonances et les parallélismes : « déraciné » / « dératé », « ras » et « bras », « pour » et « poule », « trois » / « trop », « rasoir » et « soir », « passé » / « bâchée ». Quant aux expressions qui inaugurent et finissent la phrase : « combien d'ans de misère et d'acceptation », qui ouvre sur une interrogation, puis à la répétition mélancolique : « il ne sait pas pourquoi il ne sait pas pourquoi » qui laisse dans un suspens infini et désemparé le lecteur, ne sont-ils pas la marque du poète ? Invention verbale, complexité, travail sonore, tout fait de cette phrase une phrase écrite et même maniérée.

Pourtant, paradoxalement, c'est en la lisant à voix haute, en accentuant les virgules qui soulignent le découpage essentiel de l'énumération, donc en se fiant à une diction, que le lecteur a quelque chance de comprendre cette phrase très étrange, à première lecture. Par un retournement inattendu, la scansion de la parole orale semble seule capable d'ordonner le flux écrit. Le sens apparaîtra après coup, lorsque le lecteur parvenu au bout de la

---

161. *Malemort*, p. 203.

phrase aura découvert son rythme secret que la simple expression visuelle ne manifeste nullement.

Ne sommes-nous pas au plus près d'un effet d'écoute qui, au sein même de l'écrit, cherche à entendre un sens enroulé dans les méandres de la syntaxe ? Le style d'Édouard Glissant nous semble très souvent procéder de la sorte, de telle manière que le texte soit à la fois lu et entendu, à la fois déroulé et enroulé. Il faut avancer sans comprendre, pour découvrir après coup le sens qui s'est déposé dans la mémoire de la phrase, de la page ou du livre.

Le sens du roman *La Case du commandeur* n'apparaît ainsi que rétrospectivement, de même que celui de la phrase-chapitre de *Malemort* ou de maints passages de *Mahagony*. La rencontre entre oral et écrit est donc moins une fusion qu'un jeu entre deux temps d'une lecture qui se fait écoute, d'un flux qui retrouve ultérieurement des scansions. Contrairement à ce que l'on pourrait imaginer, en se fiant aux idées convenues, ou même à certaines théorisations d'Édouard Glissant, la scansion, la césure, ne viennent pas nécessairement de l'écrit, l'oral représentant le flux. Il peut arriver, comme nous avons tenté de le montrer, que le souffle de l'oral et de la diction remettent un peu d'ordre dans une phrase qui se déroule assez chaotiquement du point de vue visuel (typographie, signes de ponctuation). Nous avons fait remarquer à cet égard, qu'Édouard Glissant omettait souvent les points d'interrogation. Le ton commandé par la structure syntaxique lui semble sans doute suffisant. L'œil étant ainsi déstabilisé, le lecteur devra avoir recours à l'oreille.

Notre lecture du texte d'Édouard Glissant trouve un écho dans les analyses de Henri Meschonnic sur le rythme. Henri Meschonnic distingue en effet « l'oralité » du « parlé » et évoque par conséquent « l'oralité du texte écrit », c'est-à-dire sa scansion, son rythme défini comme « l'organisation et la démarche même du sens dans le discours[162] ». C'est pourquoi il suggère d'étudier la « prosodie sémantique ». L'écriture d'Édouard Glissant nous semble illustrer parfaitement cette « oralité de l'écrit » qui dépasse le clivage parlé / écrit pour inscrire le chant, le souffle, au cœur

---

162. Henri Meschonnic, « Rythme et traduction », *Poétique du traduire*. Éditions Verdier, 1999, p. 99.

même du texte, suppléant parfois à l'absence de signes visuels qui permettraient de découper le texte. La longue phrase-chapitre de *Malemort* – et combien d'autres pages ? – montre bien que le rythme est dans la scansion orale alors que le texte est visuellement, eu égard aux signes scripturaux, dense, tassé, insécable.

Henri Meschonnic conclut ainsi une analyse d'un verset d'Homère :

> « ce dont Simone Weil avait eu l'intuition (...) le rythme du verset d'Homère ne le dit pas, il le montre, il le fait. (...) C'est tout ce qu'on ne sait pas qu'on entend. Mais une fois qu'on l'a reconnu, alors on sait qu'on l'entend[163]. »

La « signifiance » du texte d'Édouard Glissant, au sens où Henri Meschonnic emploie ce terme, est, de la même façon, liée au rythme, à la capacité du lecteur à suivre les détours de la phrase pour en repérer les pauses ou en épouser le « halètement ». Cette signifiance en mouvement ne se révèle que dans l'après-coup, dans l'enroulé-déroulé de la phrase, lorsque le lecteur a pu s'appuyer sur des accents et découvrir les structures. Elle procède à la manière d'un « dévoilement différé », selon les termes qu'emploie Édouard Glissant pour analyser l'écriture de William Faulkner.

Ainsi, au gré des accents et du rythme, la phrase que nous citions plus haut a pour signifiance l'opposition entre la multiplication incommensurable des faits de violence : « un, deux, trois, six mille, à l'infini » et d'autre part la minceur puis l'absence des motifs d'une telle violence. On lit très vite, sans reprendre son souffle, les explications : « qui a coupé ras les deux bras de son voisin pour une poule qui avait volé trois mètres trop loin », c'est-à-dire qu'on ne s'arrête pas sur de tels mobiles, on « passe » dessus, comme Charlequint « passe sur son ami avec une bâchée », sans savoir « pourquoi ». Au bout du compte, la violence est essentiellement une violence sans raison, sans justification. La répétition du mot « pour » qui semblait rendre compte d'un projet ou d'une cause est reprise est annulée par le « il ne sait pas pourquoi » répété. Ce sont des actes sans projet ni cause. Le

---

163. Henri Meschonnic, *ibid.*, p. 109. Les italiques sont dans le texte.

rythme de la phrase de *Malemort* le dit aussi hautement que les analyses du *Discours antillais* sur « la violence sans cause ».

Par conséquent, le rythme se substitue à la césure. Nous pourrions faire l'hypothèse, en effet, que les accents, s'ils marquent des valeurs, dessinent des repères, ne procèdent pas comme une ponctuation. Ils ne coupent pas la phrase ou le texte, ils n'interrompent pas le flux, ils le scandent. Ils rendent intelligible, certes, mais en laissant la question du point, de l'arrêt, en suspens. Ainsi la phrase-chapitre de *Malemort* ne finit pas. Elle demeure en attente, à l'instar de l'histoire antillaise. Là où la fondation n'a pas été faite, pourrait-on suggérer, des repères peuvent apparaître, non de véritables césures historiques, des dates originelles. De la même manière, le soufffle du conteur, auquel se réfère Édouard Glissant, marque des pauses, il ne clôt pas le discours, encore moins le « halètement » du déparleur de la Croix-Mission qui reprend à l'infini ses diatribes. On pourrait, en quelque sorte, oser le concept d'une syntaxe di-génétique, à l'appui d'un récit qui est lui-même digenèse. Le rythme, sans la ponctuation, est en quelque sorte la marque d'un repérage dans un discours continu, plutôt que la césure du sens. Celle-ci – points, arrêts du texte – étant régulièrement masquée, déniée, déplacée. Ce sont alors les accents qui offrent les repères les plus sûrs, dans un texte où s'opèrent de constants déplacements des signifiants. Les flux et les scansions s'allient, sans que s'exerce une véritable mise en coupe de l'écriture, de la phrase, du texte. Il ne s'agit pas de maîtriser le flux pour le canaliser à la manière d'une écriture classique, claire, concise. Les balancements entre l'impulsion, le tâtonnement ou la coupure ne cessent de remettre en mouvement le texte.

La seconde phrase de « Trace du temps d'avant » qui ouvre *La Case du commandeur* se déroule, par exemple, sur vingt-cinq lignes, de parenthèses en tirets, les points-virgules la scandant légèrement. On pense bien sûr à l'énorme phrase de *Malemort*, qui ne fait qu'expliciter, déplier, rythmée par ses deux points, un récit impossible à interrompre. Elle représente matériellement la continuité historique des mouvements marrons et des révoltes. C'est une « marche » qui n'a pas d'origine – absence de majuscule au commencement – ni de fin (absence de point). Le texte se manifeste comme une anamnèse, sortie de l'oubli d'un fragment, qui surgit hors du blanc et retourne au blanc, sans autre scansion que celle du souffle.

Plutôt que de césure, il faudrait parler de surgissement de texte *ex nihilo*. C'est l'apparition du texte qui est remarquable, non son arrêt. Comme est essentielle l'irruption du cri dans le silence. C'est un cri dont on perçoit encore l'écho, sans pouvoir dire à quel moment il a cessé. Pourtant, il faut bien que la phrase, le texte, commence et finisse. *La Case du commandeur*, paradoxalement, est un texte très encadré. Entre les extraits du *Quotidien des Antilles*, entre les deux moments évoquant Mycéa, il est construit symétriquement. Mais cet « encadrement » psychiatrique est certainement ironique. Le texte, s'il ne peut se répandre hors de ses limites, implose ailleurs, c'est-à-dire, comme nous l'avons vu, dans son centre.

De la même manière, les romans se suivent, ménageant des reprises, des continuités, au-delà de la césure que pourrait imposer de prime abord la publication séparée. Chaque fin est provisoire, de même que la séparation entre les genres, essai, roman, poésie, n'est que provisoire. Nous avons fait communiquer pour notre part, les essais et les romans, et nous n'ignorons pas que les personnages de *Malemort* apparaissent dans les poèmes de *Boises* ou que *Pays rêvé, pays réel* est dédié « à Mycéa ». Dans un catalogue d'exposition, il n'est pas exclu qu'apparaissent les noms de personnages de fiction tandis que l'auteur, à l'inverse, a baptisé de son propre prénom, son personnage. Ainsi, la césure entre l'œuvre et la vie, entre le monde social et le monde textuel s'atténue. L'œuvre s'inscrit dans un immense rhizome où l'imaginaire et la réalité se mêlent. Est-ce un autre délire ? Est-ce un « beau chaos » ?

Conclusion

Au terme de cette lecture, on peut se demander si le texte est toujours en quête de fondation et de « loi d'expression ». N'a-t-il pas résolu dans le principe de la Relation et du rhizome la contradiction qui sous-tend la problématique de la loi opposée au chaos ? Là où manquait une loi de symbolisation ou d'expression – dans la réalité sociale, loi de succession et de filiation ; dans le langage, loi d'intelligibilité et de hiérarchie qui donne sens et valeur – le texte en viendrait à accepter le chaos comme « beau », le « vertige » comme enivrant, le lieu commun comme patrimoine. Parti d'un constat de désordre et de malaise, on aurait renoncé à donner sens, à ordonner, pour finalement exalter le désordre lui-même et l'absence de césure. L'enjeu de l'œuvre n'était-il pas de créer un envers du désordre colonial ? Elle n'a eu de cesse de montrer que ce que tous prennent pour l'ordre est le véritable chaos. Ordre policier, ordre colonial et néo-colonial, *Mahagony* évoque le « désordre qui était jadis autour des habitants », et Marie Celat s'étonne qu'on ait pu en établir le code : « Comme si on pouvait imaginer un code pour la sauvagerie[164]. » « Marie Celat ne marche pas au pas ! » Elle décèle également le désordre des musées. « C'est que voyez-vous, dit-elle, le désordre a toutes sortes d'apparences. Le désordre d'un musée vous déracine le ventre[165]. » Le musée, cela peut être la Martinique sous une verrière, témoignage historique d'une « colonisation réussie », ou monument ethnographique à visiter. C'est la mort d'un peuple et de son identité. En apparence, l'ordre règne, l'île est décrite comme un « paradis » parfaitement organisé[166]. Mais c'est cela le désordre. Le marron représente à l'inverse le mouvement, « le passage ».

Pourtant, le malaise des Antillais est également perçu comme désordre par Marie Celat : « je pense, aujourd'hui le désordre, il est entré dans nos têtes et nos corps. Pas seulement en souffrance, mais tout ce que vous ne devinez pas même, qui vous porte à sauvagerie ou désespoir[167]. » Le désordre est à la fois l'ordre colonial et la folie, la souffrance. Le terme « sauvagerie » décrit à la fois la barbarie esclavagiste et la douleur de l'aliénation. L'un est l'écho de l'autre, deux faces d'un même mal. Quelle position peut prendre le discours littéraire entre ces deux désordres ? Sera-t-il tentative d'élucidation, remise en ordre ? Mais alors il serait du

---

164. *Mahagony*, p. 176.
165. *Ibid.*, p. 181.
166. *Ibid.*, pp. 178-181.
167. *Ibid.*, p. 176.

côté de la maîtrise. Il parlerait d'un lieu protégé, et serait l'émanation d'un sujet, soit maître et donc honni, soit totalement extériorisé et qui ne pourrait, par conséquent, prétendre à connaître, partager la parole qu'il désirerait transmettre. Laissera-t-il à l'inverse s'exprimer en lui l'hystérie, la parole désordonnée et aveugle à elle-même ? Ce serait partager le « nous » aliéné, « disjoint », parler au sein même de ce « non-nous encore ». Le discours serait ainsi au cœur de la parole certes, mais au risque de perdre son intelligibilité, d'être logorrhée qui ignore son sens.

Il semble bien, dès lors, que l'œuvre d'Édouard Glissant hésite entre la refondation d'une loi qui serait ordonnatrice – il craint trop le désordre qui se cache sous un ordre totalitaire et fallacieux – et l'acceptation du chaos qui tantôt donne le vertige, tantôt s'apparente aux entrelacs de la forêt tropicale martiniquaise. Le mouvement et la relation deviennent donc les véritables principes organisateurs. Ils permettent la circulation vivante d'une part, l'ouverture au monde et le retour au lieu, dans un va-et-vient incessant, et d'autre part la corrélation intellectuelle et sensible des éléments dispersés. En réalité, le chaos cesse d'être infernal dès qu'il est habité, que le regard s'y oriente et s'y promène. Il s'agirait moins d'ordonner, de régir que de percevoir le sens latent qui assure une cohérence souterraine au discours délirant. Le temps de l'écoute et de l'interprétation permettrait de restituer le sens. Encore que l'écriture d'Édouard Glissant ne donne pas directement d'interprétation, elle tend plutôt un filet, une toile d'araignée, dans laquelle la signifiance a quelque chance de se trouver prise. Le lecteur en sera l'éventuel pêcheur.

Mais qu'en est-il de celui qui délire ? Peut-on restituer la signifiance de son discours à celui qui le profère ? Le but ultime de la quête n'est-il pas qu'un Pythagore, une Marie Celat, un Patrice Celat entendent leur propre discours, leur propre parole, deviennent sujets de leur propre discours ?

Marie Celat, dans *La Case du commandeur* et dans *Mahagony* a probablement accès à sa propre vérité. Ayant perçu la « rumeur de l'Ailleurs », la « Trace du Temps d'Avant », ayant reçu le « Traité du Déparler », elle peut dire : « *Je* vous invite au restaurant[168] », à

---

168. Nous soulignons le pronom « je ».

l'interne de l'hôpital psychiatrique, après son évasion. Elle obtiendra, en outre, avec humour et intelligence – les qualités du compère Lapin des contes créoles – un « billet de sortie » qui la libère définitivement de l'asile.

Mathieu devient sujet à son tour dans *Mahagony*, signant quasiment de son nom le récit : « Véritablement je me nomme Mathieu Béluse », écrit-il / dit-il à la fin du roman. Quelque chose a donc été entendu, par les intéressés eux-mêmes, de leur histoire. S'ils n'y ont pas vraiment remis d'ordre, ni n'ont changé leur disposition d'esprit, si la Martinique n'a pas non plus pris son « indépendance », ils ont cependant « crié tout au long de la trace ». Ils ont « entendu », « couru », « feuilleté », « dévalé » l'histoire[169]. Ils ont circulé à la fois comme lecteurs / interprètes et comme acteurs dans la totalité du texte enfin proféré de cette histoire refoulée. Rien n'est plus pareil. Marie Celat revient au désordre de la vie sociale, qui se prétend ordonné. Elle « réapprit à vivre parmi les choses de chaque jour. (...) Marie Celat fut engagée dans un bureau, supporta ce que tout le monde supporte[170] ». Ironique, elle observe, critique le désordre du monde. Elle « rit en chuchotis, sans bruit, comme jadis ses ascendants affalés dans la nuit des cases[171] ». En réalité, elle a rejoint au plus profond l'histoire des esclaves qu'elle porte en elle. Elle ne crie plus, elle « chuchote », marronne intellectuelle et non plus délirante.

Dans ce chaos que le mouvement rend supportable, que les accents mettent en relief, ce « désordre » dont le personnage n'est plus ni la victime ni la dupe, on pourrait apparemment se passer d'un ordre symbolique. Pour le meilleur : le mouvement, les glissements incessants, et pour le pire : la turbulence, l'absence de repères stables. Les personnages ne trouvent pas de places les uns par rapport aux autres. Peut-on parler de position symbolique entre Mycéa et Mathieu ? La solitude de chacun permet-elle encore une quelconque « relation » ? Entre osmose et écart, la relation qui anime le couple formé par Mathieu et son auteur, dans *Mahagony*, est-elle de l'ordre d'une filiation, d'une séparation, d'une paternité

---

169. *La Case du commandeur*. p. 235.
170. *Ibid.*, p. 237.
171. *Ibid.*, pp. 238-239.

symbolique, ou au contraire d'un lien obsessionnel et indénouable ? Qu'est-ce, au bout du compte que la « relation » ? Est-elle relation symbolique, imaginaire ? Le texte opère-t-il autre chose que des passages d'une solitude à l'autre, d'un fragment désemparé à l'autre ? Les atomes font-ils plus que s'effleurer dans une circulation intense, certes, mais horizontale et obscure ?

On n'a encore rien élucidé de cette « relation » qui constitue peut-être une approche d'un monde symbolique, mais demeure problématique. Le mot, pour être séduisant, n'en constitue pas moins une fausse évidence au-delà de laquelle les questions se bousculent. Gilles Deleuze et Félix Guattari, auxquels Édouard Glissant a emprunté le concept de « rhizome » ont bien développé cette conception d'un univers sans césure, sans fixation. Le territoire est tracé, mais ce qui importe ce sont les points de fuite. Les flux et les « plateaux » sont mobiles, percés, « ça fuit » dit Deleuze. Le mouvement est continu, les hiérarchies niées. Pour Deleuze et Guattari, tout est réel[172]. Nul besoin de « nœud » entre les trois dimensions reconnues par Lacan, « le réel, l'imaginaire et le symbolique » : elles se confondent.

Il est très significatif que Gilles Deleuze récuse la notion psychanalytique de « castration ». Il confirme par là que son système refuse la césure, le Nom-du-Père, la filiation[173]. Les dénivellations et les schémas arborescents sont écartés au bénéfice de l'immanence et du déplacement d'un plateau, d'une onde à l'autre. Gilles Deleuze estime que « quand on invoque une transcendance on arrête le mouvement, pour introduire une interprétation au lieu d'expérimenter ». Il privilégie par conséquent « Les processus [qui] sont les devenirs, et ceux-ci ne se jugent pas au résultat qui les terminerait, mais à la qualité de leurs cours et à la puissance de leur continuation[174] ». La prolifération, l'infini

---

172. « Nous ne connaissons pas d'autre élément que le réel, l'imaginaire et le symbolique nous semblaient de fausses catégories », Gilles Deleuze, *Pourparlers*, Éditions de Minuit, 1990, p. 198.

173. *Cf.* « Enfance », *Abécédaire de Gilles Deleuze*, entretiens avec Claire Parnet, réalisation Pierre Boutang. *Cf.* également « Introduction : Rhizome », *Mille Plateaux*, Éditions de Minuit, 1980, pp. 9-37.

174. Gilles Deleuze, *Pourparlers*, Éditions de Minuit, 1990, p. 200.

déplacement, la continuelle « déterritorialisation » sont des vertus, à l'inverse de ce qui « termine », stoppe, fige le mouvement.

On reconnaît aisément dans ces dichotomies celles que pratique couramment Édouard Glissant, en particulier lorsqu'il oppose l'oral et l'écrit. Il estime à cet égard que « l'écrit suppose le non-mouvement : le corps n'y accompagne pas le flux du dit. (...) L'oral au contraire est inséparable du bouger du corps[175] ». Il s'interroge par conséquent en ces termes : « Mais si l'écriture créole conciliait ce qu'il y a de régi dans la littérature et ce qu'il y a de foisonnant et d'irrépressible dans l'"oraliture"[176] ? » Dans la conception glissantienne du chaos, on retrouverait ainsi les mêmes images de fluidité, de mouvement qu'exaltent Deleuze et Guattari dans *Rhizome*. L'écriture créole, qui glisserait l'oralité au cœur de l'écrit, constituerait une synthèse et dépasserait, comme nous l'avons indiqué, la transcendance de la césure-ponctuation, dans le flux scandé du rythme. Il est tout à fait dans l'esprit du rhizome de pratiquer de telles alliances qui sautent les frontières logiques pour mettre en contact des réalités opposées, dans un mouvement oscillatoire et continu. Encore faudrait-il, cependant, se demander ce qui délimite tout de même des espaces, des territoires à trans-gresser, des frontières à passer. C'est pourquoi, nous l'avons indiqué, Édouard Glissant imagine qu'un « suivi » du chaos est possible, que des régulations sont perceptibles.

Édouard Glissant est tout à fait conscient des risques que prendrait celui qui s'abandonnerait totalement au vertige du maelström. C'est pourquoi il s'interroge et justifie au sein même d'un éloge du chaos, la nécessité de reconnaître des invariants :

> « Que me faut-il encore me raccorder à des invariants ? (...) Le littéral du Chaos-monde ne suffit-il pas à satisfaire à tous fantasmes, désirs et aspirations ? Être délirant aux délires, carna-valesque aux carnavals, sauvage en la sauvagerie ? Mais si j'accoutume ma sensibilité aux imprévus de ce Chaos-monde, si je consens de n'avoir plus à le mettre en plans ni de prévoir pour le

---

175. Édouard Glissant, *Le Discours antillais*, pp. 237-38.
176. *Ibid.*, p. 452.

régenter, il reste que je n'accompagnerai pas son cours si j'y suis tout dru emporté. »

Il sait que « celui qui est au maelström [terme récurrent dans *Mahagony*] ne voit ni ne pense le maelström ». C'est pourquoi l'auteur pressent la nécessité de trouver des « invariants ». Ce sont « des points véliques dans la turbulence, qui me permettent, commente-t-il, de dominer ou d'apprivoiser mon trouble, ma peur d'à présent, mon vertige ».

On pourrait se demander, par conséquent, ce qui distingue radicalement ces « points véliques » des repères symboliques qu'ailleurs, il s'agit de trouver pour « arrimer le discours », des nœuds borroméens voire des « points de capiton » qu'évoque Jacques Lacan[177]. Par-delà les différentes métaphores, la tension entre le chaos, le mouvement vivant et la peur de perdre pied, la volonté de trouver des références, des points d'ancrage symbolique se fait jour. Selon Édouard Glissant « la démesure du texte » est à même de révéler des invariants dans la « démesure du monde ». Ce seront les « lieux de rencontre fugitifs, les pertinences des rapports, ce qui rapproche les silences et les éclats » qui plutôt que

---

177. Jacques Lacan, « Le point de capiton », *Le Séminaire, III, Les psychoses*, pp. 293-306, Éditions du Seuil, 1981. Lacan, commentant le schéma dans lequel Saussure représentait le signifié et le signifiant distingue : « la masse sentimentale du courant du discours, masse confuse où des unités apparaissent, des îlots, une image, un objet, un sentiment, un cri, un appel. C'est un continu », d'une part et d'autre part « en-dessous, le signifiant (...) comme pure chaîne du discours, succession de mots où rien n'est isolable. (...) Le rapport du signifié et du signifiant paraît toujours fluide, toujours prêt à se défaire ». Le sens n'apparaît jamais qu'après coup, lorsque la phrase, le texte sont finis. Lacan propose d'analyser un discours avec des « points de capiton » : « Qu'il s'agisse d'un texte sacré, d'un roman, d'un drame, d'un monologue ou de n'importe quelle conversation, vous me permettrez de représenter la fonction du signifiant par un artifice spatialisant (...) Ce point autour de quoi doit s'exercer tout analyse concrète du discours, je l'appellerai un point de capiton. (...) Autour de ce signifiant, tout s'irradie et tout s'organise, à la façon de ces petites lignes de force formées à la surface d'une trame par le point de capiton. » (pp. 296-302) C'est en quelque sorte le signifiant sur lequel porte l'accent rythmique et émotif, celui sur lequel s'arrêtera l'oreille de l'analyste ou du lecteur, et qui permettra de réorganiser le sens.

d'« épouser tristement la littéralité », feront « plus » : ils
exploreront, expérimenteront véritablement le monde[178].

De la sorte, le discours littéraire n'a pas d'autre mission que de
marquer des passages, des repères, de circuler dans le chaos-
monde qu'il habite et ponctue. « Le livre, dit Édouard Glissant, est
le creuset où transmuter cela. Il permet halte, fondation du temps
présent, peuplement des invariants et l'achèvement de l'intention[179]. » Alchimie du verbe, le discours littéraire fait entendre
ce qui, dans le discours littéral, demeure caché, tel la « lettre
volée ». C'est en demeurant au plus près de la lettre, par
conséquent, dans son apparent délire, qu'il révèle le sens tellement
évident que nul ne l'apercevait, trop faible « chuchotis dans la nuit
des cases ». On pourrait suggérer, pour conclure, que la relecture et
l'écoute seules donnent des repères, dans un chaos que l'on
pouvait croire à première vue inintelligible.

En ce sens « relier », ce serait « relire », envers anagram-
matique d'un même procès. On pourrait y reconnaître la même
démarche que celle d'un analyste qui renvoie en écho le discours
du névrosé, lui faisant entendre ce qu'il dit, afin qu'il découvre la
signifiance de son discours prise dans une histoire / aux prises avec
son histoire. Le psychanalyste, plus encore que celui qui interprète
n'est-il pas celui qui scande le discours, pour en faire apparaître les
signifiants-maîtres ? Le sens ne vient qu'après coup, il n'appartient
pas à la pure diction, comme il n'appartient pas non plus à l'écrit.
Il passe dans un glissement de l'un à l'autre, à l'infini.

---

178. Édouard Glissant, *Traité du Tout-monde, ibid.*, p. 162.
179. *Ibid.*, p. 162.

Le baroque et la peur du vide

Dans un entretien qu'il accorda en 1965, Alejo Carpentier estimait que « [l]e monde caraïbe et, au-delà, le monde sud-américain sont des mondes complexes, cahotiques, extraordinaires », il lui semblait que les personnages, naturellement « shakespeariens » étaient eux-mêmes, à l'instar de Christophe, premier roi d'Haïti, « merveilleux » et « démesurés ». Le baroque, ou le surréalisme, dans ce contexte ne peuvent être envisagés uniquement comme un style. Si « la recherche de l'insolite dans le surréalisme a souvent [été] réduite à une question de formule », il ne peut en être ainsi en Amérique où le « merveilleux » est en même temps « réel[1] ». Si l'on peut parler de « poétique », plutôt que de style, c'est qu'en effet le baroque apparaît comme une pensée propre à donner la mesure d'un monde.

Si le baroque n'est pas un style, ni le style propre à une époque donnée, il est un « état d'esprit » que Alejo Carpentier retrouve dans les œuvres les plus diverses qu'il énumère, dans une conférence donnée en 1975, sur « le baroque et le réel merveilleux[2] ». De Cervantès à Rabelais, du gothique aux Aztèques, en passant par les *Illuminations* de Rimbaud et des pages de Marcel Proust, le baroque n'est pas un « style historique », mais il se manifeste partout où se trouvent « la transformation, la mutation, l'inno-

---

1. Alejo Carpentier, entretien recueilli par l'Association des Professeurs de langue vivante de l'enseignement public, publié dans *Colloque sur le roman antillais, Bicentenaire de Pointe-à-Pitre*, 30 décembre 1965, pp. 65-69.
2. Alejo Carpentier, Lo barroco y lo real maravilloso, Conférence donnée à Caracas, le 22 mai 1975, publiée dans *La novela latinoamericana*, pp. 111-135.

vation » : « [e]l academismo es característico de las épocas asentadas, plenas de sí mismas, seguras de sí mismas. El barroco, en cambio, se manifiesta donde hay transformación, mutación, innovación... » L'académisme est ce qui caractérise par conséquent « les époques assises, pleines d'elles-mêmes, sûres d'elles-mêmes ».

Si Alejo Carpentier est baroque, c'est qu'il prend pour objet de prédilection ces moments troubles et excitants « cuando va a nacer un orden nuevo en la sociedad », « lorsque va naître un nouvel ordre dans la société ». Nouvel ordre contre Ancien Régime, monde des tropiques ou des forêts guyanaises contre l'ordre rationaliste d'un Victor Hugues et des architectes, nous l'avons vu, le baroque apparaît quand la loi manque ou lorsqu'on s'interroge sur ses fondements. Tout semble alors absurde, grotesque, monstrueux : une Brigitte éventant ses cuisses avec *La Décade philosophique*, un Billaud-Varenne achetant des esclaves ; mais aussi sublime, vivant, comme le spectacle de la Révolution française :

> « tout tournait, distrayait, étourdissait, dans le tumulte constant de commères bavardes, de cochers qui s'interpellaient d'un siège à l'autre, d'étrangers qui flânaient, de laquais médisants, d'oisifs, d'entremetteurs, de commentateurs des derniers événements, de lecteurs de journaux, de discutailleurs aux prises dans des cercles passionnés avec celui-qui-répand-de-faux-bruits, avec[3]... »,

mais la phrase baroque est toujours si longue qu'il faut parfois en interrompre le flux débordant. Tout tourne, encore une fois, le texte dit « todo giraba ». Si la courbe a été souvent associée au baroque, Alejo Carpentier lui préfère le tournoiement, la spirale parce qu'elle unit le mouvement à la forme.

La spirale est la figure qui, sans doute, rassemble le mieux Alejo Carpentier, Édouard Glissant et Daniel Maximin. Et l'on aurait pu adjoindre à cet essai une étude sur le « schizophone » Frankétienne, Haïtien promoteur du mouvement « spiraliste ». La spirale est l'une des images les plus caractéristiques et récurrentes,

---

3.   *Le Siècle des Lumières*, p. 130.

dans la vision de ces auteurs. Elle figure à la fois l'enroulement étouffant, le retour des mêmes questions dans un monde insulaire, aussi étroit qu'une « calebasse » où le ressassement est presque obsessionnel, sur l'Histoire, le père, les difficultés d'une identité à trouver. La spirale est le maelström glissantien dans lequel on plonge et s'engouffre, elle est angoissante, comme le « trou de nuit ». Mais elle avance en même temps. Les cercles qu'elle trace, semblant faire du temps celui d'un éternel retour, ne reviennent jamais cependant au même point.

Le dernier mot du roman, qui semble refermer l'œuvre sur elle-même, chez Maximin, annonce en même temps le roman ultérieur, un nouveau commencement. La répétition lancinante du mot « Odono », de génération en génération, dans *La Case du commandeur* finira par délivrer un secret, éclairer « la nuit des cases », même s'il faut incessamment reprendre la quête d'une trace aussitôt disparue. Le « dévoilement différé » ressemble au déroulement d'un tissu à l'infini, sans que jamais on n'atteigne l'extrême bord du drap. Il s'enroule immédiatement à l'autre bout laissant entrevoir une vérité plus impliquée qu'expliquée. La spirale est une figure synthétique et contradictoire qui permet de rendre compte à la fois de l'insularité, des révolutions, des obsessions, des mouvements convulsifs de l'Histoire et des rythmes cosmiques, de l'enroulement de la vague, des lunaisons, du retour à la fois terrifiant et rassurant des cyclones.

Le cyclone devient, en effet, la figure tutélaire de cet univers en transe, il donne à l'homme caribéen des repères temporels apparemment plus fiables que ceux d'un calendrier, fût-il révolutionnaire, il unit la mort et la renaissance, la violence et la purification, dans le même élan. De l'ancien monde, la ligne, le progrès, le dessin pourraient rendre compte ; mais, du nouveau monde, il faut reconnaître le caractère tournoyant, cyclonique. Tout y est balayé en un éclair par cette force obscure et titanesque. L'homme ne tient debout dans ce monde que s'il entre dans la danse, tourne à son tour, s'accorde par le rythme et la mobilité à cet univers naturel, par essence assez peu ordonné.

En fait, la loi humaine, de civilisation, de génération, de différenciation ne peut rien contre ce monde cyclonique qui mêle les eaux et la terre, revient sans cesse au chaos. Daniel Maximin montre bien qu'il ne faut pas lutter contre les cyclones, mais leur laisser la fenêtre ouverte, ne pas clouer trop bien les toits mais laisser la tornade les emporter afin de conserver la maison et la vie. Il faut s'accorder aux forces de la nature. C'est pourquoi l'écrivain, jouant sur le mot « accord », cherche avant tout à faire œuvre musicale. Alejo Carpentier de même que Daniel Maximin composent des « concerts baroques » dans lesquels la fugue, la variation et le métissage représentent la seule organisation possible d'un monde duquel le discours ne dit rien, trop rationnel, logique ou construit.

La musique semble, dès lors, seule capable d'ordonner, tout en libérant, de former, sans figer, les images de cet univers tourbillonnant. Le discours est par conséquent décomposé, il implose ; les mots deviennent la matière sonore et poétique, rythmique d'un « beau chant giclé ». Si Édouard Glissant n'a pas aussi directement une telle « intention » artistique et musicale, il n'en est pas moins poète et si la musique n'est pas un thème qui l'habite, la matière sonore cependant est au centre de son écriture. Il vise à restituer le souffle du conteur, la mobilité de l'oral, il défait la chaîne discursive pour faire entendre le halètement ou la sarabande des signifiants. Il est peut-être question désormais de créer un ordre qui n'aurait pas le sens pour principe. La règle musicale, les lois de composition ou de musicalité pourraient organiser le monde du poète et l'œuvre, en ne rendant de comptes qu'à elles-mêmes, indépendamment du chaos qui régit le monde historique. Peut-on encore parler de loi symbolique ? N'y a-t-il pas un paradoxe extrême à se donner pour loi une stricte règle de composition, dans un monde social et historique, humain, habité par le plus grand désordre ?

Selon Carpentier enfin, le baroque se caractérise par « l'horreur du vide » : « El barroco, constante del espíritu (...) se caracteriza por el horror al vacío, a la superficie desnuda, a la armonia lineal geométrica[4]. » On pourrait se demander ce qui commande une telle « horreur », et ce qui permettrait au contraire aux classiques

---

4.   « Le baroque, constante de l'esprit, se caractérise par l'horreur du vide, de la surface nue, de l'harmonie de lignes géométriques », *La novela latino-americana*, p. 117.

d'aimer les jardins à la française, les colonnes bien alignées, les volumes aérés. Il n'est peut-être pas téméraire de justifier cette « horreur du vide » par le vide de la loi. Un monde pris de tremblements convulsifs, qui ne sait où sont ses repères, un monde en deuil de père, que rien n'ordonne, où plus rien ni personne ne préside à la succession des générations, bref, un monde sans ordre symbolique a besoin de s'étourdir de la valse des signifiants.

De même, chez Daniel Maximin, il semble que le seul moyen d'éviter l'encerclement soit la circulation vibrionnante des signes et des mots, tandis que les héros de Alejo Carpentier s'agitent sans savoir où ils vont, parce que « il faut faire quelque chose ! » Le monde « nouveau », créole, métissé, en quête d'identité, qui s'interroge sur sa loi, ne trouve ni principe ni centre. Dans le baroque,

« se multiplican los "núcleos proliferantes", es decir, elementos decorativos que llenan totalmente el espacio ocupado por la construcción (...), con motivos que están dotados de una expansión propia y lanzan, proyectan las formas con una fuerza expansiva hacia afuera[5] ».

Le monde des Caraïbes est décentré, il « sort de ses gonds » aurait dit Shakespeare : « the time is out of joint ». Se sentant loin du centre et de ses principes, il invente un univers à « noyaux multiples », histoires et « tresses d'histoires », dans la littérature de la créolité. L'écriture fait exploser la narration et les points de vue, qui tous se valent, sont des expériences possibles du monde.

Ce qui fait valeur, on le sent bien dans le discours de Alejo Carpentier, c'est l'énergie, la force d'expansion. Il ajoute un peu plus loin : « es un arte en movimiento, un arte de pulsión, un arte que va de un centro hacia afuera y va rompiendo, en cierto modo,

---

5.   Alejo Carpentier, *La novela latinoamericana*, p. 117. Dans le baroque « se multiplient ce que nous pourrions appeler les "noyaux proliférants", c'est-à-dire des éléments décoratifs qui emplissent totalement l'espace occupé par la construction, (...) avec des motifs qui sont doués d'une expansion propre et qui lancent, projettent les formes avec une force expansive au loin ».

sus propios márgenes[6] ». De même que chez Daniel Maximin ou Édouard Glissant, l'impulsion, le mouvement, la force centrifuge sont privilégiés. Plutôt que le sens, l'unité, nous avons montré que la pulsion devenait le véritable moteur de l'histoire, aveugle, têtue, erratique à la limite, mais rejoignant les grands élans cosmiques d'un désir de vie et d'affirmation. C'est ce qui fait dire à « Daniel », dans l'un des derniers paragraphes de L'Isolé soleil : « nous savons que nous sommes présents comme le verbe être ». Le désir s'affirme plutôt que la loi, la force d'une « présence » plutôt que le sens de l'Histoire. On explore dans toutes les directions, au-delà des limites, jusqu'à la folie et au « délire ». Les images de Alejo Carpentier rappellent la mer en furie qui rompt les digues : « va rompiendo sus propios márgenes ».

Édouard Glissant fait écho à Alejo Carpentier lorsqu'il estime que « les techniques du baroque vont (...) favoriser l'"extension" au lieu de la "profondeur" ». Il semble paraphraser son prédé-cesseur lorsqu'il écrit :

> « l'art baroque fait appel au contournement, à la prolifération, à la redondance d'espace, à ce qui bafoue l'unicité prétendue d'un connu et d'un connaissant, à ce qui exalte la quantité reprise infiniment, la totalité à l'infini recommencée[7] ».

La « relation » comme le « rhizome » sont baroques.

Dans cet univers quelque peu « désastré », qui ose se réjouir de ses propres folies, et parfois s'inquiète de délirer, on pourrait se demander si la « peur du vide » n'est pas tout compte fait ce que Lacan appelle la « forclusion du Nom-du-Père », signifiant sans lequel le sujet est livré à tous les signifiants. Le signifiant qui ordonne, permet de donner sens à la chaîne des signifiants, de les maintenir, de symboliser le monde, est tombé, rejeté, exclu. Dès lors le sujet butte contre tous les signifiants, « isolés soleils » qui s'équivalent, prolifèrent dans une explosion violente, et cependant

---

6.   Alejo Carpentier, ibid. « C'est un art en mouvement, un art de la pulsion, un art qui va d'un centre vers la périphérie et sort, d'une certaine façon, de ses propres limites. »

7.   Édouard Glissant, « D'un baroque mondialisé », Poétique de la relation, pp. 91-92.

fixe, comme une idée fixe. Car il ne faut pas oublier que dans son univers proliférant où les signifiants circulent intensément, le délirant cependant est médusé, absolument figé dans ses interrogations, ses constructions savantes et ses répétitions. En l'absence de ce qui lie les signifiants entre eux et oriente le monde, le discours devenu délirant se prend dans la farandole baroque des signifiants. Le nom-du-père qui manque de façon si évidente ou apparaît si fragile, si spectral, dans les trois romans que nous avons parcourus, est à la fois ce qui libère cette merveilleuse force centrifuge de l'imaginaire et laisse percer une angoisse, comme un appel à quelque chose qui, tout de même, arrimerait le discours, la vision. On s'interroge désespérément : existe-t-il une « loi d'expression » contre la « malemort » ?

Le baroque a ses exaltations, il a également ses terreurs lorsque le tableau *Explosion dans une cathédrale* n'est plus qu'une ombre qui semble saigner « sur l'incarnat foncé du brocart[8] ». L'œuvre n'a plus de sujet, il s'est effacé, gommé, comme s'il était anéanti. En l'absence d'un ordre symbolique, qu'est-ce qui nous garantit, en effet, que nous – sujets humains – sommes vraiment « présents » ?

---

8.   Alejo Carpentier, *Le Siècle des Lumières*, « El cuadro de la *Explosión en una catedral*, (...) dejó de tener asunto, borrandose, haciéndose mera sombra sobre el encarnado oscuro del brocardo (...) y parecía sangrar donde alguna humedad le hubiese manchado el tejido. »

Table des matières

Études littéraires aux Éditions Karthala

Cabo Verde. Insularidade e Literatura, Veiga M. (coordenação)
Champs littéraires africains (Les), Fonkoua R. et Halen P.
Dictionnaire des auteurs maghrébins de langue française,
 Déjeux J.
Dictionnaire littéraire des femmes de langue française,
 Mackward C. P. et Cottenet-Hage M.
Discours de voyages : Afrique-Antilles (Les), Fonkoua R. (éd.)
Écrivain antillais au miroir de sa littérature (L'), Moudileno L.
Écrivain francophone à la croisée des langues : Entretiens (L'),
 Gauvin L. (éd.)
Épopées d'Afrique noire (Les), Kesteloot L. et Dieng B.
Esclave fugitif dans la littérature antillaise (L'), Rochmann
 M.-C.
Femmes dans la littérature africaine (Les), Brahimi D. et
 Trevarthen A.
Femmes, famille et société au Maghreb, Tauzin A. et
 Souibes .
Francophonie et identités culturelles, Albert C. (dir.),
Histoire de la littérature négro-africaine, Kesteloot L.
Insularité et littérature aux îles du Cap-Vert, Veiga M. (dir.)
Langue d'Ahmadou Kourouma (La), Gassama M.
Littérature africaine et sa critique (La), Mateso L.
Littérature africaine moderne au sud du Sahara (La),
 Coussy D.
Littérature béninoise de langue française (La), Houannou A.
Littérature et identité créole aux Antilles, Rosello M.
Littérature féminine de langue française au Maghreb (La),
 Déjeux J.
Littérature franco-antillaise (La), Antoine R.
Littérature ivoirienne (La), Gnaoulé-Oupoh B.
Littérature zaïroise de langue française (La), Kadima-Nzuji M.
Littératures caribéennes comparées, Maximin C.
Littératures d'Afrique noire, Ricard A.
Littératures de la péninsule indochinoise, Hue B. (dir.)
Mouloud Feraoun ou l'émergence d'une littérature, Elbaz R. et
 Mathieu-Job M.
Nadine Gordimer, Brahimi D.

Composition, mise en pages :
Écriture Paco Service
27, rue des Estuaires - 35140 Saint-Hilaire-des-Landes

Achevé d'imprimer en juillet 2001
sur les presses de la Nouvelle Imprimerie Laballery
58500 Clamecy
Dépôt légal : juillet 2001
Numéro d'impression : 107108

Imprimé en France